Françoise Lefebvre

Extraordinaire !!!
Purette

LE PORTE-BONHEUR

NICHOLAS SPARKS

LE PORTE-BONHEUR

Traduit de l'anglais (États-Unis)
par Jean-Noël Chatain

Titre original : *The Lucky One*
© Nicholas Sparks, 2008
Publié par Grand Central Publishing, 2007

© Michel Lafon Publishing, 2010, pour la traduction française
7-13, boulevard Paul-Émile-Victor – Île de la Jatte
92521 Neuilly-sur-Seine Cedex

www.michel-lafon.com

Pour Jamie Raab et Dennis Dalrymple

Un an pour se souvenir…
et un autre pour oublier.
Je suis avec vous par la pensée.

– 1 –

Clayton et Thibault

Le shérif adjoint Keith Clayton ne les avait pas entendus s'approcher et, de près, leur allure lui déplut autant que la première fois qu'il les avait vus. En partie à cause du chien. Il ne raffolait pas des bergers allemands et, même si celui-ci se tenait tranquille, il lui rappelait Panther, le chien policier qui ne quittait jamais l'adjoint Kenny Moore et n'hésitait pas à mordre les suspects à l'entrejambe au moindre signal de son maître. La plupart du temps, Clayton prenait Moore pour un imbécile, mais celui-ci n'en demeurait pas moins ce qui se rapprochait le plus d'un ami au sein du service, et Clayton devait bien admettre que Moore racontait ces anecdotes de morsures comme personne, au point de le faire se plier de rire. Par ailleurs, Moore aurait à coup sûr apprécié la petite baignade à poil que Clayton venait d'interrompre en repérant deux étudiantes qui bronzaient nues au bord de l'eau. Il n'était là que depuis quelques minutes et n'avait pris que deux ou trois photos avec son appareil numérique, quand il vit une troisième naïade surgir de derrière des hortensias. Après s'être rapidement débarrassé de l'appareil dans les buissons, il s'écarta de l'arbre derrière

9

lequel il se cachait, pour se retrouver l'instant d'après nez à nez avec l'étudiante.

— Tiens donc, qu'est-ce qui me vaut cet honneur ? minauda-t-il, essayant de mettre la fille sur la défensive.

Il ne supportait pas d'avoir été surpris, pas plus qu'il n'appréciait son entrée en matière passablement insipide. D'ordinaire, il avait plus de doigté. Beaucoup plus. Heureusement, la fille se révélait trop gênée pour y prêter attention, et elle faillit trébucher en reculant maladroitement. Elle bredouilla un semblant de réponse et tenta de se couvrir avec les mains. Pour un peu, on aurait dit qu'elle jouait toute seule au Twister.

Il ne fit aucun effort pour détourner le regard. Au contraire, il souriait en faisant semblant de ne pas remarquer le corps de la fille, comme s'il croisait couramment des femmes nues dans les bois. Il savait d'ores et déjà qu'elle n'avait pas vu l'appareil photo.

— Bon, calmez-vous. Qu'est-ce que vous fabriquez ? demanda-t-il.

Il le savait fort bien. Ça se produisait deux ou trois fois par été, mais surtout en août… Avant la rentrée des classes, les étudiantes de Chapel Hill ou de l'université de Caroline du Nord se rendaient à la plage pour un long week-end de la dernière chance à l'île d'Émeraude. Il n'était pas rare qu'elles fassent un détour par un vieux chemin sinueux et cahoteux sur deux ou trois kilomètres dans la forêt domaniale, avant d'atteindre l'endroit où la Swan Creek formait un coude pour se jeter dans la South River. Le lieu accueillait une plage de galets réputée idéale pour le bronzage intégral – pourquoi et comment ? il l'ignorait –, et Clayton se faisait souvent un devoir d'y passer… juste au cas où. Deux semaines plus tôt, il avait vu six belles de jour ; aujourd'hui, elles étaient trois, et les deux qui se prélassaient jusque-là sur leur serviette récupéraient déjà leur tee-shirt. Si l'une d'elles se révélait un peu grassouillette, les deux autres – dont la brune qui se tenait devant lui – possédaient le genre de silhouette à rendre fous les étudiants. Et les shérifs adjoints.

– On savait pas qu'il y avait du monde ! On pensait que ça poserait pas de problème !

Elle affichait un air suffisamment innocent pour qu'il songe : *Papa serait-il fier de savoir ce que manigançait sa chère petite ?* Ça l'amusait de s'imaginer ce qu'elle répondrait à cela, mais puisqu'il portait son uniforme, il devait conserver un ton officiel. En outre, il savait qu'il prenait des risques ; si la rumeur se répandait que le bureau du shérif patrouillait dans le coin, plus aucune étudiante ne s'y hasarderait, et il ne pouvait envisager pareille perspective.

– Allons parler à vos amies.

Il la suivit comme elle regagnait la plage, tout en se régalant de la voir tenter, mais sans succès, de se couvrir les fesses. Lorsqu'ils sortirent des feuillages et parvinrent à la clairière près de la rivière, les deux autres filles avaient renfilé leur tee-shirt. La brune rejoignit ses amies en se trémoussant, puis s'empara sur-le-champ d'une serviette, tout en renversant deux ou trois canettes de bière dans la foulée. Clayton indiqua un arbre voisin.

– Z'avez pas vu le panneau ?

Elles tournèrent aussitôt la tête dans cette direction. Les gens étaient de vrais moutons, toujours prêts à obéir, songea-t-il. La pancarte, petite et partiellement cachée par les branches basses d'un vieux chêne vert, avait été plantée sur l'ordre du juge Kendrick Clayton, qui se trouvait être son oncle. L'idée d'installer des panneaux émanait de Keith ; il savait que l'interdiction au public ne ferait que renforcer l'attraction du lieu.

– On l'a pas vu ! s'écria la brune en se retournant vers lui. On savait pas ! Ça fait deux ou trois jours à peine qu'on a entendu parler de cet endroit !

Elle continua à protester tout en bataillant avec sa serviette ; les autres semblaient trop terrifiées pour faire quoi que ce soit, hormis essayer d'enfiler leur culotte de bikini.

– C'est la première fois qu'on vient !

La fille pleurnichait presque, et cela lui donnait des allures d'enfant gâtée. Ce qu'elles étaient sans doute toutes les trois. Ça se voyait dans leur regard.

– Savez-vous que la nudité en public est un délit dans ce comté ?

Il vit leur visage juvénile blêmir de plus belle à l'idée de voir inscrite cette transgression mineure sur leur casier judiciaire. C'était marrant à regarder, mais autant éviter d'aller trop loin, se rappela-t-il.

– Comment vous appelez-vous ?

– Amy, dit la brunette en manquant s'étrangler. Amy White.

– D'où venez-vous ?

– Chapel Hill. Mais je suis originaire de Charlotte.

– Je vois de l'alcool qui traîne dans les parages. Vous avez toutes vingt et un ans ?

Pour la première fois, les deux autres répondirent en chœur :

– Oui, monsieur.

– OK, Amy. Voilà ce que je propose. Je vais vous croire sur parole quand vous me dites que vous n'avez pas vu le panneau et que vous êtes en âge de boire de la bière. Je vais donc passer l'éponge pour cette fois. Et même faire comme si je ne vous avais pas vues. Tant que vous me promettez de ne pas répéter à mon chef que je vous ai tirées d'affaire toutes les trois.

Elles ne savaient pas trop si elles devaient le croire ou pas.

— Vraiment ?

— Vraiment. Moi aussi, j'ai été étudiant dans le temps. (Totalement faux, mais il savait que ça sonnait juste.) Vous feriez peut-être mieux de vous rhabiller. On ne sait jamais… il se peut que des gens rôdent dans le coin. (Il les gratifia d'un sourire en ajoutant :) Veillez à ramasser toutes vos canettes, OK ?

— Oui, monsieur.

— J'apprécie.

Il tourna les talons pour s'en aller.

— C'est tout ?

Il leur décocha un nouveau sourire.

— C'est tout. Tâchez de faire attention à vous.

Clayton s'enfonça dans le sous-bois, tout en baissant la tête pour éviter certaines branches, tandis qu'il regagnait sa voiture de patrouille en songeant qu'il s'était débrouillé comme un chef. Amy lui avait même souri et, en se détournant, il avait caressé l'idée de revenir sur ses pas pour lui demander son numéro de téléphone. Non, il valait mieux qu'il s'en aille. À tous les coups, elles reviendraient en disant à leurs amies que, même si le shérif les avait surprises, il ne leur était rien arrivé. Le bruit circulerait alors que les forces de l'ordre étaient cool dans le coin. Et puis, il espérait que les photos seraient bien nettes. Elles compléteraient à merveille sa petite collection.

L'un dans l'autre, sa journée s'était plutôt bien déroulée. Clayton allait récupérer son appareil lorsqu'il entendit siffloter. Il suivit le bruit en direction du chemin forestier et découvrit l'étranger avec un chien ; celui-ci marchait lentement et évoquait une espèce de hippie sorti tout droit des années 1960.

L'étranger n'était pas avec les filles. Aux yeux de Clayton, ça ne faisait pas l'ombre d'un doute. Pour commencer, le gars était trop vieux pour aller à la fac ; il avait au bas mot dans les trente ans. Sa longue tignasse était tout emmêlée, et Clayton reconnut les contours d'un sac de couchage qui dépassait de son sac à dos. L'étranger ne partait pas à la plage pour la journée ; il avait plutôt l'apparence d'un randonneur, voire d'un campeur. Difficile de savoir depuis combien de temps il traînait dans le coin ou ce qu'il avait vu...

Clayton en train de prendre des photos, par exemple ?

Non. Impossible. On ne pouvait voir Clayton depuis la route principale ; le sous-bois était dense, et il aurait entendu quelqu'un marcher, pas vrai ? Toutefois, c'était un endroit bizarre pour la randonnée. Ils se trouvaient au beau milieu de nulle part, et Clayton n'avait franchement pas envie qu'un groupe de losers à moitié hippies lui gâche son petit repère à étudiantes.

Entre-temps, l'étranger était passé devant lui. Il avait presque atteint la voiture de patrouille et se dirigeait vers la Jeep des filles. Clayton s'avança sur la route et s'éclaircit la voix. L'étranger et le chien se tournèrent en l'entendant tousser.

Clayton continua à les observer de loin. Sa soudaine apparition semblait laisser l'étranger de marbre, tout comme son chien, et ce gars avait quelque chose dans le regard qui dérangeait Clayton. Comme s'il s'attendait à le voir surgir. Même impression chez le berger allemand. Le chien paraissait se tenir à l'écart, tout en restant méfiant – *intelligent*, ou presque –, un peu comme l'était souvent Panther avant que Moore ne le lâche. Son estomac fit une pirouette. Pour un peu Clayton allait protéger ses parties génitales.

Pendant une interminable minute, ils continuèrent à se dévisager. Clayton avait appris depuis longtemps que son uniforme intimidait la plupart des gens. Tout le monde, même les innocents, devenait nerveux en présence des forces de l'ordre, et il s'imagina que ce gars ne faisait pas exception à la règle. C'était l'une des raisons pour lesquelles il aimait son job de shérif adjoint.

— Vous avez une laisse pour votre chien ? s'enquit-il d'un ton qui passait plus pour un ordre que pour une simple question.

— Dans mon sac à dos.

Clayton ne détecta aucun accent particulier. « Il parle comme à la télé », aurait dit sa mère.

— Mettez-la-lui.

— Ne vous inquiétez pas. Il ne bougera pas, sauf si je le lui demande.

— Mettez-la-lui quand même.

L'étranger détacha son sac à dos et farfouilla à l'intérieur. Clayton se dévissa le cou, dans l'espoir d'entrevoir quoi que ce soit qui puisse s'apparenter à de la drogue ou à une arme quelconque. L'instant d'après la laisse était fixée au collier du chien, et l'étranger le contemplait d'un air de dire : « quoi, maintenant ? »

— Qu'est-ce que vous faites dans le coin ? reprit Clayton.

— De la randonnée.

— Z'avez un sacré barda pour un randonneur.

L'étranger ne broncha pas.

— À moins que vous vous baladiez en douce, histoire de mater ?

— C'est ce que les gens font dans le coin ?

Clayton n'appréciait pas le ton employé, ni même ce qu'il sous-entendait.

— J'aimerais voir vos papiers.

L'étranger fouilla de nouveau dans son sac et en sortit un passeport. Il fit signe au chien de ne pas bouger, puis s'avança vers Clayton et lui tendit le document.

— Pas de permis de conduire ?

— Je l'ai pas pris.

Clayton lut le nom, en articulant lentement :

— Logan Thaï Bolt ? Vous venez d'où ?

— Colorado.

— Ça fait une trotte.

L'étranger resta muet.

— Vous avez une destination particulière ?

— Je me dirige vers Arden.

— Qu'est-ce qu'il y a de spécial là-bas ?

— J'en sais rien. J'y suis jamais allé.

Clayton fronça les sourcils. Trop facile, la réponse. Trop... provocatrice ? Trop... tout. Enfin, peu importe. D'un seul coup, il eut la confirmation que ce gars ne lui plaisait pas.

— Attendez, dit-il. Ça ne vous dérange pas si je procède à une petite vérification ?

— Je vous en prie.

Tandis que Clayton rejoignait sa voiture, il jeta un regard par-dessus son épaule et vit Thibault sortir de son sac une gamelle, dans laquelle il vida une bouteille d'eau. Comme s'il n'avait aucun souci à se faire.

On va se renseigner, pas vrai ? Une fois dans la voiture, Clayton communiqua son nom par radio et l'épela avant d'être interrompu par la dispatcheuse.

— C'est Thibault, comme *Tea Bow*. Et pas *Thaï Bolt*. C'est français.

— Je me fiche de savoir comment ça se prononce, OK ?

— Moi, ce que j'en dis...

16

– Laisse tomber, Marge. Contente-toi de vérifier, tu veux ?

– Il a l'air français ?

– Comment veux-tu que je sache à quoi ça ressemble, un Français ?

– Simple curiosité. Ne prends pas la mouche. Je suis un peu débordée ici.

Ouais, tu parles, songea Clayton. Trop occupée à se goin-frer de doughnuts ! Elle en avalait une bonne dizaine par jour. Marge devait friser les cent quarante kilos.

À travers la vitre, il voyait l'étranger accroupi près du chien et lui parlant doucement, pendant que celui-ci lapait l'eau. Clayton secoua la tête. Ce gars parle aux bestioles. Un cinglé. Comme si le cabot pouvait comprendre autre chose que les commandes de base. Son ex-femme faisait pareil. Elle traitait les chiens comme les gens, ce qui aurait dû lui mettre la puce à l'oreille et lui éviter de la fréquenter dès le début.

– Je ne trouve rien, déclara Marge. (Elle avait l'air de mastiquer un truc.) Aucune arrestation.

– T'en es sûre ?

– Ouais, certaine. Je connais mon boulot, figure-toi.

Comme s'il avait entendu la conversation, l'étranger récu-péra la gamelle et la rangea dans le sac à dos, avant de le remettre en bandoulière.

– T'as pas eu des coups de fil inhabituels ? À propos de rôdeurs, ce genre de choses ?

– Non. C'était calme ce matin. Et t'es où, d'abord ? Ton père te cherche partout.

Le père de Clayton était le shérif du comté.

– Dis-lui que je serai de retour dans un petit moment.

– Il a l'air furax.

– Dis-lui juste que je patrouille, OK ? répliqua Clayton, sans se donner la peine d'ajouter : « Comme ça il saura que je travaillais. »

– Compte sur moi.

À la bonne heure !

– Faut que j'y aille.

Il raccrocha et resta assis, immobile, un peu déçu. Ça aurait été marrant de voir la réaction du gars s'il l'avait mis sous les verrous, avec sa tignasse de nana et tout ça. Les frères Landry s'en seraient donné à cœur joie avec lui. Ils avaient l'habitude de se faire coffrer le samedi soir : état d'ivresse et troubles sur la voie publique, bagarre, presque tout le temps entre eux. Sauf quand ils finissaient au poste. À ce moment-là, ils s'en prenaient à quelqu'un d'autre.

Il tripota la poignée de sa portière. Et quelle mouche piquait son cinglé de père cette fois-ci ? Ce type lui tapait sur les nerfs. Fais ci. Fais ça. T'as apporté ces papiers ? Pourquoi t'es en retard ? T'étais où ? Neuf fois sur dix, Clayton avait envie de lui dire de s'occuper de ses oignons. Le vieux croyait toujours tout diriger dans le coin.

Peu importe. Il saurait tôt ou tard de quoi il retournait. Pour l'heure, il était temps de faire dégager ce loser au look de hippie avant que les filles ne réapparaissent. L'endroit devait resté confidentiel, pas vrai ? Ces cinglés de hippies pouvaient tout gâcher.

Clayton descendit de la voiture et ferma la portière. Le chien pencha la tête de côté à son approche. Il rendit le passeport.

– Désolé pour le dérangement, m'sieur Thaï-Bolt, dit-il en prononçant volontairement le nom de travers. Je fais juste mon travail. À moins, bien sûr, que vous n'ayez de la drogue ou des armes dans votre baluchon.

– C'est pas le cas.

– Ça vous ennuie que j'y jette un œil ?

– Oui, un peu. Le Quatrième Amendement[1], tout ça…

– J'aperçois un sac de couchage. Vous campez ?

– J'étais dans le comté de Burke hier soir.

Clayton examina le gars, tout en réfléchissant à la réponse qu'il venait d'obtenir.

– Il n'y a pas de campings par ici.

Le gars resta impassible.

Ce fut Clayton qui détourna les yeux.

– Ce serait peut-être mieux pour vous de garder votre chien en laisse.

– Je ne crois pas qu'une loi nous y oblige dans ce comté.

– En effet. Mais c'est pour la sécurité de votre chien. Il y a beaucoup de voitures sur la grand-route.

– Je vais tâcher de m'en souvenir.

– OK, dans ce cas…

Clayton tourna les talons, avant de s'interrompre une fois de plus :

– Pardonnez ma curiosité, mais ça fait combien de temps que vous traînez dans les parages ?

– Je viens d'arriver. Pourquoi ?

Quelque chose dans la manière de répondre fit douter Clayton, et il hésita avant de se rappeler à nouveau que le gars ne pouvait absolument pas deviner ce qu'il manigançait.

– Juste pour savoir.

– Je peux m'en aller ?

– Ouais. Pas de problème.

Clayton observa l'étranger et son chien s'éloigner sur le chemin forestier, avant d'obliquer pour prendre un petit

---

1. Protège le citoyen américain de toute perquisition ou saisie abusive, non motivée. (Toutes les notes sont du traducteur.)

sentier qui s'enfonçait dans les bois. Une fois qu'ils eurent disparu, Clayton regagna son poste d'observation, en quête de son appareil photo. Il plongea le bras dans les buissons, remua d'un coup de pied les aiguilles de pin qui jonchaient le sol, et revint plusieurs fois sur ses pas pour s'assurer qu'il se trouvait au bon endroit. Finalement, il tomba à genoux, gagné peu à peu par la panique. L'appareil photo appartenait au bureau du shérif. Il l'avait seulement *emprunté* pour ses sorties très spéciales, et son père le mitraillerait de questions en cas de perte de l'appareil. Ce serait encore pire si quelqu'un le retrouvait avec une carte-mémoire remplie de photos d'étudiantes nues. Son père ne plaisantait pas avec les convenances et la responsabilité.

Quelques minutes s'étaient écoulées. Au loin, il entendit le rugissement d'un moteur qui démarrait. Il supposa que les étudiantes s'en allaient ; il songea à peine à ce qu'elles risquaient de penser en voyant la voiture de patrouille toujours garée. Il avait d'autres soucis en tête.

L'appareil photo avait disparu.

Non pas perdu. Disparu ! Et ce foutu engin ne s'était pas fait la malle tout seul. Impossible que les filles l'aient découvert, de toute manière. Ce qui voulait dire que Thaï-Bolt se moquait de lui depuis le début. *Thaï-Bolt... s'était... payé sa tête.* Incroyable ! Il savait que ce gars se la jouait trop cool, trop... *Souviens-toi l'été dernier.*

Pas question qu'il s'en tire à si bon compte ! C'était pas un hippie crasseux, un cinglé qui parlait aux chiens, qui mettrait Keith Clayton plus bas que terre. Pas de son vivant, en tout cas.

Il se fraya un chemin à travers les branchages et regagna la route en se disant qu'il rattraperait Logan Thaï-Bolt, histoire de jeter un coup d'œil sur le gars. Juste pour commencer. Le reste suivrait, c'était sûr. Ce gars se foutait de lui ? Ça se faisait pas. Pas dans cette ville en tout cas. Le chien ne lui faisait pas peur non plus. Le chien s'agite ? Bye-bye, le toutou ! Pas plus compliqué que ça. Les gens se servaient des bergers allemands comme d'une arme… Aucun tribunal du pays ne le contredirait là-dessus.

Mais chaque chose en son temps. D'abord trouver Thibault. Ensuite l'appareil photo. Puis réfléchir à l'étape suivante.

Alors qu'il s'approchait de sa voiture de patrouille, Clayton s'aperçut que ses deux pneus arrière étaient à plat…

— Tu t'appelles comment, déjà ?

Thibault se pencha en travers du siège avant de la Jeep et répondit en haussant le ton pour couvrir le bruit du vent :

— Logan Thibault ! Et lui, c'est Zeus, ajouta-t-il en pointant le pouce par-dessus son épaule.

Zeus était installé à l'arrière, langue pendante et museau en l'air, tandis que la Jeep filait vers la grand-route.

— Superbe chien. Moi, c'est Amy. Et voici Jennifer et Lori.

Thibault jeta un regard sur le siège arrière :

— Salut !

— Salut.

Elles semblaient distraites. Rien de surprenant, après ce qu'elles venaient de vivre, songea Thibault.

— C'est sympa de m'avoir pris en stop.

— Pas de problème. Tu disais donc que t'allais à Hampton ?

— Si c'est pas trop loin.

— C'est sur le chemin.

Après avoir quitté le chemin forestier et s'être occupé de deux ou trois petites choses, Thibault avait regagné la route juste au moment où les filles s'en allaient. Il avait tendu le pouce, trop content d'avoir Zeus avec lui, et elles s'étaient arrêtées quasi sur-le-champ.

Parfois, tout se déroule à merveille.

Même s'il prétendait le contraire, il les avait en effet vues toutes les trois plus tôt dans la matinée, au moment de leur arrivée. Il avait campé juste au-dessus de la crête, en face de la plage, mais avait respecté leur intimité dès lors qu'elles s'étaient déshabillées. À ses yeux, ce qu'elles faisaient tombait dans la catégorie « pas de quoi fouetter un chat » ; hormis sa présence à lui, les filles étaient totalement seules, et il n'avait nullement l'intention de rester à les épier. Qui ça pouvait bien déranger qu'elles soient en tenue d'Ève, après tout ? Ça ne le regardait pas, et il avait l'intention de ne rien y changer... jusqu'à ce qu'il aperçoive l'adjoint circulant sur la route, au volant d'une voiture de patrouille du shérif du comté de Hampton.

Il eut le temps de bien observer ledit adjoint à travers le pare-brise, et comprit qu'un truc *clochait* dans l'expression de son visage. Difficile de dire quoi au juste, et Thibault ne prit pas le temps d'y réfléchir. Il tourna les talons, coupant à travers bois, et arriva à temps pour voir l'adjoint vérifier la carte-mémoire de son appareil photo, avant de fermer la portière de son véhicule. Thibault l'observa se faufiler en direction de la crête. Il savait que l'adjoint pouvait fort bien se trouver en mission officielle, mais celui-ci avait le même air que Zeus lorsqu'il attendait un morceau de *beef jerky*[1]. Un peu trop guilleret pour être honnête.

Thibault avait ordonné à Zeus de ne pas bouger et s'était tenu suffisamment à l'écart pour que l'adjoint ne l'entende

---

1. Tranche de bœuf séchée, proche de la viande des Grisons.

pas… Et tout le reste s'était déroulé de manière spontanée. Il savait qu'il devait éviter toute confrontation directe : le shérif adjoint aurait prétendu rassembler des preuves, et nul n'aurait osé mettre en doute sa parole contre celle d'un étranger. Toute brutalité était également à bannir, surtout que cela aurait causé des problèmes inutiles, même s'il aurait volontiers aimé en découdre avec ce type. Par chance – ou par malchance, selon le point de vue adopté –, la fille apparut, l'adjoint paniqua, et Thibault vit à quel endroit l'appareil photo avait atterri. Une fois que le shérif adjoint et la fille eurent retrouvé les deux autres, Thibault récupéra l'appareil. À ce stade, il aurait pu simplement le laisser là, mais le gars méritait une leçon. Pas quelque chose de terrible, juste histoire de préserver l'honneur des demoiselles, de permettre à Thibault de reprendre son chemin, et de gâcher la journée du représentant des forces de l'ordre. Raison pour laquelle il avait pris la peine de se baisser afin de dégonfler les pneus de la voiture de patrouille.

– Tiens, maintenant que j'y pense, reprit Thibault, j'ai trouvé ton appareil photo dans les bois.

– C'est pas à moi. Lori, Jen, l'une d'entre vous a perdu un appareil photo ?

Les deux filles secouèrent la tête.

– Peu importe, gardez-le, décida Thibault en le posant sur le siège. J'en ai déjà un. Et merci de m'avoir transporté.

– Ce truc doit coûter cher. T'es sûr de vouloir nous le laisser ?

– Certain.

– Merci, alors.

Thibault remarqua le jeu d'ombres et de lumière sur le visage d'Amy, la jugeant attirante dans le genre « citadine », avec les traits marqués, le teint olivâtre et des yeux marron parsemé d'éclats noisette. Il aurait pu l'admirer des heures entières.

– Hé… tu fais un truc ce week-end ? s'enquit-elle. On va toutes à la plage.

– Sympa de m'inviter, mais je peux pas.

– Je parie que tu vas voir ta petite amie, non ?

– Qu'est-ce qui te fait dire ça ?

– Il suffit de te regarder…

Thibault se détourna volontairement.

– Alors, disons que c'est un peu ça.

– 2 –

Thibault

Quand on y songe, la vie d'un homme prend parfois une tournure inattendue. Jusqu'à l'an dernier, Thibault aurait sauté sur l'occasion de passer le week-end avec Amy et ses copines. C'était sans doute tout ce dont il avait besoin, mais lorsqu'elles le déposèrent à l'entrée de la ville de Hampton, sous le soleil implacable de cet après-midi d'août, il leur dit au revoir d'un geste de la main et se sentit étrangement soulagé. Maintenir cette normalité de façade l'avait épuisé.

Depuis son départ du Colorado, cinq mois plus tôt, il avait choisi de ne pas passer plus de quelques heures en compagnie d'autrui, à l'exception d'un fermier d'un certain âge au sud de Little Rock, qui le laissa dormir dans une chambre inoccupée à l'étage de sa maison, après un dîner où le paysan n'avait guère plus parlé que lui. Thibault appréciait le fait que l'homme n'éprouve pas le besoin de l'interroger. Aucune question, aucune curiosité, aucune allusion directe. En remerciements, Thibault passa deux ou trois jours à l'aider à réparer le toit de l'étable, avant de reprendre la route, le sac à dos rempli et Zeus trottant dans son sillage.

Hormis le trajet en voiture avec les filles, il avait marché tout le long du chemin. Après avoir laissé les clés de son appartement au gérant de son immeuble à la mi-mars, il entama son long périple, où il usa huit paires de chaussures, et survécut en s'alimentant de barres énergétiques aux céréales et d'eau. Une fois, dans le Tennessee, il dévora jusqu'à cinq piles de pancakes, car il n'avait quasiment rien avalé pendant trois jours. Avec Zeus, il essuya toutes sortes d'intempéries, dont le blizzard, la grêle, la pluie et une chaleur si intense qu'il en eut des cloques sur les bras ; il vit même une tornade se soulever à l'horizon, non loin de Tulsa, en Oklahoma, et la foudre faillit le frapper à deux reprises. Il emprunta de nombreux détours, évitant si possible les routes principales, parfois sur un coup de tête, ce qui rallongea d'autant son voyage. En général, il marchait jusqu'à épuisement, et vers la fin de la journée, il se mettait en quête d'un endroit pour camper, là où il pensait que Zeus et lui ne seraient pas dérangés. Le lendemain, ni vus ni connus, ils reprenaient la route avant l'aube. À ce stade, personne ne les avait embêtés.

Selon lui, il effectuait plus de trente kilomètres par jour, encore qu'il ne gardait aucune trace précise de la durée ou de la distance parcourue. Tel était le but de son voyage. Certains pouvaient fort bien s'imaginer qu'il marchait pour s'éloigner des souvenirs de sa vie passée, ce qui ne manquait pas de poésie ; d'autres, croire qu'il marchait simplement pour le plaisir de la randonnée. Les uns comme les autres avaient tort. Il appréciait la marche et avait une destination à rejoindre. Ce n'était pas plus compliqué. Il aimait partir quand bon lui semblait, à son propre rythme, pour se rendre là où il le souhaitait. Après quatre années à suivre les ordres au sein du corps des marines américains, pareille liberté l'enchantait.

Sa mère s'inquiétait pour lui, mais c'était le lot de toutes les mères. Ou du moins de la sienne. Il l'appelait tous les

26

deux ou trois jours pour lui dire que tout allait bien, et d'ordinaire, après avoir raccroché, il s'en voulait un peu de son comportement. Ces cinq dernières années, il avait été absent la plupart du temps, et avant chacune de ses trois affectations en Irak, il écoutait sa mère le sermonner au téléphone et lui rappeler d'éviter de faire des bêtises. Thibault n'avait certes couru aucun risque, mais il l'avait échappé belle plus d'une fois. Et s'il ne lui en parla jamais, elle lisait malgré tout les journaux.

— Et maintenant, cette nouvelle lubie, se lamenta sa mère la veille de son départ. Tout ça me paraît complètement fou.

Peut-être. Peut-être pas. Il n'en était pas encore sûr.

— Qu'est-ce que t'en penses, Zeus ?

L'animal leva la tête en entendant son nom et s'approcha de son maître.

— Ouais, je sais. T'as faim. À part ça ?

Thibault s'arrêta sur le parking d'un motel délabré aux abords de la ville. Il sortit la gamelle et le reste de croquettes. Tandis que Zeus commençait à manger, Thibault prit le temps d'observer la localité.

Hampton n'était pas le pire endroit qu'il ait vu, loin s'en faut, mais ça n'avait rien de paradisiaque non plus. La ville se situait sur les rives de la South River, à une soixantaine de kilomètres au nord-ouest de Wilmington et de la côte, et de prime abord rien ne la différenciait des milliers d'autres localités ouvrières qui constellaient le Sud et dont la fierté n'avait d'égale que leur longue histoire. Deux feux de signalisation pendaient mollement à des câbles et régulaient la circulation des véhicules se dirigeant vers le pont qui enjambait le cours d'eau, et de part et d'autre de l'artère principale s'étiraient des bâtiments en brique peu élevés sur huit cents mètres environ, les inscriptions au pochoir sur les vitrines indiquant tantôt un restaurant, tantôt un bar ou une quincaillerie. Ici et là, quelques magnolias centenaires déformaient les trottoirs de leurs racines protubérantes. Au loin, il aperçut une vieille enseigne de barbier avec, comme il se doit, un banc en façade occupé par les doyens du quartier. Il sourit. L'endroit était pittoresque, comme une reconstitution des années 1950.

En y regardant de plus près, toutefois, il sentit que ses premières impressions se révélaient trompeuses. Certainement à cause de la situation au bord de l'eau, des signes de détérioration apparaissaient au niveau des toitures, dans les briques désagrégées près des fondations, dans les taches saumâtres situées un peu plus d'un mètre au-dessus, ce qui indiquait de graves inondations dans le passé. Il n'y avait toujours pas de boutiques aux ouvertures condamnées par des planches, mais à en juger par le peu de voitures garées devant les commerces, il se demanda si ceux-ci tiendraient le coup encore longtemps. Les quartiers commerçants des petites villes disparaissaient un peu à la manière des dinosaures, et si l'endroit ressemblait à la plupart des localités qu'il avait traversées, Thibault se dit qu'une nouvelle ère s'annonçait, qui verrait s'implanter un supermarché Wal-Mart ou Piggly Wiggly, lesquels signeraient l'arrêt de mort de cette partie de la ville.

C'était pourtant bizarre… le fait de se trouver là. Il ne savait pas trop quelle idée il s'était faite de Hampton, mais ça ne ressemblait pas à ce qu'il avait sous les yeux.

Peu importe. Comme Zeus finissait ses croquettes, Thibault se demanda combien de temps il lui faudrait pour la retrouver. La femme sur la photo. La femme qu'il était venu rencontrer.

Mais il la retrouverait. C'était certain. Il reprit son sac à dos et s'adressa au chien :

– T'es prêt ?

Zeus pencha la tête.

– Allons nous dégoter une chambre. Je veux manger et prendre une douche. Et t'as besoin d'un bain.

Thibault fit quelques pas avant de se rendre compte que Zeus n'avait pas bougé. Il lorgna l'animal par-dessus son épaule.

– Ne prends pas cet air. T'as vraiment besoin d'un bon bain. Tu sens mauvais.

Zeus ne bougeait toujours pas.

– Parfait. Fais ce que tu veux. Moi, j'y vais.

Il se dirigea vers la réception pour s'inscrire, sachant que Zeus le suivrait. Zeus finissait toujours par le suivre.

Jusqu'à ce que Thibault découvre la photographie, sa vie s'était déroulée comme il le prévoyait de longue date. Il avait toujours tout prévu. Il voulait réussir à l'école, et ce fut le cas ; il avait souhaité pratiquer toutes sortes de sports et grandi en s'adonnant quasiment à tous. Il avait voulu apprendre le piano et le violon, et fini par devenir assez doué pour écrire sa propre musique. Après ses études à l'université du Colorado, il envisageait de rejoindre les marines, et le recruteur fut enchanté de voir Thibault choisir de s'engager plutôt que de devenir officier. Interloqué, mais enchanté. Alors que la plupart des jeunes diplômés n'aspiraient guère à devenir fantassins, c'était ce que souhaitait Thibault.

L'attentat à la bombe du World Trade Center n'avait pas grand-chose à voir avec sa décision. Rejoindre l'armée lui semblait tout naturel, puisque son père avait servi dans les marines pendant vingt-cinq ans. Celui-ci s'était enrôlé comme simple soldat pour finir par ressembler à un de ces sergents grisonnants, hargneux comme un pitbull, qui intimidait presque tout le monde, hormis sa femme et les pelotons qu'il dirigeait. Il traitait les jeunes recrues comme ses fils ; son seul but, leur disait-il, c'était de les ramener en vie, en bonne santé et pleinement adultes à leur mère. Au fil des années, son père avait dû assister à plus d'une cinquantaine de mariages de gars qui ne s'imaginaient pas convoler en justes noces sans sa bénédiction. C'était un bon marine, aussi. Il reçut la Bronze Star[1] et deux Purple Hearts[2] au Vietnam, de même qu'il servit à la Grenade, au Panamá, en Bosnie, et pendant la première guerre du Golfe. Son père était un soldat que les mutations ne dérangeaient pas, et Thibault passa le plus clair de sa jeunesse à déménager d'une base militaire à l'autre, dans le monde entier. Par certains côtés, il se sentait plus chez lui à Okinawa que dans le Colorado, et si son japonais était un peu rouillé, il se disait qu'après une semaine à Tokyo il le reparlerait couramment, comme dans le temps. À l'instar de son père, il se voyait retraité du corps des marines, mais il souhaitait vivre assez longtemps pour en profiter. Son père était mort d'une crise cardiaque deux ans à peine après avoir mis au placard sa tenue bleue de cérémonie. Il déblayait l'allée enneigée de sa maison et l'instant d'après, il s'éteignit. Il y avait treize ans de cela. Thibault en avait quinze à l'époque.

Ce jour-là et les obsèques qui suivirent constituaient les souvenirs les plus intenses de Thibault, avant son incorporation dans le corps des marines. Le fait d'avoir grandi au cœur de bases militaires brouillait un peu tout dans sa

---

1. *Étoile de bronze* : médaille américaine créée en 1944 pour récompenser la conduite héroïque ou la tenue exemplaire des militaires.
2. *Cœur violet* : médaille militaire américaine décernée en nom du président des États-Unis.

mémoire, ne serait-ce qu'à cause des nombreux déménagements. On change sans cesse d'amis, au fil des bagages qu'on fait et qu'on défait, et, à chaque nouveau départ, on se déleste d'objets inutiles… Si bien qu'au final il ne reste plus grand-chose. C'est parfois difficile, mais ça endurcit un gamin à un point que la plupart des gens ne peuvent comprendre. Ça lui apprend que, même s'il laisse des gens dans son sillage, d'autres finiront tôt ou tard par les remplacer, de même que chaque nouveau lieu renferme quelque chose de positif… ou de négatif. Bref, ça aide le gosse à grandir plus vite.

Même ses années d'études demeuraient un peu floues dans sa mémoire, encore que ce chapitre de sa vie ait été rythmé par sa propre routine. Cours la semaine, loisirs le week-end, bachotage pour les examens, repas minables au resto U, et deux petites amies, dont une qu'il fréquenta plus d'un an. Tous ceux qui allaient en fac avaient les mêmes anecdotes à raconter, rarement mémorables. En définitive, il ne retenait que sa formation de marine. À vrai dire, il avait l'impression que son existence n'avait commencé que le jour de son arrivée sur les îles Parry pour faire ses classes. Dès qu'il sauta du bus, le sergent instructeur commença à lui beugler dans les oreilles. Rien de tel que ce genre de type pour vous inculquer que tout ce que vous aviez vécu auparavant ne comptait pas vraiment. Désormais, vous apparteniez à l'armée. « Doué pour le sport ? Fais-moi cinquante pompes, le roi du basket ! T'es allé sur les bancs de la fac ? Assemble ce fusil-mitrailleur, Einstein ! Ton père a servi dans les marines ? Corvée de chiottes, comme ton vieux en son temps ! » Les vieux clichés ont la vie dure. « Cours, marche au pas, garde-à-vous, rampe dans la boue, escalade ce mur… » Rien ne l'étonna dans sa formation de base.

Il dut admettre que les exercices fonctionnaient bien la plupart du temps. Ils faisaient craquer les gars, les épuisaient encore davantage, et finissaient par les faire entrer dans le moule des marines. C'est ce qu'on disait, du moins. Thibault ne craqua pas. Il suivit le rythme, adopta un profil bas, exécuta les ordres, et resta le même homme qu'auparavant. Cependant, il devint un marine.

Il finit au 1er bataillon du 5e régiment de marines, basé au camp Pendleton. San Diego, tout proche, était le genre de ville qu'il aimait, avec un climat génial, des plages splendides, et des femmes encore plus jolies. Mais ça n'allait pas durer. En janvier 2003, juste après son vingt-troisième anniversaire, son bataillon se déploya au Koweït au cours de l'opération « Liberté en Irak ». Situé dans un secteur industriel de Koweït City, le camp Doha était en activité depuis la première guerre du Golfe et abritait une véritable petite ville. Il y avait une salle de sport et un centre informatique, un magasin militaire, plusieurs restaurants, et ses tentes se dressaient à perte de vue. Un endroit animé qui le devint d'autant plus avec l'invasion imminente, et la situation demeurait chaotique depuis le début. Ses journées n'étaient qu'une succession ininterrompue de réunions qui duraient des heures, d'exercices à se briser les reins, et de répétitions de plans d'attaque sans cesse modifiés. Il dut s'entraîner une bonne centaine de fois à enfiler sa tenue de protection contre les armes chimiques.

Les rumeurs allaient bon train aussi. Le plus dur consistait à deviner laquelle finirait par se vérifier. Tout le monde connaissait quelqu'un qui connaissait quelqu'un qui avait eu vent de la véritable histoire. Un jour ils allaient quasiment donner l'assaut, le lendemain c'était reporté. Au début, ils attaquaient depuis le nord et le sud, ensuite seulement depuis le sud, et puis peut-être même pas. Ils entendaient dire que l'ennemi possédait des armes chimiques et avait l'intention de les utiliser ; le lendemain, on leur apprenait que l'ennemi n'en ferait pas usage, car celui-ci pensait que les États-Unis riposteraient avec l'arme nucléaire. On murmurait que la garde républicaine irakienne envisageait une opération kamikaze juste de l'autre côté de la frontière ; d'autres juraient qu'un commando suicide serait lancé près de Bagdad. D'autres encore affirmaient qu'il se déploierait à proximité des champs de pétrole. Bref, personne ne savait quoi que ce soit, ce qui ne faisait qu'alimenter l'imagination des cent cinquante mille soldats rassemblés au Koweït.

Pour la plupart, les soldats sont jeunes. Les gens l'oublient parfois. Dix-huit, dix-neuf, vingt ans… La moitié des combattants n'avait même pas l'âge légal pour s'acheter une bière. Ils n'en demeuraient pas moins confiants, bien entraînés et prêts à en découdre, mais comment ignorer le sort qui les attendait ? Certains parmi eux allaient mourir. Il y en avait qui en parlaient ouvertement, d'autres écrivaient à leur famille des lettres qu'ils remettaient à l'aumônier. Les gars avaient les nerfs à fleur de peau. Certains souffraient d'insomnie, d'autres dormaient presque tout le temps. Thibault observait tout cela avec un étonnant sens du détachement. Il avait l'impression d'entendre son père : « Bienvenue à la guerre ! C'est toujours la pagaille ! »

Thibault ne restait pas totalement insensible à la tension croissante et, comme les autres, il avait besoin d'un exutoire. Impossible de s'en passer. Il se mit donc au poker. Son père lui avait appris à jouer et il connaissait le poker… ou pensait le connaître. Il se rendit vite compte que ses camarades le maîtrisaient mieux que lui. Au cours des trois premières semaines, il perdit quasiment le moindre dollar de ses économies depuis son entrée dans les marines, en bluffant quand il aurait dû se coucher, en se couchant quand il aurait dû rester dans la partie. Au début, ce n'étaient pas de grosses sommes, et de toute manière il n'aurait guère eu l'occasion de dépenser cet argent s'il l'avait gardé, mais ça le mit d'une humeur de chien pendant des jours. Thibault détestait perdre.

Son seul exutoire consistait à courir sur de longues distances avant le lever du soleil. Il faisait frisquet en général ; même s'il se trouvait au Moyen-Orient depuis un mois, il n'en revenait toujours pas de la fraîcheur du désert. Il courait avec hargne sous un ciel parsemé d'étoiles, contrôlant son souffle.

Un jour, vers la fin du parcours, tandis qu'il apercevait sa tente à distance, il se mit à ralentir. Le soleil commençait alors à poindre à l'horizon et à répandre sa lumière dorée sur le paysage aride. Tandis qu'il reprenait sa respiration, les mains sur les hanches, il repéra soudain du coin de l'œil l'éclat un peu terni d'une photographie à moitié enterrée dans le sable. Il s'arrêta pour la ramasser et remarqua qu'on l'avait plastifiée, sans doute pour la protéger des intempéries. Il l'épousseta pour mieux voir l'image, et ce fut la première fois que la femme lui apparut.

La blonde au sourire et aux yeux espiègles couleur de jade était vêtue d'un jean et d'un tee-shirt portant l'inscription « LUCKY LADY »[1]. Derrière elle, une banderole indiquait : « FOIRE DE HAMPTON ». Un berger allemand au museau gris se tenait à ses côtés. Dans la foule, on apercevait les silhouettes un peu floues de deux jeunes hommes en tee-shirt imprimé, tout près de la billetterie. Trois arbres à feuilles persistantes se dressaient au loin, des arbres pointus susceptibles de pousser quasiment partout. Au verso de la photo était griffonné : *Sois prudent ! E.*

---

1. La chanceuse.

Certes, il ne remarqua pas tous ces détails sur-le-champ. D'instinct, il se serait même volontiers débarrassé de la photo. Ce qu'il faillit faire, du reste, mais il se ravisa au dernier moment en songeant que la personne qui l'avait perdue souhaiterait peut-être la récupérer. Ce cliché avait forcément de l'importance pour son possesseur.

De retour au campement, il punaisa la photo au panneau d'affichage situé à l'entrée du centre informatique, en se disant que tous les soldats passaient devant à un moment ou à un autre. Nul doute que quelqu'un la reconnaîtrait.

Une semaine s'écoula, puis une dizaine de jours. Personne n'avait récupéré la photo. À cette période, son peloton faisait chaque jour des exercices pendant des heures, et les parties de poker prenaient une tournure sérieuse. Certains hommes avaient perdu des milliers de dollars ; jusqu'à dix mille, disait-on à propos d'un première classe. Thibault préférait occuper son temps libre à méditer sur l'invasion à venir, se demandant comment il réagirait face aux tirs ennemis. Lorsqu'il s'aventura au centre informatique, trois jours avant l'attaque, il vit la photo encore punaisée sur le panneau d'affichage et, pour une raison qu'il ne comprenait toujours pas, il la récupéra et la glissa dans sa poche.

Victor, son meilleur ami dans le peloton – ils étaient ensemble depuis leurs classes –, l'incita à rejoindre la partie de poker ce soir-là, en dépit de ses réticences. Toujours à court d'argent, Thibault commença à jouer sans prendre de risques et n'envisageait pas de rester plus d'une demi-heure. Il se coucha lors des trois premières parties, puis tira une quinte dans la quatrième et un full dans la sixième. Dès lors, il ne cessa d'avoir la main heureuse – flush, quinte, full – et, au milieu de la soirée, il avait recouvré ses précédentes pertes. À ce stade, de nouveaux joueurs avaient remplacé les premiers. Thibault resta. Sa bonne passe persista et, l'aube venant, ses gains dépassaient ses six mois de solde dans les marines.

En quittant la partie en compagnie de Victor, il réalisa alors qu'il avait gardé la photo dans sa poche pendant tout ce temps. Une fois de retour dans leur tente, il la montra à son ami et désigna l'inscription sur le tee-shirt de la femme. Victor, dont les parents étaient des immigrés clandestins vivant à proximité de Bakersfield, en Californie, non seulement était religieux mais croyait aussi en toutes sortes de présages. La foudre, la croisée des chemins, les chats noirs étaient les préférés de Victor, et, avant leur départ pour le Koweït, il avait confié à Thibault qu'un de ses oncles avait le mauvais œil : « S'il te regarde d'une certaine façon, tu n'en as plus pour longtemps à vivre. » En écoutant les superstitions de Victor, Thibault avait l'impression de retomber en enfance, tel un gosse de dix ans captivé par les récits nocturnes que lui racontait son camarade de colo, une lampe électrique sous le menton. Il ne dit rien sur le moment. À chacun ses marottes. Ce gars voulait croire aux bons et aux mauvais présages ? Grand bien lui fasse ! Le plus important, c'était que Victor maniait avec suffisamment de dextérité les armes à feu pour qu'on l'ait recruté comme tireur d'élite, et que Thibault n'hésiterait pas à lui confier sa vie.

Victor contempla la photo avant de la lui rendre.

— Tu disais que tu l'avais trouvée à l'aube ?

— Ouais.

— L'aube est un moment intense de la journée.

— Tu me l'as déjà dit.

— C'est un signe, reprit Victor. Cette femme est ton porte-bonheur. T'as vu son tee-shirt ?

— Elle m'a porté chance ce soir.

— Pas uniquement ce soir. C'est pas un hasard si t'as

trouvé cette photo. C'est pas un hasard si personne ne l'a réclamée. Et c'est pas un hasard si tu l'as glissée dans ta poche aujourd'hui. Toi seul était censé l'avoir.

Thibault voulait répliquer au sujet du gars qui l'avait perdue et des sentiments que ça lui inspirait, mais il se tut, préférant s'allonger sur son lit de camp, les mains croisées derrière la nuque.

Victor l'imita.

— Je suis content pour toi. À partir de maintenant, la chance est de ton côté, ajouta-t-il.

— J'espère.

— Mais tu ne dois pas perdre la photo.

— Ah bon ?

— Sinon le charme opère à l'inverse.

— Comment ça ?

— Tu deviens malchanceux. Et à la guerre, c'est la dernière chose qu'on puisse souhaiter.

L'intérieur de la chambre de motel se révéla aussi moche que l'extérieur : lambris, luminaires suspendus par des chaînes au plafond, moquette élimée, télévision fixée sur sa tablette. On avait dû la décorer au milieu des années 1970 et ne jamais la rénover depuis… Cela lui rappelait les endroits où son père les faisait séjourner lorsqu'ils prenaient des vacances en famille dans le Sud-Ouest et que Thibault était encore enfant. Ils passaient la nuit dans des établissements en bord de route, et tant que ceux-ci semblaient d'une propreté sommaire, son père les jugeait corrects. Sa mère, un peu moins, mais que pouvait-elle y faire ? Ce n'était pas comme s'il y avait eu un hôtel Four Seasons de l'autre côté de la rue, et quand bien même… ils n'auraient jamais pu se l'offrir.

Thibault procéda aux mêmes vérifications d'usage que son père lorsqu'il entrait dans une chambre de motel. Il souleva le couvre-lit pour s'assurer qu'on avait changé les draps, traqua la moisissure sur le rideau de la douche et les éventuels poils et cheveux dans le lavabo. Malgré les taches de rouille prévisibles, un robinet qui gouttait et des brûlures de cigarette, l'endroit s'avérait plus propre qu'il l'aurait cru. Moins cher aussi. Thibault avait payé une semaine d'avance en liquide, sans qu'on lui pose la moindre question et sans supplément pour le chien. Une bonne affaire, somme toute. Tant mieux. Thibault n'avait pas de carte de crédit ou de retrait, aucune adresse postale officielle et pas de téléphone portable. Il transportait quasiment sur lui tout ce qu'il possédait. Certes, il avait un compte en banque, et pouvait au besoin se faire envoyer de l'argent par mandat télégraphique. Il était inscrit sous un nom d'entreprise qui n'avait rien à voir avec le sien. Il n'était pas riche. N'appartenait même pas à la classe moyenne. Sa pseudo-entreprise n'exerçait aucune activité. Thibault aimait simplement préserver sa vie privée.

Il entraîna Zeus dans la baignoire et le lava, utilisant le shampooing qu'il transportait dans son sac. Puis il prit une douche et enfila ses derniers vêtements propres. Assis sur le lit, il feuilleta ensuite l'annuaire en quête d'un renseignement précis, mais sans succès. Il se promit de faire un saut au Lavomatic dès qu'il en aurait le temps, puis décida de manger un morceau au petit restaurant qu'il avait repéré en bas de la rue.

Une fois sur place, il se vit interdire l'accès à Zeus, ce qui n'était guère surprenant. Zeus s'allongea donc à l'extérieur et piqua un somme. Thibault prit un cheeseburger et des frites, le tout accompagné d'un milk-shake au chocolat, puis commanda un cheeseburger à emporter pour son chien. Zeus l'engloutit en moins de vingt secondes.

– Ravi de constater que tu apprécies ! Allez, viens.

Thibault acheta un plan de la ville dans une épicerie et s'assit sur un banc près de la grand-place : un square à l'ancienne, bordé sur quatre côtés par des rues commerçantes. À l'ombre de ses grands arbres, l'endroit était doté d'un terrain de jeux pour enfants et de massifs floraux, mais il n'y avait pas foule. Quelques mères s'étaient regroupées, dont les enfants glissaient sur les toboggans ou faisaient de la balançoire. Il scruta le visage de ces femmes pour s'assurer qu'elle ne se trouvait pas parmi elles, puis il déplia son plan, avant que sa présence ne les rende nerveuses. Les mères accompagnées de jeunes enfants s'agitent toujours dès qu'elles voient un homme seul et désœuvré. Il ne leur en voulait pas. Trop de pervers traînaient dans la nature.

Tout en étudiant le plan pour s'orienter, il tenta de réfléchir à la prochaine étape. Il ne se faisait aucune illusion et savait que ce ne serait pas facile. Il n'avait guère d'éléments, après tout. Juste une photographie… Ni nom ni adresse. Aucune trace de son passé professionnel. Pas de numéro de téléphone. Aucune date. Rien qu'un visage anonyme dans la foule.

Cependant, il disposait de certains indices. Il avait examiné l'image en détail, comme bien des fois auparavant, en commençant par ce qu'il *savait*. Le cliché avait été pris à Hampton. La femme semblait avoir une petite vingtaine d'années à l'époque de la photo. Elle était séduisante. Elle possédait un berger allemand ou du moins connaissait quelqu'un qui en avait un. Son prénom commençait par la lettre *E*. Emma, Elaine, Elise, Eileen, Ellen, Emily, Erin, Erica… tous lui paraissaient convenir, encore que, dans le Sud, elle pouvait s'appeler Erdine ou Elspeth. Elle s'était rendue à la fête foraine avec quelqu'un qui, plus tard, fut affecté en Irak. Elle avait donné à cette personne la photo que Thibault avait découverte en février 2003, ce qui signifiait qu'elle avait été prise avant. La femme devait donc avoir dans les vingt-cinq ans maintenant. Il y avait aussi trois arbres à feuilles persistantes à l'arrière-plan. Voilà pour les *faits* indéniables.

Passons à présent aux suppositions, à commencer par Hampton. C'était un nom relativement courant. Une recherche rapide sur Internet lui en suggéra un grand nombre. Comtés comme localités, en Caroline du Sud, en Virginie, dans le New Hampshire, en Iowa, au Nebraska, en Géorgie. D'autres encore. Des tas d'autres. Et, bien sûr, la ville de Hampton dans le comté du même nom, en Caroline du Nord.

Si aucun point de repère évident n'apparaissait à l'arrière-plan – aucune image de Monticello indiquant qu'on était en Virginie, par exemple, ou un panneau proclamant « BIENVENUE EN IOWA ! » –, il y avait néanmoins quelques informations. Pas au sujet de la femme, mais glanées en observant les jeunes gars qui, derrière elle, faisaient la queue à la billetterie. Ils portaient des tee-shirts imprimés. L'un d'eux était à l'effigie d'Homer Simpson, ce qui ne lui fut guère utile. En lisant « DAVIDSON » sur le deuxième, Thibault crut d'abord à une allusion abrégée à la célèbre moto. Mais une recherche sur Google éclaira sa lanterne. Il apprit que Davidson était aussi le nom d'une université réputée, près de Charlotte, en Caroline du Nord. Sélectif, ardu, l'établissement mettait l'accent sur les disciplines fondamentales. Le catalogue de leur librairie en ligne proposait le même genre de tee-shirts.

Thibault réalisa alors que le tee-shirt ne signifiait pas pour autant que la photo avait été prise en Caroline du Nord. Peut-être s'agissait-il d'un cadeau d'une personne ayant fréquenté cette fac ; peut-être que le type sur la photo y étudiait mais venait d'un autre État, ou bien qu'il aimait tout bonnement les couleurs de ce tee-shirt, ou encore que c'était un ancien élève ayant déménagé. Faute d'avoir d'autres éléments sous la main, Thibault avait passé un rapide coup de fil à la chambre de commerce de Hampton avant de quitter le Colorado, et vérifié que le comté organisait bel et bien une fête foraine chaque été. Encore un bon signe. Il disposait donc d'un point de chute, mais rien de vraiment tangible pour l'instant. Il *supposait* juste qu'il s'agissait du bon endroit. Malgré tout, pour une raison qu'il n'aurait su expliquer, ce lieu avait l'air de coller.

D'autres hypothèses lui avaient traversé l'esprit, mais il s'y attarderait plus tard. La première chose à faire consistait à trouver la foire en question. Par chance, celle-ci se tenait au même endroit depuis des années – il espérait que celui ou celle qui lui indiquerait comment s'y rendre pourrait aussi lui confirmer ce fait. Le meilleur endroit pour dénicher son informateur, c'était l'un des commerces du quartier. Pas une boutique de souvenirs ou d'antiquités, celles-ci étaient souvent tenues par de nouveaux venus, des gens ayant fui le Nord en quête d'une vie plus paisible sous un climat plus clément. Il aurait plus de chance à la quincaillerie du coin, dans un bar ou dans une agence immobilière. Tout en se disant qu'il reconnaîtrait la fameuse foire d'un regard.

Il souhaitait voir l'endroit exact où l'on avait pris la photo. Pas pour se faire une meilleure idée de l'inconnue. Sur ce plan-là, la fête foraine ne risquait pas de l'aider. Il voulait vérifier l'existence de ce bouquet d'arbres à feuilles persistantes, trois grands arbres pointus susceptibles de pousser quasiment n'importe où.

– 3 –

Beth

Beth posa sa canette de Coca Light, ravie de voir Ben s'amuser au goûter d'anniversaire de son ami Zach. Elle regrettait juste qu'il doive s'en aller tout à l'heure chez son père, quand Melody vint s'asseoir dans le fauteuil à ses côtés.

— Bonne idée, hein ? Les pistolets à eau font un tabac, dit-elle en souriant, les dents un peu trop blanches, la peau un peu trop brune, comme si elle sortait d'une séance au salon de bronzage.

Ce qui était sans doute le cas. Depuis le lycée, Melody avait toujours tiré vanité de son apparence, et ces derniers temps ça semblait même friser l'obsession.

— Espérons qu'ils ne vont pas braquer ces Super Soakers sur nous.

— Ils n'ont pas intérêt, répliqua Melody dans un froncement de sourcils. J'ai prévenu Zach que, s'il le faisait, je renvoyais tous les gosses chez eux. (Elle s'adossa pour être plus à l'aise.) Qu'est-ce que t'as fabriqué tout l'été ? Je ne t'ai pas vue dans le coin et tu ne m'as jamais appelée.

— Je sais. Et j'en suis désolée. J'ai vécu en ermite. Entre Nana, le chenil et les séances de dressage, ça n'a pas été de tout repos. J'ignore comment Nana a pu s'en occuper aussi longtemps.

— Elle va bien ces temps-ci ?

Nana était la grand-mère de Beth. Elle l'avait élevée depuis l'âge de trois ans, après le décès des parents de Beth lors d'un accident de voiture.

— Elle va mieux, acquiesça Beth, mais son attaque l'a beaucoup diminuée. Elle est encore faible du côté gauche. Elle peut se débrouiller pour le dressage, mais cumuler ça avec l'entretien du chenil, c'est terminé. Et tu sais qu'elle ne se ménage pas. J'ai toujours peur qu'elle se surmène.

— J'ai remarqué qu'elle était revenue chanter cette semaine.

Depuis plus de trente ans, Nana faisait partie de la chorale de la Première Église baptiste, et Beth savait que chanter était l'une des passions de son aïeule.

— La semaine dernière, c'était son grand retour, mais je ne sais pas trop si elle a beaucoup chanté. En rentrant, elle a fait une sieste de deux heures.

Melody hocha la tête.

— Comment vous allez vous débrouiller à la rentrée scolaire ?

— J'en sais rien.

— Tu vas enseigner, non ?

— J'espère bien.

— Tu l'espères ? Ta réunion de prérentrée n'a pas lieu la semaine prochaine ?

Beth préférait ne pas y réfléchir, encore moins en discuter, tout en sachant que Melody ne cherchait pas à la déstabiliser.

— Ouais, mais ça ne veut pas dire que j'y serai. Je sais que ça va mettre l'école dans le pétrin, mais je ne peux décemment pas laisser Nana seule toute la journée. Pas encore, du moins. Et qui va l'aider à gérer le chenil ? C'est impossible qu'elle puisse s'occuper du dressage à temps plein.

— Tu ne peux pas embaucher quelqu'un ? suggéra Melody.

— J'ai essayé. Je ne t'ai pas raconté ce qui s'est passé au début de l'été ? J'ai engagé un gars qui s'est pointé deux fois, avant de disparaître à l'arrivée du week-end. Même topo avec le type qui lui a succédé. Ensuite, personne ne s'est même donné la peine de se présenter. Le panneau « RECHERCHONS DU PERSONNEL » reste en permanence sur la fenêtre.

— David se plaint tout le temps de la pénurie de bons employés.

David était l'époux de Melody et l'un des deux pédiatres de la ville.

— Dis-lui d'offrir un salaire minimum. Même les lycéens ne veulent plus nettoyer les cages. Ils trouvent ça dégoûtant.

— Ça l'est.

Beth éclata de rire.

— Exact, admit-elle. Mais le temps presse. Je doute que ça change d'ici la semaine prochaine, et sinon… Il y a pire, après tout. J'aime vraiment dresser les chiens. Une fois sur deux, ils sont plus faciles que les élèves.

— Comme le mien ?

— Le tien était gentil. Fais-moi confiance.

Melody désigna Ben.

— Il a grandi depuis la dernière fois que je l'ai vu.

— Deux ou trois centimètres, dit-elle, appréciant que Melody l'ait remarqué.

Ben avait toujours été petit pour son âge ; sur la photo de classe, le gamin se plaçait toujours sur la gauche, au premier rang, et il avait une demi-tête de moins que son voisin. Zach, le fils de Melody, était tout l'opposé : il se plaçait à droite et au fond, toujours le plus grand de la classe.

— J'ai entendu dire que Ben ne jouerait plus au football cet automne, observa Melody.

— Il veut essayer autre chose.

— Quoi, par exemple ?

— Il souhaite apprendre le violon. Il va prendre des cours avec Mme Hastings.

— Elle enseigne encore ? Elle doit avoir au moins quatre-vingt-dix ans.

— Mais aussi la patience d'enseigner à un débutant. C'est ce qu'elle m'a affirmé, en tout cas. Et Ben l'aime beaucoup. C'est le plus important.

— Tant mieux pour lui, reprit Melody. Je parie qu'il va faire des étincelles. Mais Zach va être déçu.

— Ils ne seraient plus dans la même équipe. Zach va jouer chez les juniors, non ?

— Encore faut-il qu'il y arrive.

— Il y arrivera.

Et ce serait le cas. Zach était un de ces gamins dotés d'une confiance naturelle et d'un esprit de compétition qui lui permettaient de damer le pion aux autres joueurs moins doués sur le terrain. Tels que Ben. En ce moment même, tandis qu'il courait dans le jardin son Super Soaker en main, Ben ne parvenait pas à le suivre. Ben était gentil et facile à vivre, mais n'avait rien d'un athlète, ce qui ne manquait pas d'exaspérer l'ex-mari de Beth. L'année précédente, celui-ci avait toujours gardé une mine renfrognée pendant les matches, autre raison pour laquelle Ben ne voulait plus jouer au football.

— David va revenir donner un coup de main pour les entraînements ?

— Il n'a encore rien décidé. Depuis le départ de Hoskins, il est plus souvent de garde. Il déteste ça, mais qu'est-ce qu'il peut y faire ? Ils ont bien tenté de recruter un autre médecin, mais c'est difficile. Tout le monde n'est pas prêt à travailler dans une petite ville, surtout quand l'hôpital le plus proche, à Wilmington, est à quarante-cinq minutes. Ça rallonge les journées. La moitié du temps, il ne rentre à la maison qu'aux environs de huit heures. Parfois même plus tard.

Beth sentait l'inquiétude transparaître dans la voix de Melody, et songea que son amie devait penser à la liaison que David lui avait avouée l'hiver dernier. Beth se garda de faire le moindre commentaire à ce sujet. Lorsqu'elle avait eu vent de la nouvelle, elle décida qu'elle n'en discuterait que si Melody le souhaitait. Et sinon ? Ça lui était égal. Ça ne la regardait pas.

— Et toi, au fait ? Tu vois quelqu'un en ce moment ?

Beth grimaça.

— Non. Pas depuis Adam.

— Qu'est-ce qui a bien pu se passer ?

— Aucune idée.

Melody secoua la tête.

— Je ne peux pas dire que je t'envie. Je n'ai jamais aimé faire des rencontres et avoir des rendez-vous.

— Ouais, mais au moins tu excellais dans ce domaine. Moi, je suis nulle.

— T'exagères !

— Pas du tout. Mais c'est pas si grave. Je ne suis même pas sûre d'avoir encore l'énergie pour ça. Porter des strings, s'épiler régulièrement les jambes, flirter, faire mine de bien s'entendre avec ses copains. Tout ça exige un tel effort !

Melody plissa le nez.

— Tu ne t'épiles pas les jambes ?

— Bien sûr que si ! répliqua Beth. (Puis, baissant le ton, elle précisa :) La plupart du temps, du moins. (Elle se redressa et ajouta :) Enfin, tu vois ce que je veux dire. Les rendez-vous galants, c'est toute une histoire. Surtout pour quelqu'un de mon âge.

— Oh, arrête ! T'as même pas trente ans, et en plus t'es une fille canon.

D'aussi loin qu'elle s'en souvienne, Beth avait toujours entendu ce compliment, et elle n'était pas insensible au fait que les hommes – même les hommes mariés – se retournaient sur son passage. Lors de ses trois premières années d'enseignement, elle n'avait eu qu'un seul entretien avec un père d'élève. Dans les autres cas, c'était la mère qui se présentait au rendez-vous. Elle se rappelait en avoir parlé à Nana, et sa grand-mère lui avait rétorqué : « Elles ne veulent pas te savoir seule avec leur mari parce que t'es belle comme une citrouille d'Halloween, pardi ! »

Nana n'avait pas son pareil pour les compliments.

— Tu oublies qu'on habite une petite ville, reprit Beth. Les hommes célibataires de mon âge ne courent pas les rues. Et s'ils sont célibataires, c'est pas sans raison.

— Tu te trompes.

— Dans une grande métropole, peut-être. Mais par ici ? Dans cette ville ? J'y ai vécu toute ma vie, même quand j'étais à la fac. Les rares fois où un gars m'a proposé de sortir avec lui, on a eu deux ou trois rendez-vous et puis il a cessé de m'appeler. Ne me demande pas pourquoi. (Elle agita la main d'un air plein de sagesse.) Mais c'est pas grave. J'ai Ben et Nana. C'est pas comme si je vivais en recluse, entourée d'une dizaine de chats.

— Non, en effet... T'es entourée de chiens !

— Ce ne sont pas les miens. Ils ont chacun un maître. Nuance !

— Ouais, tu parles, ricana Melody. Ça change tout !

À l'autre bout du jardin, Ben courait derrière le groupe d'enfants, son Super Soaker à la main, faisant de son mieux

47

pour les suivre, quand soudain il glissa et s'affala par terre. Ses lunettes tombèrent dans l'herbe. Sachant à quoi s'en tenir, Beth évita de se lever pour voir si tout allait bien. La dernière fois qu'elle avait voulu l'aider, le pauvre avait eu la honte de sa vie. Il tâtonna en quête de ses lunettes, les rechaussa dès qu'il mit la main dessus, puis se releva et se remit à galoper.

— Ils grandissent trop vite, non ? dit Melody, interrompant les pensées de son amie. Je sais que c'est un cliché, mais c'est vrai. Je revois ma mère en train de m'en faire la réflexion, et je me disais alors qu'elle ne savait pas de quoi elle parlait. J'avais hâte que Zach soit un peu plus vieux. Bien sûr, à l'époque, le petit souffrait de coliques et, en un mois, j'avais à peine fermé l'œil deux heures par nuit. Mais à présent ils sont à la veille d'entrer au collège.

— Il leur reste encore un an.

— Je sais. Malgré tout, ça m'angoisse.

— Pourquoi ?

— Eh bien… c'est un âge difficile. Les gosses arrivent à un stade où ils commencent à comprendre le monde des adultes, sans avoir la maturité nécessaire pour gérer tout ce qui se passe autour d'eux. Ajoute à ça toutes les tentations dont ils peuvent être victimes, et le fait qu'ils ne t'écoutent plus comme avant, sans parler des sautes d'humeur de l'adolescence, et je serai la première à admettre que cette perspective ne m'enchante pas. T'es prof. Tu sais de quoi je parle.

— C'est pourquoi j'enseigne en cours élémentaire.

— Excellent choix.

— Au fait… T'es au courant pour Elliot Spencer ?

— J'ai pas suivi les derniers potins. J'ai vécu en ermite, tu sais bien !

— On l'a surpris en train de vendre de la drogue.

48

— Il a à peine deux ans de plus que Ben !

— Et il va au collège…

— Bravo, t'as réussi à me coller ton angoisse.

Melody leva les yeux au ciel.

— Pas de panique ! Si mon fils ressemblait davantage à Ben, je n'aurais aucune raison de m'inquiéter. Ben est mûr pour son âge. Toujours poli, gentil, le premier à aider les gosses plus jeunes que lui. Il comprend les autres. Zach, en revanche…

— Zach est un brave gamin aussi.

— Je sais bien. Mais il s'est toujours montré plus difficile que Ben. Et plutôt du genre à suivre les autres.

— Tu les a vus jouer ? De là où je me trouve, je constate que c'est Ben qui suit le mouvement.

— Tu vois très bien où je veux en venir.

Bien sûr qu'elle comprenait. Même plus petit, Ben aimait suivre sa propre voie. Ce qui était agréable, elle devait l'admettre, dans la mesure où il suivait le bon chemin. Bien qu'il n'ait pas beaucoup d'amis, ses centres d'intérêt se révélaient multiples. Et bénéfiques, qui plus est. Les jeux vidéo ou surfer sur le Net ne le passionnaient guère, et s'il lui arrivait de regarder la télévision, il l'éteignait de lui-même au bout d'une trentaine de minutes. Ben préférait prendre un livre ou jouer aux échecs (un jeu qu'il semblait comprendre grâce à sa seule intuition) sur l'échiquier électronique qu'il avait reçu en cadeau à Noël. Il adorait lire et écrire, et il se plaisait en compagnie des chiens, mais la plupart se montraient agités en raison de leurs longues heures au chenil et avaient tendance à l'ignorer. Il passa plus d'un après-midi à leur lancer des balles de tennis, mais les chiens les lui ramenaient rarement, pour ne pas dire jamais.

— Tout ira bien pour Zach.

— J'espère, dit Melody en posant son verre. Je suppose que je devrais aller chercher le gâteau, non ? Zach a son entraînement à cinq heures.

— Il va faire chaud sur le terrain.

Melody se leva.

— Je suis sûre qu'il va vouloir apporter son Super Soaker. Sans doute pour arroser le coach.

— T'as besoin d'aide en cuisine ?

— Non, merci. Reste assise et détends-toi. Je reviens tout de suite.

En observant Melody s'en aller, Beth réalisa soudain qu'elle avait beaucoup minci. Elle devait avoir perdu cinq, peut-être sept kilos depuis la dernière fois qu'elle l'avait vue. Sans doute le stress, songea-t-elle. La liaison de David l'avait anéantie, mais, contrairement à Beth quand ça lui était arrivé, Melody était décidée à sauver son mariage. Cela dit, leurs deux couples n'avaient rien à voir. David avait commis une énorme erreur et blessé Melody mais, dans l'ensemble, ils avaient toujours formé un ménage heureux aux yeux de Beth. Celui de Beth, en revanche, n'était qu'un fiasco depuis le début. Tout comme Nana l'avait prédit. Sa grand-mère avait la faculté de jauger les gens au premier coup d'œil, et cette façon bien à elle de hausser les épaules lorsqu'elle n'appréciait pas quelqu'un. Quand Beth annonça qu'elle était enceinte et que son futur ex et elle envisageaient de se marier, plutôt que d'aller en fac, Nana se mit à hausser les épaules pour un oui ou pour un non, au point qu'on aurait dit un tic. À l'époque, Beth l'ignora, bien sûr, en se disant : *Elle ne lui a pas donné sa chance. Elle ne le connaît pas vraiment. On va tout faire pour que ça marche.* Eh bien non. Ça n'avait jamais marché. Nana s'était toujours montrée polie et cordiale en présence du mari de Beth, mais ses haussements d'épaules n'avaient cessé que lorsque Beth était reve-

50

nue s'installer chez elle, dix ans auparavant. Le mariage avait duré moins de neuf mois ; Ben avait cinq semaines. Nana avait dit vrai depuis le début.

Melody disparut dans la maison, pour réapparaître quelques minutes plus tard, avec David sur ses talons. Il transportait assiettes et fourchettes en plastique, l'air visiblement préoccupé. Elle remarqua ses tempes grisonnantes et les rides profondes de son front. La dernière fois qu'elle l'avait vu, celles-ci n'étaient pas si marquées, et Beth y décela un autre signe du stress qui pesait sur le couple.

Parfois elle se demandait à quoi ressemblerait sa vie si elle était mariée. Pas avec son ex, bien sûr. Cette seule pensée la faisait tressaillir. Avoir affaire à lui un week-end sur deux suffisait amplement, merci. Mais si elle avait épousé quelqu'un d'autre. Quelqu'un… de mieux. Ça semblait une bonne idée, sur un plan théorique en tout cas. Au bout de dix ans, elle était habituée à sa vie, et même si c'était peut-être sympa d'avoir quelqu'un pour partager ses soirées après le travail, c'était aussi drôlement agréable de passer toute la journée du samedi en pyjama si ça lui chantait. Ce qu'elle faisait à l'occasion. Ben aussi. Ils appelaient ça leurs « jours de paresse ». C'étaient les meilleurs de tous. Parfois, pour couronner le tout, ils commandaient une pizza et regardaient un film. Le paradis !

Par ailleurs, si les relations de couple se révélaient difficiles, le mariage l'était davantage. Ça ne concernait pas uniquement Melody et David ; tous les couples avaient l'air de se démener pour survivre. Ça faisait partie du lot. Qu'est-ce que Nana disait toujours déjà ? « Colle deux personnes avec des aspirations différentes sous le même toit, crois-moi qu'il n'y aura pas toujours fromage et dessert au menu ! »

Exact. Même si elle ignorait au juste où Nana allait dénicher ses métaphores.

Aussitôt la fête d'anniversaire achevée elle devait rentrer pour voir si Nana allait bien. Nul doute qu'elle la trouverait au chenil, soit derrière son bureau, soit en train de s'occuper des chiens. Ça montrait à quel point Nana était têtue. Ça ne la gênait pas que sa jambe gauche puisse à peine la soutenir ? « Ma jambe n'est pas parfaite, mais elle n'est pas toute pourrie non plus. » Et si elle tombait et se blessait ? « Je ne suis pas en porcelaine. » Et son bras gauche qui ne lui était guère utile ? « Tant que je peux manger ma soupe, j'en ai pas besoin, de toute manière. »

Que Dieu la bénisse, cette femme était unique en son genre… et l'avait toujours été.

— Hé, m'man ?

Perdue dans ses pensées, elle n'avait pas vu Ben s'approcher, le visage en sueur. Ses vêtements étaient trempés et son tee-shirt, maculé de taches d'herbe qu'elle était certaine de ne jamais ravoir.

— Oui, chéri ?

— Je peux passer la nuit chez Zach ?

— Je croyais qu'il avait son entraînement de foot.

— Après l'entraînement. Y en a plein qui restent là ce soir, et sa mère lui a offert *Guitar Hero*.

Elle connaissait la véritable raison de sa requête.

— Pas ce soir. Impossible. Ton père vient te chercher à cinq heures.

— Tu peux pas l'appeler et lui demander ?

— Je peux essayer. Mais tu sais…

Ben hocha la tête et, comme chaque fois en pareille situation, ça fendait le cœur de Beth.

— Ouais, je sais…

Le soleil l'éblouissait à travers le pare-brise chauffé à blanc, et elle regretta de ne pas avoir fait réparer la clim dans la voiture. Avec la vitre baissée, ses cheveux lui fouettaient le visage. Elle se promit une fois de plus d'aller se faire faire une vraie coupe. Elle se voyait déjà dire à sa coiffeuse : *Donne un grand coup de ciseaux, Terri. Histoire que j'aie l'air d'un homme !* Mais, le moment venu, elle savait qu'elle finirait par lui demander comme toujours d'égaliser les pointes. Dans certains domaines, elle manquait de courage.

— Vous aviez l'air de bien vous amuser, toute la bande.

— Moi oui.

— C'est tout ce que ça t'inspire ?

— Je suis juste fatigué, m'man.

Elle désigna le fast-food un peu plus loin.

— Tu veux passer y prendre une glace ?

— C'est pas bon pour moi.

— Hé, c'est moi la mère ! C'est ce que je suis censée dire. Je pensais seulement que si t'avais chaud, ça te ferait plaisir.

— J'ai pas faim. Je viens de manger du gâteau.

— Entendu. Comme tu veux. Mais ne m'en veux pas si une fois à la maison tu regrettes de ne pas avoir sauté sur l'occasion.

— Je regretterai pas.

Il se tourna vers la vitre.

— Hé, champion ! Tout va bien ?

Lorsqu'il lui répondit, sa voix fut quasi étouffée par le vent.

— Pourquoi je dois aller chez papa ? Si encore on s'amusait... Il m'envoie au lit à neuf heures, comme si j'étais encore au CE1 ou je sais pas quoi. J'ai jamais sommeil. Et demain, il va me faire faire des corvées toute la journée.

– Je croyais qu'il t'emmenait chez ton grand-père pour le brunch, après la messe.

– J'ai quand même pas envie d'y aller.

Et moi non plus, se dit-elle. Mais que pouvait-elle y faire ?

– Pourquoi ne pas emporter un livre ? suggéra-t-elle. Tu peux lire dans ta chambre ce soir, et si tu t'ennuies demain, tu peux lire là-bas aussi.

– Tu dis toujours ça.

Parce que je ne sais pas quoi te dire d'autre, songea-t-elle.

– Tu veux qu'on fasse un tour à la librairie ?

– Non.

Mais elle savait qu'il pensait le contraire.

– Eh bien, accompagne-moi. Je veux m'acheter un livre.

– OK.

– Je suis désolée pour tout ça, tu sais.

– Ouais. Je sais.

Le passage à la librairie ne remonta pas vraiment le moral de Ben. Même s'il finit par choisir deux aventures de la série des Frères Hardy, elle reconnaissait cette façon de se tenir le dos voûté tandis qu'ils faisaient la queue pour payer à la caisse. Sur le trajet du retour, il ouvrit l'un des ouvrages et fit mine de lire. Beth était certaine qu'il agissait ainsi pour éviter qu'elle le saoule de questions ou s'efforce de paraître enjouée, pour le réconforter avant la soirée chez son père. À dix ans, Ben possédait la remarquable faculté de prévoir le comportement de sa mère.

Le fait qu'il n'aime pas aller chez son père la rendait malade. Elle le regarda entrer dans la maison, alors qu'il gagnait sa chambre pour préparer ses affaires. Plutôt que de le suivre, elle s'assit sur les marches de la véranda en regrettant pour la énième fois de ne pas y avoir installé une balancelle. Il faisait encore chaud et, à en croire les gémissements en provenance du chenil de l'autre côté du jardin, nul doute que les chiens aussi souffraient de la chaleur. Elle tendit l'oreille en quête d'un bruit signalant la présence de Nana à l'intérieur. Si elle se trouvait dans la cuisine quand Ben était entré, Beth l'aurait à coup sûr entendue. Nana était une vraie cacophonie ambulante. Non pas en raison de son état de santé, mais parce que ça faisait partie de sa personnalité. À soixante-seize ans, elle se comportait comme si elle n'en avait que dix-sept, riait fort, martelait les casseroles avec sa cuiller lorsqu'elle cuisinait, adorait le base-ball, et écoutait la radio à tue-tête quand la station NPR diffusait *L'Époque des grands orchestres*. « Ce genre de musique ne pousse pas sur les arbres, tu sais ! » Jusqu'à son attaque, elle portait presque tous les jours des bottes en caoutchouc, une salopette, un énorme chapeau de paille, et on l'entendait aux quatre coins de la cour dresser les chiens : « Au pied ! Pas bouger ! Couché ! »

Des années plus tôt, en compagnie de son mari, Nana leur apprenait quasiment tout. Ensemble, ils élevaient et dressaient des chiens de chasse, des chiens d'aveugle, des chiens renifleurs de drogue pour la police, des chiens de sécurité pour la surveillance des propriétés. À présent que son époux n'était plus là, elle se chargeait rarement de ces dressages spécialisés. Non pas qu'elle ait oublié comment s'y prendre, elle s'était toujours occupée de la majeure partie du dressage. Mais dresser un chien à la sécurité nécessitait quatorze mois, et compte tenu du fait que Nana pouvait craquer pour un écureuil en trois secondes, ça lui brisait toujours le cœur de devoir rendre l'animal une fois le dressage terminé. Sans son mari à ses côtés pour lui dire : « On l'a déjà vendu, alors on n'a pas le choix », Nana trouvait difficile de remplir cette partie du travail.

Elle avait donc transformé le chenil en centre de formation à l'obéissance, et ça marchait bien. Les gens déposaient leur chien pendant deux semaines au « camp d'entraînement des toutous », comme elle le surnommait, et Nana leur apprenait à s'asseoir, se coucher, ne pas bouger, avancer et venir au pied. Des commandes toutes simples que n'importe quel chien ou presque pouvait rapidement comprendre. D'ordinaire, entre quinze et vingt-cinq pensionnaires suivaient le cycle de dressage de deux semaines, à raison d'une vingtaine de minutes par jour et par chien. Au-delà, l'attention de l'animal se relâchait. Lorsqu'il y en avait une quinzaine, ça allait, mais au bout de vingt-cinq ça faisait de longues journées, d'autant que chacun avait besoin d'être promené. Sans compter qu'il fallait les nourrir, entretenir le chenil, répondre au téléphone, s'occuper des clients et de la paperasse. Pendant tout l'été, Beth avait travaillé entre douze et treize heures par jour.

Elles n'avaient jamais une minute à elles. Dresser un chien n'était pas difficile — Beth aidait Nana par à-coups depuis l'âge de douze ans —, et il existait des dizaines d'ouvrages sur le sujet. En outre, la clinique vétérinaire proposait des séances pour les chiens et leurs maîtres chaque samedi matin, moyennant un tarif inférieur à celui du chenil. Beth savait que la plupart des gens pouvaient consacrer vingt minutes par jour pendant deux semaines pour dresser leur animal. Mais ils ne le faisaient pas. Au lieu de cela, ils venaient d'aussi loin que la Floride ou le Tennessee pour déposer leur chien, afin qu'une tierce personne s'en charge. Certes, Nana jouissait d'une grande réputation en tant que dresseuse, mais elle n'enseignait que des commandes de base. Rien de bien sorcier. Pourtant les clients ne tarissaient pas d'éloges. Et ils se montraient toujours stupéfaits.

Beth regarda de nouveau sa montre. Keith – son ex –
serait bientôt là. Même si ce type lui posait problème – et
le mot était faible ! –, il avait le droit d'avoir son fils un
week-end sur deux, et elle essayait de s'en accommoder le
mieux possible. Elle aimait se dire que c'était important
pour Ben de passer du temps avec lui. Les garçons avaient
besoin de côtoyer leur père, surtout lorsqu'ils allaient entrer
dans l'adolescence, et elle devait bien admettre que Keith
n'était pas un *mauvais* bougre. Immature, certes, mais pas
mauvais. Il buvait une ou deux bières à l'occasion, mais
n'avait rien d'un alcoolique ; il ne se droguait pas, n'avait
jamais levé la main sur Beth ou le petit. Il se rendait à la
messe chaque dimanche. Il avait un emploi stable et payait
sa pension alimentaire à temps. Ou plutôt sa famille s'en
chargeait. L'argent venait d'un fonds de placement, parmi
les nombreux que celle-ci possédait depuis des années. Et
en général Keith tenait ses multiples petites amies à l'écart
des week-ends qu'il passait avec son fils. En général…
Dernièrement, il avait fait des efforts sur ce plan, mais elle
était sûre que ça tenait moins à un regain d'engagement
parental qu'au fait qu'il n'ait aucune liaison en ce moment.
Le contraire n'aurait pas vraiment dérangé Beth, sauf que
les petites amies se révélaient d'ordinaire plus proches de
l'âge de Ben que de celui de Keith et possédaient le QI
d'une huître. Elle n'était pas mauvaise langue, même Ben
s'en rendait compte. Deux ou trois mois plus tôt, il avait
aidé l'une d'elles à cuire une seconde fournée de gratin de
pâtes tout préparé, la première ayant été carbonisée. Apparemment, les indications « Ajouter du lait, du beurre et
mélanger le tout » avaient plongé la demoiselle dans des
abîmes de perplexité.

Toutefois, ce n'était pas tant cela qui gênait Ben. Les
petites amies étaient sympas, elles le traitaient plus en petit

57

frère qu'en fils. Les tâches ménagères ne le perturbaient pas non plus outre mesure. Même si Ben devait ratisser les feuilles du jardin, ranger la cuisine ou sortir la poubelle, son père ne le considérait pas pour autant comme un apprenti domestique. Et les corvées lui faisaient du bien ; Ben en avait aussi le week-end en compagnie de sa mère. Non, le vrai problème résidait dans l'éternel comportement puéril de Keih lorsqu'il se plaignait d'être déçu par Ben. Keith voulait un athlète ; à la place, il avait un fils qui souhaitait apprendre le violon. Il voulait un compagnon de chasse ; il avait un fils qui préférait lire. Il voulait un gosse qui joue au ballon et marque des buts ; il se retrouvait avec un fils maladroit et myope.

Il ne s'en plaignait jamais en ces termes à Ben ni à elle, mais à quoi bon ? C'était si manifeste : dans l'air méprisant avec lequel il regardait Ben jouer au football, dans son refus de reconnaître les mérites du gamin lorsqu'il avait gagné son dernier tournoi d'échecs, et dans sa manière de vouloir toujours pousser Ben à devenir ce qu'il n'était pas. Ça la rendait folle et lui brisait le cœur, mais pour Ben c'était encore pire. Pendant des années, il avait tenté de plaire à son père, mais au fil du temps le pauvre enfant avait fini par s'épuiser. Quand Keith lui apprenait à rattraper la balle, par exemple. Rien de mal à ça, pourtant ? Ben pouvait fort bien y trouver du plaisir et même vouloir jouer en championnat de base-ball junior. Ça coulait de source lorsque son père l'avait suggéré, et Ben était tout feu tout flamme au début. Mais au bout d'un moment, la simple idée de jouer finit par écœurer le petit. S'il attrapait trois balles d'affilée, son père voulait qu'il passe à quatre. Lorsqu'il réussissait, il devait alors en attraper cinq. Quand il s'améliora encore, son père exigea qu'il n'en rate aucune. Ensuite il dut y parvenir en courant en avant. En courant en arrière.

Sur le côté. En plongeant. Puis qu'il attrape la balle que son père lançait le plus fort possible. Et s'il la manquait ? On aurait dit que le monde allait s'écrouler. Son père n'était pas du genre à s'écrier : « Bravo, champion ! » ou « Tu fais des progrès ! » Non, c'était le gars qui braillait : « Allez, bon sang ! Arrête de tout foirer ! »

Oh, bien sûr, elle lui en avait parlé. Ce qui avait donné lieu à des discussions à n'en plus finir. Mais Keith s'en moquait, ça lui rentrait par une oreille pour ressortir par l'autre. Toujours la même histoire. Malgré – ou peut-être à cause de – son immaturité, Keith était têtu et ne lâchait rien sur certains sujets, parmi lesquels l'éducation de Ben. Il souhaitait un fils d'un certain type et l'aurait coûte que coûte ! Comme on pouvait s'y attendre, Ben se mit à réagir à sa manière passive-agressive. Il rata toutes les balles que lui lançait son père, même les plus faciles à attraper, tout en ignorant la contrariété croissante de Keith, jusqu'à ce que celui-ci finisse par jeter son gant de base-ball à terre et rentre en trombe dans la maison pour y bouder le reste de l'après-midi. Ben fit comme si de rien n'était et alla s'asseoir sous un pin pour lire tranquillement, jusqu'à ce que Beth passe le chercher, quelques heures plus tard.

Mais Beth et son ex ne se disputaient pas seulement au sujet de Ben ; c'était comme le feu et la glace entre eux. À savoir que lui était le feu et elle, la glace. Il était toujours attiré par elle, ce qui irritait Beth à l'extrême. Le simple fait qu'il puisse s'imaginer qu'elle veuille encore de lui la dépassait, mais quoi qu'elle en dise, ça n'empêchait pas Keith de lui faire des avances. La plupart du temps, c'était tout juste si elle se rappelait ce qui l'avait attirée chez lui des années plus tôt. Certes, elle se souvenait des raisons l'ayant poussée à se marier : elle était jeune, écervelée, et par-dessus le marché enceinte. Mais aujourd'hui, chaque fois qu'il posait les yeux sur elle, elle avait envie de disparaître sous terre. Il n'était pas du tout son type. Franchement, il ne l'avait jamais été. Si elle avait dû enregistrer toute sa vie en vidéo, le mariage constituait l'une des étapes qu'elle aurait volontiers effacées. Mais pas Ben, bien sûr.

Beth regrettait que son frère cadet, Drake, ne soit pas là, et elle éprouva un pincement au cœur comme chaque fois qu'elle pensait à lui. Lorsqu'il venait à la maison, Ben le suivait partout, comme les chiens suivaient Nana. Ensemble, ils partaient à la chasse aux papillons ou passaient du temps dans la cabane dans les arbres que le grand-père avait construite et à laquelle on n'accédait qu'au moyen d'une passerelle branlante qui enjambait l'un des deux cours d'eau de la propriété. Contrairement à son ex, Drake acceptait Ben, et il représentait dans de nombreux domaines le père que Keith n'avait jamais été. Ben adorait Drake, et elle adorait Drake pour la manière tranquille dont il avait gagné la confiance de son fils. Elle se souvint l'avoir remercié un jour, mais il avait simplement haussé les épaules. « J'aime passer du temps avec lui, c'est tout », avait-il dit en guise d'explication.

Interrompant le fil de ses pensées, Beth se leva pour aller prendre des nouvelles de Nana. Elle aperçut de la lumière dans le bureau, mais elle doutait que sa grand-mère soit plongée dans la paperasse. Elle devait plutôt se trouver dans les enclos, derrière le chenil, et Beth partit dans cette direction. Heureusement, Nana ne s'était pas mis en tête de partir en balade avec toute une meute. Il lui aurait été impossible de garder l'équilibre – ou même de les contrôler – s'ils tiraient sur leur laisse, mais c'était depuis toujours une de ses activités préférées. Nana était du genre à penser que la plupart des chiens ne faisaient pas assez d'exercice, et la propriété se révélait idéale pour y remédier. Avec presque vingt-huit hectares, celle-ci offrait plusieurs champs à ciel ouvert, bordés par des feuillus et sillonnés par une demi-douzaine de sentiers et deux petits cours d'eau qui rejoignaient la South River. Acheté quasiment pour une bouchée de pain voilà cinquante ans, le domaine avait désormais pris une certaine valeur. Comme l'avait affirmé l'avocat… celui qui était venu voir si Nana avait éventuellement l'intention de vendre.

Nana joua les lobotomisées quand le juriste s'adressa à elle : elle le fixa avec de grands yeux écarquillés, noyés dans le vague, et fit tomber un à un les grains de la grappe de raisin qu'elle tenait en main, tout en marmonnant des paroles incompréhensibles. Après le départ de l'avocat, Beth et elle en rirent pendant des heures.

Beth jeta un œil à travers la fenêtre du bureau et ne vit aucun signe de la présence de sa grand-mère, mais elle entendait sa voix dans les enclos.

— Pas bouger… Viens ! C'est bien, ma petite ! Bon chien !

Au détour du bâtiment, Beth vit Nana féliciter un shih tzu femelle qui trottinait vers elle. La chienne lui faisait penser à ces petits jouets mécaniques qu'on trouve chez Wal-Mart.

— Qu'est-ce que tu fabriques, Nana ? T'es pas censée être là.

— Tiens, salut, Beth…

Deux mois plus tôt, après son attaque, sa diction était pâteuse, mais on la comprenait beaucoup mieux à présent.

— Tu ne devrais pas traîner dehors toute seule, reprit Beth, les mains sur les hanches.

— J'ai pris un téléphone portable avec moi. Je me suis dit que je t'appellerais si j'avais un problème.

— Tu n'as pas de portable.

– J'ai pris le tien. Je l'ai piqué dans ton sac ce matin.

– Qui tu aurais bien pu appeler, alors ?

Nana ne semblait pas avoir envisagé cette éventualité, et elle tricota des sourcils en regardant la petite chienne.

– Tu vois tout ce que je dois supporter, Precious ? Quand je te disais que cette fille était pire qu'un rouleau compresseur.

Elle soupira en émettant une sorte de hululement.

Beth comprit qu'un changement de sujet s'annonçait.

– Où est Ben ? demanda Nana.

– Dans la maison, il se prépare. Il va chez son père.

– Je parie qu'il est enchanté. T'es sûre qu'il ne se cache pas dans la cabane ?

– Du calme, dit Beth. C'est toujours son père.

– C'est toi qui le dis.

– J'en suis certaine.

– T'es bien sûre de ne pas avoir fricoté avec un autre gars à l'époque ? Même rien qu'un soir avec un serveur ou un routier, ou quelqu'un de l'école ?

Nana avait l'air plein d'espoir. Elle l'était toujours quand elle abordait la question.

– Sûre et certaine. Et je te l'ai déjà dit un million de fois.

Sa grand-mère lui fit un clin d'œil.

– Oui, mais Nana peut toujours espérer que ta mémoire s'améliore.

– Ça fait combien de temps que tu es dehors, au fait ?

– Quelle heure est-il ?

– Presque quatre heures.

– Alors ça fait trois heures.

– Par cette chaleur ?

– Je ne suis pas en sucre, Beth. J'ai juste eu un petit incident.

– T'as eu une attaque.

— Mais c'était sans gravité.

— Tu ne peux plus bouger ton bras.

— Tant que je peux manger ma soupe, j'en ai pas besoin, de toute manière. Maintenant, laisse-moi voir mon petit-fils. Je veux lui dire au revoir avant son départ.

Elles rebroussèrent chemin en direction du chenil, avec Precious dans leur sillage, haletante et la queue dressée. Une petite chienne adorable.

— Je crois que j'ai envie de manger chinois ce soir, déclara Nana. Ça te dit ?

— Je n'y ai pas réfléchi.

— Eh bien, tâche d'y réfléchir.

— Ouais, on peut commander du chinois. Mais je ne veux rien de trop lourd. Et pas de friture non plus. Il fait trop chaud.

— T'es pas marrante.

— Mais en bonne santé !

— C'est du pareil au même. Dis donc, puisque t'es dans une forme olympique, tu veux bien ramener Precious ? Elle est au numéro 12. J'ai entendu une nouvelle blague et je veux la raconter à Ben.

— Où l'as-tu entendue ?

— À la radio.

— Elle est correcte au moins ?

— Bien sûr. Tu me prends pour qui, enfin ?

— Exactement pour ce que tu es. D'où ma question. C'est quoi, cette blague ?

— Deux cannibales dévorent un comique, et l'un d'eux se tourne vers l'autre et lui demande : « Marrant, comme goût, non ? »

— Ça va lui plaire, dit Beth en gloussant.

— Tant mieux. Ce pauvre gosse a besoin d'être requinqué.

— Il va très bien.

— Ouais, bien sûr. Je ne suis pas née de la dernière pluie, figure-toi.

Comme elles atteignaient le chenil, Nana continua jusqu'à la maison ; elle boitait plus que dans la matinée. Elle allait mieux, mais il y avait encore du chemin avant la totale guérison.

Thibault

Le corps des marines est fondé sur le chiffre 3. C'est l'une des premières choses que l'on apprend en faisant ses classes. Ça permet de comprendre tout le reste. Trois marines forment une équipe de tir, trois équipes forment une escouade, trois escouades, un peloton, trois pelotons, une compagnie, trois compagnies, un bataillon, et trois bataillons, un régiment. En principe, du moins. Au moment d'envahir l'Irak, leur régiment s'associa à des éléments en provenance d'autres unités, parmi lesquels le bataillon léger de reconnaissance blindée, les bataillons d'artillerie du 11e régiment de marines, les 2e et 3e bataillons d'assaut amphibie, la compagnie B du 1er bataillon de génie de combat, et le 115e bataillon de soutien logistique. Une force écrasante. Des soldats prêts à tout. Environ six mille au total.

Tandis que Thibault marchait sous un ciel aux couleurs changeantes à la venue du crépuscule, il repensa à cette nuit où débuta théoriquement son intervention en territoire ennemi. Son unité, le 1er bataillon du 5e régiment, fut la première à traverser la frontière pour passer en Irak, dans l'intention de prendre possession des champs pétrolifères de Rumaila. Tout le monde se souvenait que Saddam Hussein avait mis le feu à la plupart des puis de pétrole du Koweït lorsqu'il se replia au cours de la première guerre du Golfe, et personne ne souhaitait voir un tel événement se reproduire. Bref, le 1ᵉʳ bataillon du 5ᵉ régiment, entre autres, parvint à temps sur les lieux. Seuls sept puits brûlaient lorsqu'ils eurent le secteur sous contrôle. Ensuite, on ordonna à l'escouade de Thibault de gagner le nord de Bagdad pour aider à protéger la capitale. Le 1ᵉʳ bataillon du 5ᵉ régiment étant le plus décoré au sein du corps, il fut choisi pour participer au plus important assaut en territoire ennemi de toute l'histoire des marines. Sa première affectation en Irak dura un peu plus de quatre mois.

Cinq ans après l'événement, il n'en conservait que des souvenirs assez flous. Il avait accompli son travail, et on le renvoyait enfin à Pendleton. Il n'en parla pas. Autant que possible, il évita même d'y penser. À un détail près : Ricky Martinez et Bill Kincaid, les deux autres hommes de l'équipe de Thibault, avaient vécu avec lui une histoire qu'il n'oublierait jamais.

Prenez trois personnes au hasard, mettez-les ensemble, et elles seront forcément différentes. Cela n'a rien de surprenant. En apparence, ils étaient différents. Ricky avait grandi dans un petit appartement de Midland, au Texas. Mordu d'haltérophilie, il jouait au base-ball dans le vivier des Minnesota Twins, avant de s'enrôler ; Bill venait du nord de l'État de New York, avait été élevé avec cinq sœurs dans une ferme, et jouait de la trompette dans la fanfare de son lycée. Ricky aimait les blondes, Bill, les brunes. Le premier chiquait, le second fumait. Ricky aimait le rap, Bill préférait la musique country. Quelle importance ? Ils s'entraînaient ensemble, mangeaient ensemble, partageaient la même chambrée. Ils discutaient sport et politique, ou papotaient de tout et de rien comme des frères et se faisaient des blagues de collégiens. Un jour, Bill se leva avec un sourcil rasé, le lendemain, c'étaient ceux de Ricky qui étaient tondus. Thibault apprit à se réveiller au moindre bruit et garda les siens intacts. Ils en rirent pendant des mois. Un soir qu'ils avaient trop bu, ils allèrent se faire faire des tatouages identiques proclamant leur fidélité au corps des marines.

Après avoir passé tout ce temps ensemble, chacun finit par pouvoir anticiper les faits et gestes des deux autres. À tour de rôle, Ricky et Bill avaient sauvé la vie de Thibault, ou lui avaient du moins évité de graves blessures. Juste au moment où Thibault allait sortir à découvert, Bill le saisit par l'arrière de son gilet de protection ; l'instant d'après, un tireur embusqué blessait deux hommes postés non loin d'eux. La seconde fois, ce fut un Thibault rêveur qui manqua se faire renverser par un Humvee[1] conduit par un marine ; heureusement, Ricky l'attrapa par le bras pour l'arrêter. Même pendant la guerre, les gens mouraient dans des accidents de voiture. C'était arrivé au général Patton.

Ayant pris le contrôle des champs de pétrole, ils rejoignirent la périphérie de Bagdad avec le reste de leur compagnie. La capitale n'était pas encore tombée. Ils faisaient partie d'un convoi, trois hommes parmi des centaines d'autres, resserrant leur emprise sur la ville. Hormis le rugissement des véhicules alliés, tout était paisible lorsqu'ils arrivèrent dans la banlieue. Quand des coups de feu retentirent sur une route de gravier qui donnait dans l'artère principale, on ordonna à l'escouade de Thibault d'aller jeter un œil.

---

1. Véhicule utilitaire emblématique de l'armée américaine depuis la guerre du Golfe. Destiné à remplacer la Jeep, il fut conçu pour les déplacements hors combat, et notamment le transport de troupes en Irak.

Ils estimèrent les dégâts. Des immeubles de deux et trois étages de part et d'autre de la chaussée défoncée. Un chien errant qui mangeait des ordures. L'épave fumante d'une voiture cent mètres plus loin. Ils attendirent. Ne virent rien. Attendirent encore. N'entendirent rien. Finalement, Thibault, Ricky et Bill reçurent l'ordre de traverser la rue. Ils s'exécutèrent, en se déplaçant rapidement pour se mettre à l'abri. À partir de ce moment-là, leur escouade remonta la rue pour aller vers l'inconnu.

Lorsqu'une nouvelle fusillade retentit ce jour-là, ils reconnurent le crépitement de dizaines, puis de centaines de balles en provenance d'armes automatiques procédant à un tir d'encerclement. Thibault, Ricky et Bill, ainsi que les autres membres de leur escouade ayant traversé la rue, se retrouvèrent pris au piège à l'entrée des bâtiments, avec peu d'endroits où se réfugier.

La fusillade ne s'éternisa pas. Ce fut suffisamment long, toutefois. Les balles se mirent à pleuvoir depuis les fenêtres au-dessus d'eux. D'instinct, Thibault et ses camarades levèrent leurs armes et tirèrent en l'air, encore et encore. De l'autre côté de la rue, deux de leurs soldats furent blessés, mais les renforts ne tardèrent pas à arriver. Un tank, suivi par les forces d'infanterie rapide. Le canon entra en action dans une gerbe d'étincelles, et les étages supérieurs des immeubles s'effondrèrent, tandis que la poussière et le verre brisé envahissaient l'atmosphère. De toutes parts, Thibault entendait crier et vit des civils fuir les bâtiments. Les tirs continuèrent ; le chien errant se fit tuer et roula à terre. Des civils furent abattus dans le dos et tombèrent en hurlant, couverts de sang. Un troisième marine fut blessé à la jambe. Cernés par les balles pilonnant les murs voisins qui se désagrégeaient à leurs pieds, Thibault, Ricky et Bill ne pouvaient toujours pas s'échapper. Un nouveau grondement envahit l'atmosphère et les étages d'un autre bâtiment s'écroulèrent. Le tank s'approchait. Tout à coup, les tirs ennemis provenaient de deux directions, et non plus d'une seule. Bill lança un regard à Thibault, puis à Ricky. Ils savaient comment agir. Il était temps de bouger ; s'ils restaient là, ils mourraient. Thibault se redressa le premier.

Au même instant, une clarté aveuglante envahit son champ de vision, puis tout s'assombrit.

À Hampton, plus de cinq ans après, Thibault ne pouvait se rappeler les détails, hormis l'impression d'être ballotté dans le tambour d'une machine à laver. Sous l'explosion, il se retrouva propulsé dans la rue en faisant la culbute, avec les oreilles qui bourdonnaient. Son ami Victor le rejoignit rapidement, ainsi qu'un autre camarade. Le tank continuait à tirer et l'armée prit peu à peu le contrôle de la rue.

Il apprit tout cela après les événements, tout comme le fait que la détonation émanait d'un lance-roquettes. Plus tard, un officier lui expliqua que la grenade autopropulsée visait manifestement le tank et qu'elle manqua sa tourelle de quelques centimètres. Au lieu de quoi, comme vouée à les débusquer, elle voltigea en direction de Thibault, Ricky et Bill.

Inconscient, Thibault fut évacué et emmené dans un Humvee. Par miracle, ses blessures se révélèrent mineures et, dans les trois jours, il fut sur pied avec son escouade. À l'exception de Ricky et Bill ; chacun fut enterré avec les honneurs. Ricky aurait dû fêter son vingt-deuxième anniversaire la semaine suivante. Bill avait vingt ans. Ce ne seraient ni les premières ni les dernières victimes de ce conflit. La guerre n'était pas finie.

Thibault s'efforça de ne plus trop penser à eux. Ça paraissait inhumain, mais en temps de guerre on évitait ce genre de considérations. Ça l'attristait de songer à leur mort, de réfléchir à leur absence, alors il s'y refusait. À l'instar de la plupart des gars de l'escouade. Au lieu de quoi, il se focalisait sur son travail. Sur le fait qu'il était encore en vie. Et veillait sur la sécurité de ses camarades.

Mais aujourd'hui il éprouvait la douleur du souvenir et de la perte, et ne pouvait l'enfouir au fond de lui. Elle l'accompagnait tout au long des rues paisibles qu'il sillonnait pour gagner l'autre bout de la ville. Suivant la direction qu'on lui avait indiquée à la réception du motel, il obliqua à l'est sur la Route 54 et continua à fouler l'herbe du bas-côté en évitant le macadam. À force de voyager à pied, il avait appris à se méfier des automobilistes. Zeus marchait sur ses talons, la langue pendante. Thibault s'arrêta pour lui donner de l'eau en vidant le reste de la bouteille.

Les commerces s'alignaient de part et d'autre de la grand-route. Un marchand de matelas, un carrossier, une jardinerie, un Quick-N-Go qui vendait de l'essence et des aliments rassis sous plastique, et deux fermes délabrées qui faisaient figure d'intruses, cernées par le monde moderne qui aurait proliféré tout autour comme des champignons. Ce qui avait dû se produire, supposa Thibault. Il se demanda si les propriétaires tiendraient longtemps ou même si quiconque souhaitait encore vivre dans une maison en bord de route, prise en sandwich par des commerces.

Les voitures passaient en vrombissant dans les deux sens. De gros nuages gris envahirent le ciel. Il huma la pluie avant de sentir la première goutte, et en quelques instants l'averse s'abattit sur lui. Elle dura un quart d'heure et le laissa trempé, mais les nuages s'éloignaient vers la côte. Les oiseaux se remirent à gazouiller dans les arbres, tandis que la vapeur s'élevait de la terre humide.

Thibault parvint enfin au champ de foire. Celui-ci était désert. Rien d'extraordinaire, songea-t-il en observant la configuration des lieux. Uniquement les installations de base. Un parking en gravier sur la gauche, deux ou trois vieilles granges au fond à droite, et dans l'intervalle une vaste pelouse pour les manèges, le tout bordé par une clôture fermée au moyen d'une chaîne.

Il n'eut pas besoin de l'enjamber, pas plus qu'il ne dut consulter la photo. Il l'avait vue un millier de fois. Il s'avança, prit ses repères, et finit par localiser la billetterie. Derrière se dressait l'arcade de l'entrée où l'on pouvait suspendre une banderole. Lorsqu'il y parvint, il se tourna vers le nord et regarda au loin, englobant le guichet et plaçant l'arcade dans son champ de vision, tout comme sur la photographie. C'était le bon angle, songea-t-il. C'était là qu'on avait pris le cliché.

La structure du corps des marines était fondée sur le chiffre 3. Trois hommes pour une équipe de tir, trois équipes pour une escouade, trois escouades pour un peloton. Il avait servi à trois reprises en Irak. Un coup d'œil à sa montre lui indiqua qu'il se trouvait à Hampton depuis trois heures, et juste devant lui, à l'endroit même où ils étaient censés se dresser, un boqueteau de trois arbres à feuilles persistantes.

Thibault rejoignit la nationale, sachant qu'il était sur le point de retrouver la femme. Pas tout de suite, mais bientôt.

Elle était venue là. Il le savait désormais.

Il ne lui manquait plus qu'un nom. En traversant le pays à pied, Thibault avait eu largement le temps de réfléchir, avant de décider qu'il existait trois manières de s'y prendre. En premier lieu, il pouvait chercher une association locale de vétérans et leur demander si certains avaient servi en Irak. Ce qui pourrait le conduire à quelqu'un qui soit susceptible de la reconnaître. Ensuite, il pouvait s'adresser au lycée de la ville et demander si l'administration avait conservé les almanachs des dix ou quinze dernières années. Il n'aurait plus qu'à les feuilleter en consultant les photos d'élèves une à une. Sinon, il pouvait toujours montrer la sienne en interrogeant les gens au hasard.

Mais toutes ces méthodes présentaient des inconvénients, et aucune n'était garantie. En ce qui concernait l'amicale des vétérans, il n'en avait pas trouvé dans l'annuaire. Premier échec. Comme c'étaient encore les vacances d'été, il doutait fort que le lycée soit ouvert, et dans le cas contraire, il n'aurait peut-être pas facilement accès aux almanachs. Deuxième échec… pour l'instant, du moins. Ce qui signifiait que le plus sûr consistait à interroger les gens au hasard, au cas où quelqu'un reconnaîtrait la femme.

Mais qui interroger, au juste ?

À en croire l'annuaire, Hampton comptait neuf mille habitants. Treize mille autres vivaient dans le comté. Ce qui faisait beaucoup trop. La stratégie la plus efficace consistait à limiter sa recherche au groupe de femmes les plus probables. Une fois de plus, il partit des informations qu'il possédait.

À l'époque où la photo avait été prise, l'inconnue semblait avoir une vingtaine d'années, ce qui voulait dire qu'elle frisait à présent la trentaine. Ou l'avait à peine dépassée. Elle était manifestement séduisante. Par ailleurs, dans une ville de cette taille, en supposant une répartition équilibrée des tranches d'âge, ça signifiait qu'il y avait grosso modo : 2 750 enfants, des nouveau-nés aux gamins de dix ans ;

2 750 adolescents de onze à vingt ans ; et 5 500 personnes entre vingt et trente ans, c'est-à-dire sa tranche d'âge à elle. *Grosso modo.* Sur le lot, il présumait que la moitié de ces habitants était des hommes et l'autre, des femmes. Celles-ci auraient davantage tendance à se méfier de ses intentions, surtout si elles connaissaient effectivement la fille de la photo. Il était étranger. Les étrangers présentaient un certain danger. Il doutait qu'elles lui fassent des révélations.

Les hommes oui, en revanche, selon la manière dont il poserait la question. Par expérience, il savait que la plupart de ses semblables remarquaient les femmes séduisantes de leur âge, surtout s'ils étaient célibataires. Combien d'hommes l'étaient dans la tranche d'âge actuelle de l'inconnue ? Environ 30 %, songea Thibault. Qu'il se trompe ou non, il allait devoir faire avec. Soit 900 hommes, dont 80 % devaient vivre ici à l'époque de la photo. Un chiffre lancé au hasard, mais Hampton lui paraissait être plus une ville qu'on quittait qu'une ville où l'on s'installait. Ce qui portait le nombre à 720. Il pouvait encore le réduire de moitié s'il se concentrait sur les célibataires âgés de vingt-cinq à trente-cinq ans plutôt que de trente-cinq à quarante. Il arrivait donc à 360. Selon lui, une bonne partie d'entre eux connaissaient la femme ou en avait entendu parler cinq ans plus tôt. Peut-être qu'ils étaient allés au lycée avec elle – il savait qu'il y en avait un en ville – ; en tout cas ils la connaissaient sûrement si elle était célibataire. Bien sûr, elle pouvait aussi ne pas l'être – dans les petites villes du Sud, les femmes se mariaient tôt, après tout –, mais Thibault travaillerait d'abord sur cette série d'hypothèses. Les mots griffonnés au dos du cliché – *Sois prudent ! E.* – ne lui semblaient pas suffisamment tendres pour s'adresser à un petit ami ou un fiancé. Rien à voir avec « Je t'aime » ou « Tu vas me manquer ». Juste une initiale. Une amie.

Il était passé de 22 000 à 360 en moins de dix minutes. Pas mal ! Et suffisant pour commencer, en tout cas. À condition évidemment qu'elle ait vécu là au moment de la photo. Et qu'elle n'ait pas été de passage dans la région.

Encore une grosse supposition. Mais il devait bien démarrer quelque part et savait qu'elle était venue là dans le passé. Il découvrirait la vérité d'une manière ou d'une autre, puis agirait en conséquence.

Où donc pouvaient bien traîner les célibataires ? Avec qui pourrait-il engager la conversation ? *J'ai fait sa connaissance il y a deux ou trois ans, et elle m'a dit de l'appeler si je repassais par là, mais j'ai perdu son nom et son numéro…*

Les bars. Les clubs de billard.

Dans ce genre de petite ville, ils devaient se compter sur les doigts d'une main. Les bars et les salles de billard offraient l'avantage de vendre de l'alcool, et c'était samedi soir. Ils seraient bondés. Thibault se dit qu'il aurait forcément sa réponse d'ici une douzaine d'heures.

Il lança un regard à Zeus.

– Je crois bien que tu vas devoir rester seul ce soir. Je pourrais t'emmener, mais je devrais ensuite te laisser à l'extérieur, et j'ignore combien de temps ça va me prendre.

Zeus continua à marcher, tête baissée, langue pendante. Il était fatigué et avait chaud. Tout ça ne l'intéressait pas.

– Je te mettrai la clim, OK ?

– 5 –

Clayton

Samedi soir, neuf heures, et il était coincé à la maison à faire du baby-sitting. Génial !

Comment pouvait se terminer une journée pareille, de toute manière ? D'abord, l'une des filles le surprend presque en train de photographier, ensuite on vole l'appareil photo du service, et Logan Thaï-Bolt qui lui dégonfle les pneus. Pire encore, il avait dû expliquer la perte de l'appareil et les pneus crevés à son père, M. Le-shérif-du-comté. Comme prévu, son paternel avait piqué sa crise et pas franchement gobé l'histoire qu'il lui avait concoctée. En revanche, il le mitrailla de questions. À la fin, Clayton lui aurait volontiers collé son poing dans la figure. Papa était peut-être un notable pour beaucoup de gens du coin, mais il n'avait aucun droit de s'adresser à lui comme à un débile. Toutefois, Clayton se cramponna à son histoire… Il avait cru voir quelqu'un, était parti mener sa petite enquête et, bizarrement, avait roulé sur des clous. Et l'appareil photo ? Inutile de le lui demander. D'abord, il ignorait si celui-ci se trouvait dans la voiture de patrouille. Pas terrible comme argument, songea-t-il, mais ça ferait l'affaire.

— Ça ressemble plus à une perforation faite à l'aide d'un couteau suisse, commenta son père en se penchant pour examiner les pneus.

— Je t'ai dit que c'étaient des clous.

— Il n'y a pas de chantier de construction par là-bas.

— Moi non plus, je sais pas comment c'est possible ! Je te raconte juste ce qui s'est passé.

— Où sont ces clous ?

— Comment veux-tu que je le sache ? Je m'en suis débarrassé dans la forêt.

Le vieux n'était pas convaincu, mais Clayton se gardait bien de s'éloigner de sa version. Toujours s'en tenir à sa version. Dès qu'on faisait machine arrière, on s'attirait des ennuis. La base de tout interrogatoire.

Le paternel finit par s'en aller, et Clayton mit les roues de secours puis rentra au garage, où il répara les pneus d'origine. Entre-temps, deux heures s'étaient écoulées et il avait du retard pour son rendez-vous avec un certain Logan Thaï-Bolt. Personne, absolument personne ne devait chercher noise à Keith Clayton, surtout pas une espèce de hippie SDF qui croyait pouvoir le gruger !

Il passa le reste de l'après-midi à sillonner les rues d'Arden en demandant aux gens s'ils avaient vu ce Thaï-Bolt. Un gars comme lui ne passait pas inaperçu, ne serait-ce qu'à cause du cabot qui l'accompagnait. Il rentra bredouille, ce qui le rendit d'autant plus furieux, car ça signifiait que Thaï-Bolt avait menti sans vergogne et au grand dam de Clayton !

Mais il finirait par le débusquer. Nul doute qu'il trouverait ce type, à cause de l'appareil photo, pour commencer. Ou plus précisément, des images. Des *autres* images, surtout. La dernière chose qu'il souhaitait, c'était de voir Thaï-Bolt débarquer tranquillement au bureau du shérif pour y déposer l'engin sur le comptoir… ou, pire encore, qu'il s'adresse illico au journal local. Des deux maux, le bureau du shérif serait le moindre, car son père pourrait étouffer l'affaire. Le vieux allait péter les plombs et lui coller des tâches merdiques à faire pendant deux ou trois semaines, mais il n'ébruiterait pas l'histoire. Son père n'était pas très futé, mais savait s'y prendre pour ce genre de choses.

Quant au journal… c'était une autre paire de manches. Bien sûr, Papy Clayton passerait quelques coups de fil et ferait lui aussi de son mieux pour éviter le scandale, mais comment contenir ce genre d'info ? Impossible. C'était bien trop croustillant, et la nouvelle se répandrait comme une traînée de poudre aux quatre coins de la ville, qu'un article s'en fasse ou non l'écho. Déjà que Clayton était considéré comme la brebis galeuse de la famille, il n'avait pas envie de fournir à son grand-père une nouvelle raison de lui tomber dessus. Il fallait toujours qu'il ressasse les trucs négatifs. Encore aujourd'hui, après tant d'années, il n'acceptait toujours pas que Beth et lui aient divorcé… Comme si c'étaient ses oignons ! Et lors des réunions de famille, il ne ratait jamais une occasion de faire remarquer que son petit-fils n'était pas allé en fac. Avec son bulletin de notes, Clayton aurait pu y entrer haut la main, mais il ne se voyait tout bonnement pas passer quatre ans de plus en cours, alors il avait rejoint son père au bureau du shérif. Ce qui suffit à calmer le papy. À croire que Clayton avait passé la moitié de sa vie à éviter de le contrarier.

Cependant, il n'avait pas le choix cette fois-ci. Même s'il n'aimait pas particulièrement son grand-père – un baptiste pratiquant qui allait à la messe tous les dimanches, et considérait la boisson et la danse comme des péchés, ce que Clayton jugeait ridicule –, il savait ce que son grand-père attendait de lui… Et disons que prendre des photos d'étudiantes nues n'était pas dans la liste des activités dites « convenables ». Pas plus que les autres clichés sur la carte-mémoire, notamment ceux de Clayton en compagnie de charmantes jeunes femmes dans des situations compromettantes. Tout cela conduirait à de *graves déceptions*, et Papy Clayton ne se montrait guère patient avec ceux qui le décevaient, même s'ils faisaient partie de la famille. *Surtout* s'ils en faisaient partie. Les Clayton vivaient dans le comté de Hampton depuis l'an de grâce 1753 ; à maints égards, ils *symbolisaient* le comté de Hampton. La dynastie comptait des juges, des avocats, des propriétaires fonciers, et un maire avait même épousé une fille Clayton, mais tout le monde savait que Papy était le seul à s'asseoir en bout de table. Il régnait en seigneur et maître comme un parrain mafieux à l'ancienne, et la plupart des gens du coin chantaient ses louanges en lui attribuant toutes les qualités du monde. Papy Clayton se plaisait à croire que c'était parce qu'il soutenait financièrement des tas d'organismes, de la bibliothèque au théâtre, en passant par l'école primaire, mais son petit-fils en connaissait la véritable raison : Papy possédait pour ainsi dire tous les immeubles commerciaux du centre-ville, ainsi que le dépôt de bois d'œuvre, les deux marinas, trois concessions automobiles, trois entrepôts, l'unique complexe immobilier du coin et de nombreuses terres cultivées. L'ensemble contribuait à la richesse – et à la puissance – familiale, et comme Clayton tirait la majeure partie de ses revenus des fonds de placement de la famille, ce n'était pas le moment qu'un étranger quelconque lui attire des ennuis.

Grâce à Dieu, Ben était venu au monde pendant sa brève relation avec Beth. Papy témoignait d'un attachement bizarre à la lignée, et comme Ben portait le nom des Clayton – une idée drôlement habile, puisqu'il était le premier à l'admettre –, Papy l'adorait. La plupart du temps, Clayton avait le sentiment que le grand-père aimait beaucoup plus Ben, son arrière-petit-fils, que son petit-fils.

Oh, Clayton savait que Ben était un brave gamin. Tout le monde le disait, pas seulement Papy. Et il aimait vraiment ce gosse, même si c'était parfois une vraie plaie. De là où il se tenait sur la véranda, il jeta un œil par la fenêtre et vit que Ben avait fini de ranger la cuisine et regagné le canapé. Il savait qu'il devrait le rejoindre au salon, mais n'était pas encore prêt… Pas tout de suite. Il n'avait pas envie de sortir de ses gonds ou de lâcher une phrase qu'il regretterait ensuite. Il tâchait de s'améliorer ces temps-ci ; deux ou trois mois plus tôt, Papy avait eu une petite conversation avec lui à propos de l'*image de stabilité* qu'il devait à tout prix offrir à son fils. Quel vieux crétin ! Il fallait simplement que le petit lui obéisse et basta ! songea Clayton. Tout le monde ne s'en serait que mieux porté. Le gosse l'avait déjà énervé ce soir, mais plutôt que d'exploser il s'était rappelé les paroles de Papy Clayton en serrant les dents, avant de sortir en trombe.

On aurait dit que Ben passait son temps à lui empoisonner l'existence ces jours-ci. Mais c'était pas la faute de Clayton ; franchement, il faisait de son mieux pour s'entendre avec le gamin ! Tout avait bien commencé, pourtant. Ils avaient parlé de l'école, mangé des hamburgers, regardé *SportsCenter* sur la chaîne ESPN. Parfait. Et puis voilà qu'il avait eu le malheur de dire au gosse d'aller ranger la cuisine. À croire que c'était trop lui demander. Clayton n'avait pas eu l'occasion de s'y atteler ces derniers jours, et il savait que le gosse ferait du bon boulot. Alors Ben promit de s'en occuper, mais au lieu de s'exécuter, il resta assis là, sans broncher. Et l'heure tournait. Et le gosse ne bougeait toujours pas. Alors Clayton le lui avait demandé à nouveau

– et il était sûr de l'avoir fait gentiment – et, même s'il ne pouvait l'affirmer, il aurait juré que Ben avait levé les yeux au ciel, avant de s'en aller enfin en traînant des pieds. Ce qui suffit à le mettre en pétard. Il détestait quand Ben levait les yeux au ciel, et Ben le savait. Comme si le petit connaissait ses points sensibles et passait son temps à en chercher d'autres à titiller, pour la prochaine fois qu'il viendrait. Voilà pourquoi Clayton avait émigré sur la véranda.

Ce genre de comportement était l'œuvre de sa mère ; pour Clayton, ça ne faisait pas l'ombre d'un doute. Elle était peut-être super bien roulée, mais elle ignorait tout de la manière d'élever un jeune garçon pour en faire un homme. Il n'avait rien contre le fait que le gamin ait de bonnes notes, mais celui-ci ne pouvait pas jouer au foot cette année parce qu'il voulait apprendre le violon. D'où il sortait ces conneries ? Le violon ? Manquait plus qu'elle l'habille en rose et qu'il apprenne à monter en amazone ! Clayton faisait de son mieux pour contrôler ces trucs de femmelette, mais il n'avait le gosse qu'un jour et demi, un week-end sur deux. C'était pas sa faute si le petit maniait la batte de base-ball comme une fille. Il était trop occupé à jouer aux échecs. Et, que les choses soient bien claires, pas question qu'il mette les pieds à un récital de violon !

Du violon ! C'était pas Dieu possible ! On vivait dans quel monde, franchement ?

Ses pensées revinrent sur Thaï-Bolt, et même s'il voulait croire que le gars avait simplement quitté le comté, il savait à quoi s'en tenir. Ce type se déplaçait à pied... impossible qu'il ait quitté le comté d'ici à la tombée de la nuit. Et sinon ? Un détail l'avait taraudé presque toute la journée, et ce ne fut qu'en venant se calmer sur la véranda qu'il avait pu mettre le doigt dessus. Si Thaï-Bolt avait dit la vérité en affirmant qu'il vivait dans le Colorado – peut-être qu'il mentait, mais supposons que ce soit vrai –, ça signifiait qu'il voyageait d'ouest en est. Et la prochaine ville à l'est… Pas Arden. C'était sûr. Elle se situait au sud-ouest de la forêt où ils s'étaient rencontrés. En mettant le cap à l'est, en revanche, ça menait le gars à notre bonne vieille ville de Hampton. Juste ici, sa ville natale. Ce qui voulait dire que le type se trouvait peut-être à moins de quinze minutes de cette véranda.

Et Clayton, il était parti à sa recherche ? Non, il faisait du baby-sitting.

Nouveau coup d'œil par la fenêtre. Son fils lisait sur le canapé… La seule chose que le gosse ait envie de faire, apparemment. Ah ouais, hormis le violon ! Clayton secoua la tête en se demandant si le gamin avait hérité de ses gènes. Aucun risque. C'était le fils à sa maman tout craché. Le fils de Beth.

Beth…

OK, le mariage n'avait pas marché. Mais il y avait toujours quelque chose entre eux. Et ça ne changerait jamais. Malgré son côté obstinée et donneuse de leçons, Clayton serait toujours à l'affût de Beth, pas seulement à cause de Ben, mais parce que c'était certainement la plus belle femme avec laquelle il ait jamais couché. Un sacré beau petit lot à l'époque et davantage encore aujourd'hui. Même plus séduisante que les étudiantes qu'il avait vues au bord de l'eau. Bizarre. Comme si elle avait atteint un âge qui lui convenait à la perfection et s'était en quelque sorte arrêtée de vieillir. Il savait que ça ne durerait pas et que la chair de Beth finirait aussi par succomber aux lois de la pesanteur. Malgré tout, il avait envie de s'envoyer vite fait en l'air avec elle. Juste une fois, comme au bon vieux temps, histoire de… *se détendre.*

Il se dit qu'il pouvait sans doute appeler Angie. Ou Kate, d'ailleurs. L'une avait vingt ans et travaillait à l'animalerie, l'autre, un an de plus et nettoyait les toilettes au Stratford Inn. Toutes les deux avaient une jolie petite silhouette et se révélaient de vraies bombes quand venait le moment de... *se détendre*. Il savait que Ben s'en moquait s'il faisait venir l'une ou l'autre à la maison, mais il devrait sans doute leur en parler d'abord. Elles étaient drôlement en colère la dernière fois qu'ils les avaient vues, l'une comme l'autre. Il allait devoir présenter ses excuses et user de son charme, et il n'était peut-être pas d'humeur à les voir mastiquer leur chewing-gum et à les écouter jacasser de ce qu'elles avaient regardé sur MTV ou lu dans le *National Enquirer*[1]. Parfois, elles lui demandaient trop d'efforts.

À éviter, donc. Chercher Thaï-Bolt ce soir, impossible. Et demain aussi, puisque Papy Clayton voulait voir tout le monde à son brunch après la messe. Toutefois, Thaï-Bolt voyageait à pied, et avec le chien et le sac à dos, on ne risquait pas de le prendre en stop. Jusqu'où pouvait-il aller d'ici à demain après-midi ? À une trentaine de kilomètres ? Quarante-cinq dans le meilleur des cas ? Guère plus, de toute manière, ce qui signifiait qu'il traînait toujours dans la région. Clayton passerait quelques coups de fil aux shérifs des comtés voisins, en leur demandant de rester aux aguets. Il n'existait pas des tas de chemins pour quitter le comté, et Clayton se dit que s'il prévenait certains commerces en bord de route, quelqu'un finirait bien par repérer le gars. Auquel cas, Clayton se lancerait à ses trousses. Thaï-Bolt n'aurait jamais dû se frotter à Keith Clayton.

Perdu dans ses pensées, il entendit à peine la porte d'entrée grincer.

---

1. Célèbre journal people américain.

82

– Hé, p'pa ?

– Ouais ?

– Y a quelqu'un au téléphone.

– Qui ça ?

– Tony.

– Ah bon ?…

Il se leva de son siège en se demandant ce que lui voulait Tony. Encore un loser. Maigrichon et boutonneux, c'était un de ces parasites qui traînaient toujours avec les shérifs adjoints, essayant de se faire passer pour l'un d'entre eux. Il devait se demander où était Clayton et ce qu'il ferait ce soir, histoire de ne pas se retrouver en rade. Minable.

Il acheva sa bière en rentrant et la jeta à la poubelle au passage. Puis il s'empara du combiné sur le plan de travail de la cuisine.

– Ouais ?

En fond sonore, il entendait une chanson country que diffusait un juke-box et un brouhaha de conversations. Ce loser l'appelait d'où ?

– Hé, je suis chez Decker, le club de billard, et y a un drôle de mec dans le coin… Alors j'ai pensé que je devrais t'en parler.

Clayton déploya ses antennes.

– Il a un chien avec lui ? Un sac à dos ? C'est le genre un peu débraillé, comme s'il avait passé un bout de temps dans les bois ?

– Non.

– T'es sûr ?

– Ouais, certain. Il est en train de jouer dans la salle du fond. Mais écoute… Je voulais te dire qu'il a une photo de ton ex-femme.

Pris au dépourvu, Clayton tâcha d'avoir l'air nonchalant.

– Et alors ?

– Je me disais juste que tu voudrais le savoir.

– Qu'est-ce que tu veux que ça me foute, bon sang ?

– J'en sais rien.

– Ben voyons... T'as rien dans la tronche !

Il raccrocha en songeant que ce gars devait avoir un pois chiche à la place du cerveau, puis il posa un regard approbateur sur la cuisine. Impeccable. Comme d'habitude, le gosse avait fait du bon boulot. Il faillit même s'extasier, mais en apercevant Ben, il ne put s'empêcher de remarquer une fois de plus combien son fils était petit. Certes, ça venait peut-être en grande partie de la génétique, une histoire de poussée de croissance précoce ou tardive... Mais ça dépendait aussi de l'hygiène de vie. C'était juste une question de bon sens. Bien s'alimenter, faire de l'exercice, bien se reposer. Des trucs de base que toutes les mères apprennent à leurs gamins. Et les mères avaient raison. Si on ne mangeait pas assez, on ne grandissait pas. Si on ne faisait pas de sport, les muscles ne se développaient pas. Et quand est-ce qu'on grandissait ? La nuit, pardi ! Quand le corps se régénérait. Quand on rêvait.

Il se demandait souvent si, chez sa mère, Ben dormait suffisamment. Clayton savait que Ben se nourrissait – il avait fini son burger-frites – et qu'il avait des activités, alors c'était peut-être le manque de sommeil qui l'empêchait de grandir. Le gosse n'avait quand même pas envie de finir nabot ? Bien sûr que non.

En revanche, Clayton avait quant à lui envie de se retrouver un peu seul. Histoire de méditer sur ce qu'il allait faire à ce Thaï-Bolt la prochaine fois qu'il le verrait.

Il s'éclaircit la voix.

– Dis donc, Ben. Il se fait tard, tu crois pas ?

– 6 –

Thibault

En rentrant du club de billard, Thibault se remémora sa deuxième affectation en Irak.

Fallujah, printemps 2004. Le 1er bataillon du 5e régiment, entre autres unités, reçut l'ordre d'enrayer l'escalade de la violence à laquelle on assistait depuis la chute de Bagdad, un an plus tôt. Sachant à quoi s'attendre, les civils se mirent à fuir la ville, et les principales voies d'accès se retrouvèrent encombrées. Près d'un tiers des habitants évacuèrent la localité en une journée. On eut recours aux frappes aériennes, puis aux marines. Ils avancèrent de rue en rue, de maison en maison, de pièce en pièce, et connurent le plus acharné des combats depuis le début de l'invasion. En trois jours, ils contrôlèrent le quart de la ville, mais le nombre croissant de morts civils incita au cessez-le-feu. On prit la décision d'abandonner l'opération, et la plupart des forces en présence se retirèrent, y compris la compagnie de Thibault.

Mais certains soldats de son unité ne se replièrent pas.

Au deuxième jour de l'opération, dans la partie sud et industrielle de la ville, Thibault et son peloton se virent donner l'ordre de mener l'enquête dans un immeuble censé

85

abriter une cache d'armes. Toutefois, comme le bâtiment en question n'était pas localisé de façon précise, ça pouvait être n'importe lequel parmi une dizaine d'immeubles en ruine groupés quasiment en demi-cercle autour d'une station-service abandonnée. Thibault et son peloton l'évitèrent en s'approchant du secteur. La moitié d'entre eux partit sur la droite, l'autre, sur la gauche. Tout était calme... Et soudain la station explosa. Des flammes jaillirent dans le ciel, tandis que la détonation projetait une partie des hommes à terre en leur crevant les tympans. Abasourdi, Thibault vit comme un voile noir obscurcir sa vision périphérique, le reste se noyant dans le flou. Tout à coup, les balles se mirent à pleuvoir par les fenêtres, du haut des toits et de derrière les épaves calcinées des voitures dans la rue.

Thibault se retrouva à terre auprès de Victor. Deux des autres gars du peloton, Matt et Kevin – surnommés Mad Dog et K-Man –, se trouvaient avec eux, et ils mirent en pratique l'entraînement qu'ils avaient reçu. Renforcé par leur indéfectible amitié. Malgré l'assaut, la peur et la mort quasi certaine qui les attendait, Victor s'empara de son fusil et se redressa sur un genou en visant l'ennemi. Il tira et tira encore, conservant tout son calme et sa concentration, sans trembler un seul instant. Mad Dog l'imita. L'un après l'autre, ils se relevèrent. L'une après l'autre, les équipes de tir se formèrent. *On fait feu. On se met à l'abri. On avance.* Sauf qu'ils ne pouvaient pas avancer. Ils n'avaient aucun endroit où aller. Un marine s'écroula, puis un autre. Un troisième, puis un quatrième.

Lorsque les renforts arrivèrent, c'était presque trop tard. Mad Dog était touché à l'artère fémorale ; malgré son garrot, il perdit tout son sang et mourut en quelques minutes. K-Man reçut une balle dans la tête et décéda aussitôt. Deux autres furent blessés. Seuls quelques-uns s'en sortirent indemnes… Thibault et Victor faisaient partie du lot.

Au club de billard, l'un des jeunes gars avec lesquels il discuta lui rappelait Mad Dog. Ils auraient pu être frères – même taille et même gabarit, mêmes cheveux et même façon de parler –, à tel point que l'espace d'un instant Thibault eut un doute, jusqu'à ce qu'il se dise que c'était carrément impossible.

Il n'ignorait pas le risque encouru en mettant son projet à exécution. Dans les petites villes, les étrangers étaient toujours suspects, et vers la fin de la soirée, il avait même aperçu le maigrichon boutonneux passer un coup de fil au Taxiphone près des toilettes, tout en le lorgnant d'un air agité. Ce gars était tout aussi nerveux avant de téléphoner, et Thibault supposa que l'appel était destiné à la femme de la photo ou à quelqu'un de proche de celle-ci. Ses soupçons se confirmèrent quand Thibault eut quitté l'établissement. Comme on pouvait s'y attendre, l'homme l'avait suivi jusqu'à la sortie, pour voir dans quelle direction il s'en allait. Ce qui poussa Thibault à partir dans le sens opposé avant de revenir sur ses pas.

À son arrivée dans ce club délabré, il était passé devant le bar pour gagner directement les tables de billard. Il eut tôt fait de repérer les types dans la tranche d'âge idoine, dont la plupart semblaient célibataires. Il demanda à se joindre à eux et eut droit aux bougonnements d'usage. Il se montra sympa, paya quelques tournées de bière, tout en perdant certaines parties, et les gars commencèrent à se décoincer. L'air de rien, il les interrogea sur ce qu'il y avait de beau à faire dans le coin, rata quelques coups, les félicita quand ils marquèrent des points.

Finalement, ils commencèrent à lui poser des questions. D'où venait-il ? Qu'est-ce qu'il faisait là ? Il toussota, marmonna une vague réponse au sujet d'une fille, puis changea de sujet. Il nourrit leur curiosité. Leur offrit d'autres bières, et quand ils le questionnèrent à nouveau, il partagea à contrecœur son histoire… À savoir que des années plus tôt il s'était rendu à la foire avec un ami et y avait rencontré une fille. Entre elle et lui, ça avait tout de suite collé. Il ne cessa de vanter ses qualités, en ajoutant qu'elle lui avait dit de le recontacter si d'aventure il repassait dans le coin. Et il ne demandait pas mieux à présent, mais n'était pas fichu de se rappeler son nom.

— Tu ne sais plus comment elle s'appelle ? lui demandèrent-ils.

— Non, répondit Thibault. J'ai jamais eu la mémoire des noms. Quand j'étais gamin, j'ai reçu un coup de batte de base-ball sur la tête, et il m'arrive d'avoir des trous de mémoire. (Il haussa les épaules, sachant qu'ils éclateraient de rire, et ils ne s'en privèrent pas.) Mais j'ai une photo, ajouta-t-il comme s'il venait de s'en souvenir.

— Tu l'as sur toi ?

— Ouais, je crois…

Il retourna ses poches et sortit le cliché. Les hommes se regroupèrent pour la regarder. Peu après, l'un deux secoua la tête.

— T'as pas de veine, déclara-t-il. C'est chasse gardée, cette nana.

— Elle est mariée ?

— Non, mais disons qu'elle sort pas avec des mecs. Son ex n'apprécierait pas, et crois-moi, t'as pas envie de t'y frotter.

Thibault manqua s'étrangler.

— Elle s'appelle comment ?

— Beth Green, répondirent-ils. Elle enseigne à l'école primaire de Hampton et vit avec sa grand-mère dans la maison du chenil Sunshine.

Beth Green. Ou plus précisément, songea Thibault, Elizabeth Green. E.

C'est en discutant avec les gars qu'il se rendit compte qu'un de ceux auxquels il avait montré le cliché s'était esquivé.

— Alors j'imagine que c'est sans espoir, dit-il en rangeant la photo.

Thibault resta encore une demi-heure avec eux, histoire de couvrir ses arrières. Il parla de choses et d'autres, observa l'inconnu boutonneux passer son coup de fil et vit la déception dans son regard. Comme un gamin surpris en train de cafarder. Parfait. Malgré tout, Thibault avait l'impression qu'il reverrait ce gars. Il offrit d'autres tournées, perdit d'autres parties, tout en lorgnant du côté de la porte, au cas où quelqu'un débarquerait. Personne ne se pointa. En temps voulu, il leva les mains en déclarant qu'il n'avait plus d'argent. Autrement dit, il allait mettre les voiles. Tout ça lui avait coûté un peu plus de cent dollars. Les gars lui assurèrent qu'il serait le bienvenu la prochaine fois.

Il les entendit à peine. Une seule pensée occupait son esprit : désormais, il pouvait mettre un nom sur le visage de cette femme, et la prochaine étape consistait à la rencontrer.

– 7 –

Beth

Dimanche.

Après la messe, c'était en principe un jour de repos, où elle pouvait récupérer et recharger ses batteries pour la semaine à venir. Une journée qu'elle était censée passer en famille, à mitonner un ragoût et à se promener le long de la rivière pour se détendre. Peut-être même se pelotonner sur le canapé avec un bon bouquin, en sirotant un verre de vin, ou se prélasser dans un bain moussant.

En revanche, elle n'avait pas envie de passer son temps à ramasser des crottes sur la pelouse où les chiens faisaient leurs exercices, ni de nettoyer le chenil, de dresser une dizaine de toutous à tour de rôle, ou encore d'attendre que les gens viennent chercher leur pensionnaire, qui se détendait au frais dans un chenil climatisé, alors qu'elle restait assise dans un bureau qui ressemblait à une étuve. Elle y était pourtant coincée depuis son retour de la messe, un peu plus tôt dans la matinée.

Deux chiens étaient déjà partis avec leurs maîtres, mais il en restait quatre autres en attente d'être récupérés. Nana avait eu la gentillesse de lui préparer les fiches, avant de se retirer dans la maison pour regarder le match. Les Braves

90

d'Atlanta jouaient contre les Mets. Non seulement Nana vouait une passion dévorante – que Beth jugeait ridicule – aux Braves, mais elle adorait aussi tous les objets souvenirs associés à l'équipe. Ce qui expliquait, bien sûr, les tasses à café à l'effigie des Braves, les fanions aux couleurs des Braves sur les murs, sans compter l'agenda de bureau et la lampe près de la fenêtre.

Même la porte ouverte, elle étouffait dans le bureau. C'était une de ces journées caniculaires et humides, idéales pour aller nager dans la rivière et ne rien faire d'autre. Son tee-shirt était trempé de sueur et, comme elle portait un short, ses jambes collaient au skaï de son fauteuil. Chaque fois qu'elle remuait, elle produisait une sorte de bruit de succion. Un son écœurant.

Si Nana estimait primordial de protéger les chiens de la chaleur, elle ne s'était jamais donné la peine de faire ajouter des conduits d'aération jusque dans le bureau.

– Si t'as chaud, suffit d'ouvrir la porte qui donne sur le chenil, disait-elle toujours, ignorant du même coup que si elle n'était pas gênée par les aboiements constants, la plupart des gens ne les supportaient pas.

Et aujourd'hui, deux petits jappeurs s'en donnaient à cœur joie, deux jack russell qui ne s'arrêtaient pas depuis l'arrivée de Beth. Elle supposa qu'ils avaient dû aboyer quasiment toute la nuit, puisque la plupart des autres chiens semblaient aussi grincheux. Toutes les deux minutes ou presque, d'autres chiens se joignaient au concert de protestations, le vacarme s'amplifiant dans les aigus et en intensité, comme si chaque animal avait pour unique désir de manifester son mécontentement avec plus de force que son voisin. Elle ne risquait donc pas d'ouvrir la porte pour rafraîchir le bureau.

L'idée la titilla d'aller se chercher un autre verre d'eau glacée dans la maison, mais elle se disait qu'aussitôt qu'elle serait partie les gens ayant déposé leur cocker pour un dressage à l'obéissance pointeraient le bout de leur nez. Ils avaient appelé une demi-heure plus tôt pour lui annoncer qu'ils étaient en chemin. « On arrive dans dix minutes ! » Et ils étaient capables de s'offusquer à l'idée que leur toutou puisse séjourner une minute de trop au chenil, surtout après avoir passé deux semaines hors du foyer.

Mais est-ce qu'ils étaient là ? Bien sûr que non.

Ce serait plus simple si Ben se trouvait avec elle. Beth l'avait vu à l'église ce matin, en compagnie de son père, et le gosse lui avait paru aussi morose que prévu. Comme toujours, ce n'était pas la joie chez son père. Ben l'avait appelée avant de se coucher hier soir, en lui disant que Keith avait passé une bonne partie de la soirée tout seul sur la véranda, pendant que lui rangeait la cuisine. Ça ressemblait à quoi, franchement ? Pourquoi Keith ne pouvait-il pas simplement profiter de la présence de son fils en s'asseyant avec lui pour discuter ? Ben était un gamin très facile à vivre, et elle ne l'affirmait pas seulement parce qu'elle était sa mère. Bon, OK, peut-être que son avis se révélait *un peu* faussé, mais en tant qu'institutrice elle avait eu affaire à des tas de gosses différents et savait de quoi elle parlait. Ben était intelligent et avait de l'humour. Sans parler de sa gentillesse naturelle et de sa politesse. Ben était génial, et ça la rendait folle de constater que Keith était trop abruti pour le voir !

Elle regrettait amèrement de ne pas être dans la maison en train de faire… quelque chose. N'importe quoi. Même s'occuper du linge sale était sans doute plus exaltant que de rester assise là. Où elle avait tout loisir de penser à des tas de trucs. Pas seulement à Ben, mais à Nana aussi. À se demander si elle allait enseigner cette année. Et même à méditer sur l'état navrant de sa vie sentimentale, ce qui ne manquait jamais de la déprimer. Ce serait merveilleux, songea-t-elle, de rencontrer quelqu'un qui sorte de l'ordinaire, avec qui partager des fous rires… Quelqu'un qui aimerait Ben autant qu'elle l'aimait. Ou même de rencontrer un homme avec lequel elle irait dîner et au cinéma. Un homme normal, qui penserait à poser sa serviette sur ses genoux au restaurant et lui tiendrait la porte pour la laisser passer. Elle n'exigeait quand même pas le Pérou, si ? Beth ne mentait pas à Melody en lui disant qu'elle n'avait guère de choix parmi la gent masculine de la ville, tout en admettant elle-même qu'elle se montrait difficile… et qu'en dehors de sa brève idylle avec Adam elle avait passé presque tous les week-ends à la maison cette année. Quarante-neuf sur cinquante-deux précisément. Bon, elle n'était pas si *difficile* que ça, en réalité. Mais Adam fut le seul à lui proposer de sortir, et bizarrement elle ne comprenait toujours pas pourquoi il avait soudain cessé de l'appeler. Ce qui résumait assez bien sa vie sentimentale de ces dernières années.

Pas de quoi en faire un drame. Puisqu'elle avait survécu jusque-là sans avoir de relation, elle continuerait à prendre son mal en patience. Qui plus est, ça ne la dérangeait pas la plupart du temps. S'il ne faisait pas cette chaleur accablante aujourd'hui, nul doute qu'elle n'y songerait même pas en ce moment. Ce qui signifiait qu'elle avait à tout prix besoin de se rafraîchir. Sinon elle allait à tous les coups penser au passé, et elle n'avait surtout pas envie de s'aventurer sur ce terrain. Tout en tripotant son verre vide, elle décida d'aller chercher de l'eau glacée. Et une petite serviette de bain pour mettre sous ses cuisses, tant qu'à faire !

Elle se leva et jeta un œil du côté de l'allée de gravier déserte, puis griffonna un petit mot annonçant qu'elle reviendrait dans dix minutes, avant de le punaiser sur la porte du bureau. À l'extérieur, le soleil de plomb l'incita à passer à l'ombre du vieux magnolia pour emprunter l'allée qui menait à la maison où elle avait grandi. Construite dans les années 1920, la demeure évoquait un vaste corps de ferme, bordé d'une grande véranda sur quatre côtés, avec des avant-toits décorés d'une corniche sculptée. Caché du bureau et du chenil par d'imposantes haies, le jardin de derrière se nichait à l'ombre de grands chênes et se parait d'une série de terrasses où l'on avait plaisir à dîner. La propriété devait être magnifique dans le passé mais, à l'instar de nombreuses demeures rustiques des alentours de Hampton, les années et les intempéries ne l'avaient pas épargnée. Depuis quelque temps, la véranda s'affaissait, les planchers grinçaient et, lorsque le vent soufflait fort, les papiers voletaient dans les pièces, même avec les fenêtres fermées. À l'intérieur, toujours la même histoire : une solide charpente, mais il fallait moderniser, surtout la cuisine et les sanitaires. Nana le savait et y faisait allusion de temps à autre, c'étaient toujours des projets qu'on remettait à plus tard. Par ailleurs, Beth devait bien admettre que la propriété jouissait encore d'un certain cachet. Pas uniquement l'arrière-cour – une véritable oasis –, mais la maison elle-même. Depuis des années Nana fréquentait les antiquaires et avait une prédilection pour le mobilier français du XIXᵉ siècle. Elle passait aussi le plus clair de ses week-ends à chiner dans les vide-greniers, en quête de tableaux anciens. Elle avait du flair pour la peinture et avait noué de solides amitiés avec un certain nombre de galeristes dans tout le Sud. Des tableaux ornaient presque chaque mur de la demeure. Pour s'amuser, Beth chercha un jour sur Google deux ou trois noms de ces peintres et apprit que leurs œuvres s'exposaient au Metropolitan Museum of Art de

New York et à la bibliothèque Huntington de San Marino, en Californie. Lorsqu'elle fit part de ses découvertes à Nana, sa grand-mère lui décocha un clin d'œil en disant : « C'est comme déguster du champagne, pas vrai ? » Les remarques décalées de Nana masquaient souvent un sens aigu des affaires.

Une fois qu'elle eut atteint la véranda et ouvert la porte, Beth fut saisie par un courant d'air si revigorant qu'elle se tint dans l'entrée pour en profiter.

— Ferme la porte ! lui cria Nana par-dessus son épaule. Tu laisses sortir l'air frais. (Elle se tourna dans son fauteuil en lorgnant Beth de la tête aux pieds.) T'as l'air de crever de chaud.

— C'est le cas.

— Je parie que le bureau est une vraie fournaise.

— Oh, tu crois ?

— M'est avis que tu devrais ouvrir la porte donnant sur le chenil. Mais bon, ce que j'en dis… En attendant, viens te rafraîchir un peu.

Beth désigna l'écran de télévision.

— Les Braves s'en sortent bien ?

— Comme une botte de radis.

— Ça veut dire que c'est bien ou pas ?

— Les radis jouent au base-ball, d'après toi ?

— Ben non, j'imagine.

— Alors, tu as ta réponse.

Beth sourit et se dirigea vers la cuisine. Nana était toujours un peu sur les nerfs quand les Braves perdaient.

Beth sortit des glaçons du réfrigérateur et en glissa une poignée dans un verre qu'elle remplit d'eau, avant d'en boire une longue gorgée qui lui fit le plus grand bien. Réalisant du même coup qu'elle avait faim, elle prit une banane avant de revenir au salon. Elle se jucha ensuite sur l'accoudoir du canapé et sentit sa transpiration s'évaporer dans le courant d'air, tandis que ses yeux se posaient à tour de rôle sur l'écran et sur sa grand-mère. Elle hésitait à lui demander combien d'essais avaient été marqués, car elle savait que Nana n'apprécierait pas ce genre d'humour. Pas si les Braves jouaient comme une botte de radis du moins. Elle jeta un coup d'œil à la pendule et soupira… Elle devait retourner au bureau.

— C'était sympa de passer te voir, Nana.

— Très agréable pour moi aussi, ma chérie. Tâche de ne pas avoir trop chaud.

— Je ferai de mon mieux.

Beth regagna donc le bureau, notant au passage avec déception l'absence de voitures sur le parking, ce qui signifiait que les clients n'étaient pas encore là. Toutefois, elle aperçut un homme qui remontait l'allée, un berger allemand à ses côtés. Leurs pas soulevaient des volutes de poussière dans leur sillage ; le chien avait la tête baissée et la langue pendante. Elle se demanda ce qu'ils faisaient dehors par une chaleur pareille. Même les animaux préféraient rester à l'intérieur. Après mûre réflexion, elle se dit que c'était la première fois qu'un maître se rendait à pied au chenil avec son chien. Par ailleurs, personne n'avait téléphoné pour prendre rendez-vous. Les gens qui déposaient leur animal appelaient toujours au préalable.

Songeant qu'ils atteindraient le bureau quasi en même temps, elle lui fit signe et constata, surprise, que l'homme s'arrêtait pour la regarder. Le chien l'imita, oreilles dressées, et elle pensa aussitôt qu'il ressemblait beaucoup à Oliver, le berger allemand que Nana avait amené à la maison quand Beth avait treize ans. Celui-ci avait les mêmes taches noires et beiges, la même façon d'incliner la tête, et la même posture menaçante en présence d'étrangers. Non pas qu'elle

96

ait eu peur d'Oliver à l'époque. Dans la journée, c'était surtout le compagnon de Drake, mais le soir venu Oliver dormait toujours au pied du lit de Beth, comme s'il trouvait du réconfort à ses côtés.

Perdue dans les souvenirs de Drake et d'Oliver, elle-même s'était arrêtée net et ne réalisa pas tout de suite que l'homme n'avait toujours pas bougé. Pas plus qu'il n'avait prononcé un mot. Bizarre. Peut-être qu'il espérait voir Nana. Comme son visage était dans l'ombre, Beth n'aurait su dire de quoi il retournait, mais peu importe. Une fois parvenue à la porte, elle retira son message et ouvrit celle-ci en se disant que l'inconnu se présenterait au bureau quand il serait prêt. Elle fit le tour du comptoir et, en voyant le fauteuil en skaï, se rendit compte qu'elle avait oublié la serviette.

Songeant à préparer un dossier pour l'inconnu qui allait déposer son chien, elle saisit une fiche dans le classeur, puis la fixa au bloc-notes. Elle farfouilla ensuite dans le bureau en quête d'un stylo, puis posa le tout sur le comptoir au moment où l'étranger entrait avec son chien. Il sourit et, quand leurs regards se croisèrent, ce fut l'une des rares fois dans sa vie où Beth se trouva à court de mots.

C'était moins le fait qu'il la fixe que la *manière* dont il la fixait. Aussi étrange que cela puisse paraître, il la regardait comme s'il la *reconnaissait*. Pourtant elle ne l'avait jamais vu auparavant ; elle en était sûre. Elle se serait souvenue de lui, ne serait-ce que parce qu'il lui rappelait Drake dans sa façon de donner l'impression qu'il dominait la pièce. À l'instar de Drake, il devait avoisiner le mètre quatre-vingt-deux ; il était mince, avec des bras musclés et de larges épaules. Il avait aussi une allure un peu sauvage, renforcée par son jean et son tee-shirt délavés.

Mais les similitudes s'arrêtaient là. Alors que Drake avait les yeux marron cerclés de noisette, ceux de l'inconnu étaient bleus ; et si Drake avait toujours porté les cheveux courts, l'étranger les avait plus longs, presque hirsutes. Par ailleurs, alors qu'il était venu à pied, il paraissait moins transpirer qu'elle.

Ce qui la gêna soudain, et elle se détourna comme l'inconnu faisait un pas vers le comptoir. Du coin de l'œil, elle l'observa lever légèrement la main en direction du chien. Elle avait vu Nana faire ce geste un millier de fois, et l'animal, sensible au moindre mouvement, ne bougea pas. Il était déjà bien dressé, ce qui signifiait sans doute que son maître était venu le laisser en pension.

— Votre chien est magnifique, dit-elle en faisant glisser le bloc-notes vers l'étranger. (Le son de sa propre voix brisait le silence embarrassant.) J'ai eu un berger allemand dans le temps. Il s'appelle comment ?

— Zeus. Et merci du compliment.

— Salut, Zeus.

L'animal pencha la tête de côté.

— Je vais juste vous demander une petite signature, reprit-elle. Et si vous aviez une copie du carnet de santé, ce serait super. Ou les coordonnées du vétérinaire à contacter.

— Pardon ?

— Son carnet de santé. Vous êtes là pour laisser Zeus en pension, non ?

— Non. En fait, j'ai vu le panneau sur la fenêtre, dit-il en désignant celle-ci dans son dos. Je cherche du travail et je me demandais si le poste était toujours vacant.

— Oh…

Elle ne s'attendait pas à ça et essaya de reprendre ses esprits.

— Je sais que j'aurais sans doute dû appeler d'abord, reprit-il en haussant les épaules, mais je me promenais dans le coin. Alors, je me suis dit que je pourrais toujours faire un saut, pour remplir une fiche de candidature. Si vous préférez que je repasse demain, pas de problème.

— Non, c'est pas ça. Je suis étonnée, c'est tout. En général, les gens ne se présentent pas le dimanche pour postuler. (En fait, ils ne se présentaient pas dans la semaine non plus, mais elle se garda de le préciser.) Je dois avoir un formulaire quelque part, dit-elle en se tournant vers le classeur derrière elle. Juste une minute, le temps de mettre la main dessus. (Elle ouvrit le tiroir du bas et farfouilla dans les dossiers.) Votre nom ?

— Logan Thibault.

— C'est français ?

— Du côté de mon père.

— Je ne vous ai jamais vu par ici.

— Je viens d'arriver en ville.

— Ça y est ! lâcha-t-elle en sortant le formulaire. Tenez…

Elle le posa sur le comptoir avec un stylo. Tandis que l'homme inscrivait son nom, elle remarqua la légère rugosité de sa peau, laissant supposer qu'il avait passé du temps au soleil. Au moment de remplir la deuxième ligne, il marqua une pause et leva la tête. Comme leurs regards se croisaient à nouveau, elle sentit son cou rougir légèrement et tenta de le camoufler en rajustant son tee-shirt.

— Je ne sais pas trop quoi indiquer comme adresse. Comme je le disais, je viens d'arriver et je suis descendu au Holiday Motor Court. Je pourrais aussi bien inscrire celle de ma mère dans le Colorado. Qu'est-ce que vous préférez ?

— Le Colorado ?

— Ouais, je sais. C'est pas tout près.

— Qu'est-ce qui vous amène à Hampton ?

Toi, songea-t-il. *Je suis venu te trouver.*

— La ville m'a paru sympa, et je me suis dit que je pourrais y tenter ma chance.

— Pas de famille dans le coin ?

— Aucune.

— Oh…

Beau gosse ou pas, son histoire ne tenait pas debout, et les sonnettes d'alarme retentissaient déjà dans la tête de Beth. Il y avait autre chose aussi, un truc qui la chagrinait… et il lui fallut quelques secondes avant de pouvoir mettre le doigt dessus. Après quoi elle s'éloigna un peu du comptoir et mit ainsi davantage d'espace entre eux.

— Si vous venez d'arriver, comment avez-vous su que le chenil embauchait ? Je n'ai pas passé d'annonce dans le journal cette semaine.

— J'ai vu le panneau.

— Quand ça ? dit-elle en plissant les yeux. Je vous ai vu arriver et j'ignore comment vous avez pu l'apercevoir avant d'atteindre le bureau.

— Je l'ai vu plus tôt dans la journée. On se baladait sur la route ; et Zeus a entendu des chiens aboyer. Il a filé de son côté et je l'ai suivi pour le récupérer. C'est à ce moment-là que j'ai vu le panneau. Il n'y avait personne dans les parages, alors j'ai pensé revenir plus tard.

L'histoire se révélait plausible, mais elle sentait qu'il mentait ou omettait un détail. Et s'il était déjà venu, ça signifiait quoi ? Qu'il avait repéré les lieux ?

Il sembla remarquer son malaise et posa le stylo. Puis il sortit de sa poche son passeport et l'ouvrit. Lorsqu'il le lui glissa sous le nez, elle regarda la photo puis releva les yeux sur lui. Le nom correspondait, mais ça ne fit pas taire les sonnettes d'alarme. Personne ne traversait Hampton et ne décidait de s'y installer sur un coup de tête. Charlotte, oui. Raleigh, bien sûr. Greensboro, évidemment. Mais Hampton ? Non, ça ne risquait pas d'arriver.

— Je vois, dit-elle, soudain désireuse de conclure la conversation. Continuez à remplir la fiche et notez votre adresse postale. Ainsi que votre expérience professionnelle. Ensuite, j'aurai aussi besoin d'un numéro où je puisse vous joindre pour vous tenir au courant.

Il ne la quittait pas des yeux.

— Mais vous n'allez pas m'appeler.

Futé, songea-t-elle. Et direct. Ce qui voulait dire qu'elle le serait aussi.

— Non.

Il hocha la tête.

— OK. À votre place, je ne le ferais sans doute pas non plus, compte tenu de ce que vous avez entendu jusqu'à présent. Mais avant que vous tiriez des conclusions hâtives, puis-je ajouter quelque chose ?

— Je vous écoute.

Le ton de Beth signifiait clairement qu'elle ne changerait pas d'avis, quoi qu'il dise.

— J'habite pour l'instant au motel, mais j'ai bien l'intention de trouver un endroit où m'installer. De même qu'un travail. (Il continua à la regarder droit dans les yeux.) Maintenant, parlons un peu de moi. J'ai quitté l'université du Colorado en 2002 avec un diplôme en anthropologie. Après quoi j'ai rejoint les marines, et l'armée m'a rendu à la vie civile avec les honneurs voilà deux ans. Je n'ai jamais été arrêté ni accusé du moindre crime ou délit. Je n'ai jamais consommé de stupéfiants ni été licencié pour incompétence. Je suis prêt à subir un dépistage antidrogue et, si vous le jugez nécessaire, vous pouvez vérifier mes antécédents afin de confirmer tout ce que j'ai déclaré. Ou bien, plus simple encore, vous pouvez appeler mon ancien commandant, qui authentifiera tout ce que j'ai dit. Et même si je ne suis pas légalement contraint de répondre à une

101

question de ce type, sachez que je ne suis aucun traitement particulier. En d'autres termes, je ne suis pas schizophrène, bipolaire ou maniaque. Mais simplement un type qui a besoin de travailler. Et, oui, j'ai vraiment vu le panneau auparavant.

Elle ignorait à quoi s'attendre, mais nul doute qu'il la prenait de court.

— Je vois, répéta-t-elle, focalisée sur le fait qu'il avait servi dans l'armée.

— Est-ce toujours une perte de temps pour moi si je remplis le formulaire ?

— Je n'ai encore rien décidé.

Son intuition lui indiquait qu'il disait la vérité cette fois, mais ça ne l'empêchait pas de penser qu'il cachait quelque chose. Beth se mordilla l'intérieur de la joue. Elle avait besoin d'engager quelqu'un. Qu'est-ce qui était le plus important… deviner ce qu'il dissimulait ou trouver un nouvel employé ?

Il se tenait là devant elle, calme et bien droit, avec une assurance tranquille. Un port militaire, observa-t-elle en fronçant les sourcils.

— Pourquoi voulez-vous travailler ici ? s'enquit-elle en étant la première surprise par sa question. Avec vos diplômes, vous pourriez sans doute décrocher un meilleur emploi en ville.

Il désigna Zeus.

— J'aime bien les chiens.

— Le salaire n'est pas très élevé.

— Je n'ai pas de gros besoins.

— Les journées peuvent être longues.

— Je m'y suis préparé.

— Vous avez déjà travaillé dans un chenil ?

— Non.

– Je vois.

Il sourit puis ajouta :

– Vous l'avez déjà dit.

– Exact, admit-elle. *(Note à moi-même : Arrête de te répéter.)* Et vous êtes sûr de ne connaître personne en ville ?

– Oui.

– Vous venez d'arriver à Hampton et vous avez décidé d'y rester.

– Oui.

– Où est votre voiture ?

– Je n'en ai pas.

– Comment êtes-vous venu dans la région ?

– À pied.

Elle papillonna des paupières, interdite.

– Vous êtes en train de me dire que vous avez fait tout ce chemin à pied depuis le Colorado ?

– Oui.

– Vous ne trouvez pas ça bizarre ?

– Ça dépend de la motivation, je suppose.

– Quelle est la vôtre alors ?

– J'aime la marche.

– Je vois.

Impossible de trouver autre chose à dire. Elle s'empara du stylo et tenta de gagner du temps.

– Je présume que vous n'êtes pas marié.

– Non.

– Des enfants ?

– Aucun. Il n'y a que Zeus et moi. Mais ma mère vit toujours dans le Colorado.

À la fois troublée et perplexe, elle ramena en arrière un mèche de cheveux que la sueur collait à son front.

– Je ne pige toujours pas. Vous traversez le pays à pied,

103

vous arrivez à Hampton, vous dites apprécier l'endroit, et maintenant vous voulez y travailler ?

— Oui.

— Vous auriez autre chose à ajouter ?

— Non.

Elle ouvrit la bouche pour parler, puis se ravisa.

— Si vous voulez bien m'excuser un instant. Je dois parler à quelqu'un.

Beth pouvait gérer des tas de choses, mais cette situation la dépassait. Elle avait beau essayer, elle ne pouvait pas se résoudre à gober tout ce qu'il lui avait raconté. À un certain niveau, ça collait, mais dans l'ensemble, ça ne tenait pas debout. Si le gars disait la vérité, il était bizarre ; s'il mentait, il avait recours à des mensonges saugrenus. D'une manière ou d'une autre, c'était curieux. D'où son désir d'en parler à Nana. Si quelqu'un pouvait comprendre ce garçon, c'était bien Nana.

Malheureusement, en approchant de la maison, elle constata que le match n'était pas encore fini. Elle entendait les commentateurs discuter pour décider s'il fallait ou non faire entrer un lanceur de relève… ou quelque chose dans ce goût-là. En ouvrant la porte, Beth s'étonna de voir le fauteuil de sa grand-mère vide.

— Nana ?

Son aïeule passa la tête dans l'entrée de la cuisine.

— Je suis là. J'allais me servir un verre de citronnade. Tu en veux ? Je peux le faire d'une seule main.

— En fait, il faut que je te parle. T'as une minute ? Je sais que le match n'est pas fini et…

Nana l'interrompit d'un geste de la main.

— Oh, j'en ai ras le bol. Va donc éteindre la télé. Les Braves ne peuvent pas gagner et la dernière chose que j'ai envie d'entendre, ce sont leurs excuses. J'ai horreur des gens qui se trouvent des excuses. Ils n'avaient aucune raison de perdre, et ils le savent. Bon, qu'est-ce qui se passe ?

Beth entra dans la cuisine et s'adossa au plan de travail, tandis que Nana se servait une citronnade.

— T'as faim ? demanda-t-elle. Je peux te préparer un sandwich en vitesse.

— Je viens de manger une banane.

— Ça suffit pas. T'es maigre comme un clou.

Que Dieu t'entende ! songea Beth.

— Plus tard, peut-être. Quelqu'un s'est présenté pour le poste. Il attend dans le bureau.

— Tu veux parler du beau gosse avec le berger allemand ? J'ai pensé qu'il venait pour le job. Il est comment ? Dis-moi qu'il rêve de nettoyer les cages.

— Tu l'as vu ?

— Bien sûr.

— Comment t'as deviné qu'il venait postuler ?

— Pourquoi tu serais venue me voir, sinon ?

Beth secoua la tête. Nana avait toujours un train d'avance sur elle.

— Quoi qu'il en soit, je pense que tu devrais lui dire deux mots. Je sais pas trop quoi en penser.

— Ça a un rapport avec ses cheveux ?

— Quoi ?

— Ses cheveux. Ça lui donne un faux air à la Tarzan, tu trouves pas ?

— J'ai pas fait gaffe.

— Bien sûr que si, ma belle. Tu ne sais pas me mentir. Quel est le problème ?

Beth lui fit alors un rapide compte rendu de l'entretien. Lorsqu'elle eut terminé, Nana reprit :

— Il est venu à pied du Colorado ?

— C'est ce qu'il prétend.

— Et tu le crois ?

— À ce sujet ? dit Beth, hésitante. Ouais, je pense qu'il dit la vérité.

— Ça fait un bout de chemin.

— Je sais.

— Combien de kilomètres ?

— Aucune idée. Beaucoup, en tout cas.

— C'est un peu étrange, non ?

— Oui, admit Beth. Et il y a autre chose…

— Quoi donc ?

— Il a servi dans les marines.

Nana soupira.

— Pourquoi ne pas attendre ici ? Je vais aller lui parler.

Dans les dix minutes qui suivirent, Beth les observa derrière les rideaux de la fenêtre du salon. Plutôt que de rester dans le bureau pour mener la discussion, Nana avait préféré s'installer avec Thibault sur le banc en bois, à l'ombre du magnolia. Zeus somnolait à leurs pieds, l'oreille frétillant de temps à autre pour chasser une mouche. Beth ne pouvait deviner ce qu'ils se disaient, mais elle vit Nana plisser le front à un moment donné, ce qui semblait suggérer que l'entretien se déroulait mal. À la fin, Logan Thibault et Zeus reprirent l'allée de gravier pour rejoindre la grand-route, tandis que Nana les regardait s'éloigner d'un air inquiet.

Beth se dit que Nana reviendrait dans la maison, mais sa grand-mère reprit la direction du bureau. Ce fut alors que

Beth remarqua le break Volvo bleu qui s'engageait dans l'allée.

Le cocker ! Elle avait complètement oublié que ses maîtres passaient le chercher, mais à l'évidence Nana s'en chargerait. Beth en profita pour se rafraîchir à l'aide d'un linge humide et boire un autre verre d'eau glacée.

Depuis la cuisine, elle entendit la porte d'entrée grincer quand Nana revint.

— Comment ça s'est passé ?

— Très bien.

— Qu'est-ce que t'en as pensé ?

— C'était… intéressant. Il est intelligent et poli, mais t'as raison. Il cache quelque chose, c'est évident.

— Alors tout ça nous mène où ? Est-ce que je dois publier une autre annonce dans le journal ?

— Voyons d'abord comment il travaille.

Beth n'était pas sûre d'avoir bien entendu.

— Tu veux dire que tu vas l'engager ?

— Non, je te dis que c'est fait. Il commence mercredi à huit heures.

— Qu'est-ce qui t'as décidée ?

— J'ai confiance en lui, dit Nana avec un sourire triste, comme si elle lisait dans les pensées de Beth. Même s'il a servi dans les marines.

Thibault

Thibault ne souhaitait pas retourner en Irak mais, en février 2005, le 1er bataillon du 5e régiment fut de nouveau mobilisé. Cette fois, on l'envoya à Ramadi, la capitale de la province d'Al-Anbar et la pointe sud-ouest de ce qu'on avait coutume d'appeler le Triangle de la Mort. Thibault y resta sept mois.

Les voitures piégées et les engins explosifs improvisés étaient monnaie courante. Des dispositifs simples mais effrayants : des obus de mortier le plus souvent, déclenchés à distance par un appel passé sur un portable. Malgré tout, la première fois que Thibault circula dans un Humvee qui reçut ce genre d'engin, il comprit qu'il l'avait échappé belle.

— Heureusement que j'ai entendu la bombe, déclara Victor après coup. (À cette période, Thibault et lui patrouillaient presque tout le temps ensemble.) Ça signifie que je suis encore en vie.

— Et moi aussi, renchérit Thibault.

— Mais j'aimerais autant ne pas tomber sur une autre.

— Pareil pour moi.

Mais c'était difficile d'éviter les bombes. Le lendemain, en patrouillant, ils en reçurent encore une. Une semaine plus tard, leur Humvee fut frappé par une voiture piégée… Mais Thibault et Victor étaient coutumiers du fait. Chaque patrouille ou presque y avait droit. La plupart des marines du peloton pouvaient affirmer sans se vanter qu'ils avaient survécu à deux ou trois bombes avant de regagner Pendleton. Deux d'entre eux avaient même échappé à quatre ou cinq attentats du même type. Leur sergent en avait évité six. Bref, c'était leur lot commun, et tout le monde avait plus ou moins eu vent de l'histoire de Tony Stevens, un marine du 24e corps expéditionnaire ayant échappé à neuf bombes. Un des principaux journaux avait même publié un article à son sujet, sous le titre : « Le marine le plus chanceux ». Il représentait à lui seul un record que personne n'avait envie de battre.

Thibault fit tout de même mieux. En quittant Ramadi, il pouvait se targuer d'avoir survécu à onze explosions. Mais il en existait une bien particulière qui ne cessait de le hanter.

La huitième, en l'occurrence. Victor se trouvait à ses côtés. Toujours le même scénario avec un dénouement bien plus terrible, cette fois. Ils formaient un convoi de quatre Humvee et patrouillaient dans l'une des plus grandes artères de la ville. Une grenade autopropulsée frappa le Humvee de tête, sans faire trop de dégâts, mais suffisamment pour les forcer à s'arrêter momentanément. Des épaves de voitures rouillées bordaient la chaussée de part et d'autre. Les coups de feu éclatèrent. Thibault sauta du deuxième Humvee du convoi pour avoir une meilleure ligne de mire. Victor le suivit. Ils se mirent à l'abri et se préparèrent à riposter. Vingt secondes plus tard, une voiture piégée explosa et les fit tomber à la renverse, détruisant le véhicule qu'ils occupaient quelques instants plus tôt. Trois marines furent tués. Victor perdit connaissance. Thibault le ramena au convoi et, après avoir rassemblé les morts, celui-ci se remit en route vers la zone de sécurité.

Dès lors, Thibault commença à entendre chuchoter dans son dos. Il observa que les marines de son peloton changeaient d'attitude en sa présence, comme s'ils le croyaient exclu des lois de la guerre. Les autres risquaient de mourir, mais lui non. Pire encore, ses camarades semblaient même penser que si Thibault bénéficiait d'une chance incroyable, ceux qui l'accompagnaient se révélaient particulièrement malchanceux. Ils ne le disaient jamais ouvertement, mais Thibault ne pouvait nier leur changement de comportement à son égard. Après la mort de ces trois marines, il lui restait encore deux mois de service à Ramadi. Les dernières bombes qui l'épargnèrent ne firent qu'intensifier les rumeurs. Certains marines commencèrent à l'éviter. Seul Victor parut le traiter comme à son habitude. Vers la fin de leur affectation à Ramadi, alors qu'ils avaient pour mission de garder une station-service, il remarqua que Victor tremblait en s'allumant une cigarette. Au-dessus d'eux, les étoiles brillaient dans le ciel.

— Ça va ? s'enquit Thibault.

— Je suis prêt à rentrer chez moi, répondit Victor. J'ai fait ma part du boulot.

— Tu ne vas pas rempiler l'an prochain ?

Victor prit une longue bouffée de sa cigarette.

— Ma mère veut que je reste, et mon frère m'a proposé un boulot. De couvreur. Tu penses que je peux construire des toits ?

— Ouais, bien sûr. Tu feras un excellent couvreur.

— Ma copine, Maria, m'attend. Je la connais depuis l'âge de quatorze ans.

— Je sais. Tu m'as déjà parlé d'elle.

— Je vais l'épouser.

— Ça aussi, tu me l'as dit.

— Je veux que tu viennes au mariage.

À la lueur de la cigarette de Victor, Thibault entrevit l'ombre d'un sourire.

— Pas question que je rate ça.

Victor tira une autre longue bouffée et ils se turent, tout en réfléchissant à un avenir qui semblait incroyablement éloigné.

— Et toi ? reprit Victor en soufflant la fumée. Tu vas rempiler ?

Thibault secoua la tête.

— Non, j'en ai ma claque.

— Et tu vas faire quoi, une fois démobilisé ?

— J'en sais rien. Pas grand-chose pendant un petit moment, peut-être aller pêcher dans le Minnesota. Dans un coin frais et verdoyant, où j'aurai juste à m'asseoir dans un bateau et me détendre.

— Ça m'a l'air sympa, soupira Victor.

— Tu veux venir ?

— Oui.

— Eh bien je t'appellerai quand j'aurai tout préparé, promit Thibault.

Il perçut le sourire dans la voix de Victor.

— Tu peux compter sur moi. (Il toussota, avant d'ajouter :) Tu veux que je te confie un truc ?

— Uniquement si t'as envie de me le dire.

— Tu te souviens des échanges de coups de feu le jour où Jackson et les autres sont morts, quand le Humvee a sauté ?

Thibault ramassa un caillou, qu'il lança dans l'obscurité.

— Ouais.

— Tu m'as sauvé la vie.

— Non, je n'ai fait que te ramener au camp.

111

– Thibault, je t'ai suivi. Quand t'as bondi du Humvee, j'allais rester à l'intérieur, mais en te voyant descendre, j'ai su que je n'avais pas le choix.

– Mais de quoi tu par… ?

– La photo, l'interrompit Victor. Je sais que tu la gardes sur toi. J'ai suivi ta chance et elle m'a sauvé.

Sur le moment, Thibault ne voyait pas où son ami voulait en venir, mais lorsqu'il comprit enfin, il secoua la tête, incrédule.

– C'est juste une photo, Victor.

– C'est la chance, insista l'autre en s'approchant de lui. Et le chanceux, c'est toi. Quand tu seras démobilisé, je pense que tu devrais aller trouver cette femme sur le cliché. Ton histoire avec elle n'est pas terminée.

– Pas quest…

– La photo m'a sauvé !

– Mais pas les autres. Et ils sont nombreux.

Tout le monde savait que le 1er bataillon du 5e régiment avait subi plus de pertes en Irak que n'importe quelle autre unité de marines.

– Parce qu'elle te protège. Et quand j'ai sauté du Humvee, j'ai su qu'elle me sauverait aussi, tout comme tu sais qu'elle te sauvera toujours.

– Non, c'est pas vrai…

+ Alors pourquoi tu la gardes toujours sur toi, mon pote ?

C'était vendredi, son troisième jour de travail au chenil, et si Thibault avait coupé presque tous les liens qui le rattachaient à son passé, il n'en demeurait pas moins conscient qu'il gardait toujours la photo dans sa poche. Tout comme il songeait souvent aux paroles de Victor.

Il promenait un dogue sur un chemin ombragé de la propriété, loin du bureau. Le chien était énorme, avoisinant la taille d'un danois, avec une tendance à lui lécher la main toutes les dix secondes. Affectueux, le toutou.

Thibault maîtrisait déjà les activités routinières de son job : nourrir les chiens et leur faire faire de l'exercice, nettoyer les cages, tenir à jour le planning des rendez-vous. Rien de bien compliqué. Il ne doutait pas un instant que Nana envisageait de le laisser également dresser les chiens. La veille, elle lui avait demandé de l'observer en situation avec un des pensionnaires, et Thibault avait reconnu sa façon de s'y prendre avec Zeus : commandes simples, précises et brèves ; signaux visuels, contrôle ferme de la laisse, et beaucoup de caresses et de félicitations. Lorsqu'elle eut terminé, Nana l'invita à marcher avec elle, tandis qu'elle ramenait le chien au chenil.

— Vous pensez que c'est dans vos cordes ? demanda-t-elle.

— Oui.

Elle lança un regard par-dessus son épaule, en direction de Zeus, qui marchait dans leur sillage.

— C'est comme ça que vous l'avez dressé ?

— Tout à fait.

Lors de l'entretien, Thibault avait exprimé deux requêtes. Pour commencer, le droit d'amener Zeus au travail. Il expliqua qu'après avoir passé quasiment tout son temps avec son maître, Zeus risquait de mal réagir à de longues séparations. Heureusement, Nana comprenait. « J'ai longtemps travaillé avec des chiens de berger et je sais à quoi vous faites allusion, avait-elle dit. Tant qu'il ne nous gêne pas, sa présence ne me dérange pas. »

Zeus ne gêna personne. Thibault apprit dès le début à ne pas l'emmener dans le chenil lorsqu'il nourrissait les animaux ou nettoyait les cages, car la présence de Zeus rendait nerveux certains pensionnaires. Ce détail mis à part, il s'intégra parfaitement. Zeus suivait Thibault lorsqu'il promenait les chiens ou nettoyait la cour de dressage, et il se couchait sur la véranda, près de l'entrée, quand Thibault s'occupait de la paperasse. Lorsque des clients arrivaient, Zeus était toujours en alerte, car on l'avait dressé pour cela. La plupart des clients s'arrêtaient net, mais un rapide « OK, pas bouger ! » suffisait à le faire tenir tranquille.

La deuxième requête de Thibault consista à pouvoir commencer le mercredi, afin d'avoir le temps de s'installer. Nana n'y fit aucune objection non plus. Le dimanche, en rentrant au motel après son entretien, il avait acheté un journal et consulté les petites annonces de location. Il n'eut aucun mal à éplucher la liste, celle-ci se réduisant à quatre offres ; il élimina aussitôt deux logements, dont la superficie était trop grande – il n'avait pas besoin d'autant de place.

L'ironie du sort voulut que les deux locations restantes soient à l'opposé l'une de l'autre. La première demeure se trouvait dans un ancien quartier, un peu à l'écart du centre et à proximité de la South River. Bon état. Environnement agréable. Mais pas pour lui. Les maisons étaient trop rapprochées. La seconde, en revanche, lui convenait à merveille. Installée au bout d'un chemin de terre, à environ quinze cents mètres de son travail, sur une parcelle champêtre qui bordait la forêt domaniale. Par commodité, il pourrait couper à travers bois pour rejoindre le chenil. Ça ne raccourcissait pas beaucoup son trajet, mais ça permettrait à Zeus de faire de l'exercice. Il s'agissait d'une demeure de plain-pied dans le style rustique du Sud, datant d'une bonne centaine d'années mais relativement bien entretenue. Thibault épousseta les fenêtres et jeta un œil à l'intérieur. Il y avait quelques travaux à prévoir, mais rien qui puisse l'empêcher de s'installer. Il y avait une cuisine à l'ancienne, avec un poêle à bois dans un coin qui devait chauffer toute la maison. Les larges lamelles de pin du parquet présentaient des taches et des éraflures, de même que les placards étaient sans doute d'origine, mais tout cela soulignait le charme de l'ensemble. Qui plus est, la maison avait l'air d'être sommairement meublée : canapé et tables basses, lampes, et même un lit.

Thibault appela le numéro indiqué sur le panneau et, deux heures plus tard, le propriétaire arriva en voiture. Ils eurent une petite conversation d'usage, et il s'avéra que le gars avait servi vingt ans dans l'armée, dont les sept derniers à Fort Bragg. La demeure appartenait à son père, décédé deux mois plus tôt. Un détail important, songea Thibault, sachant que les maisons, comme les voitures, avaient tendance à se dégrader rapidement si on les laissait trop longtemps à l'abandon. Ça signifiait donc que celle-ci était sans doute en bon état. La caution et le loyer lui parurent un peu élevés, mais Thibault était pressé. Il régla donc le dépôt de garantie et deux mois d'avance. À en croire la mine ébahie du propriétaire, nul doute que celui-ci ne s'attendait pas à recevoir autant de liquide d'un coup.

Thibault dormit dans son nouveau pied-à-terre le lundi soir, en étalant son sac de couchage sur le matelas. Le mardi, il alla en ville en commander un neuf dans un magasin acceptant de le lui livrer le soir même, puis il en profita pour faire d'autres emplettes. Il rentra à la maison son sac à dos plein à craquer de draps, serviettes et autres produits d'entretien. Il fit encore deux allers-retours en ville pour remplir son réfrigérateur et s'acheter assiettes, verres et autres ustensiles, ainsi qu'un sac de vingt kilos de croquettes. À la fin de la journée, pour la première fois depuis son départ du Colorado, il regretta de ne pas avoir de voiture. Mais il était désormais installé et ça lui suffisait. Il était prêt à aller travailler.

Depuis ses débuts au chenil le mercredi, Thibault passait le plus clair de son temps avec Nana, qui lui apprit en détail comment fonctionnait l'établissement. Il n'avait pas beaucoup vu Beth, ou Elizabeth, comme il préférait l'appeler : le matin, elle partait en voiture, vêtue d'une tenue de ville, et ne rentrait pas avant la fin de l'après-midi. Nana fit allusion à des réunions de prérentrée, ce qui paraissait logique, puisque les cours allaient reprendre la semaine suivante. Hormis lorsqu'ils se croisaient et se disaient bonjour, la seule fois où ils avaient réellement discuté, ce fut quand elle l'avait pris à part le premier jour, pour lui demander de veiller sur Nana. Il savait ce qu'elle voulait dire. De toute évidence, Nana avait eu une attaque. Les séances du matin la laissaient plus essoufflée qu'elle n'aurait dû l'être, et elle boitillait davantage en regagnant la maison. Ce qui le rendait soucieux.

Thibault appréciait Nana. Elle avait une façon bien à elle de s'exprimer. Ça l'amusait et il se demandait jusqu'à quel point elle n'en rajoutait pas un peu pour épater son auditoire. Excentrique ou pas, elle n'en demeurait pas moins intelligente, ça ne faisait aucun doute. Il avait souvent l'impression qu'elle le jaugeait, même dans le cours d'une conversation normale. Elle avait des opinions sur tout et ne craignait pas de les partager. Pas plus qu'elle n'hésitait à lui raconter sa vie. Ces derniers jours, il avait donc appris des tas de choses sur elle. Nana lui avait parlé de son mari et du chenil, des types de dressage qu'elle proposait dans le passé, de certains endroits qu'elle avait visités. Elle lui posait aussi des questions, auxquelles Thibault répondait scrupuleusement, qu'il s'agisse de sa famille ou de son éducation. Bizarrement, elle ne l'interrogea jamais sur ses états de service dans l'armée, pas plus qu'elle ne lui demanda s'il avait combattu en Irak, ce qu'il trouva assez inhabituel. Mais il ne la renseigna pas pour autant sur ce sujet, car lui-même n'avait pas franchement envie d'en parler.

La façon dont Nana évitait la question, en passant sous silence quatre années de l'existence de Thibault, laissait supposer qu'elle comprenait sa réticence. Et peut-être même que sa période en Irak avait un rapport avec la raison de sa présence ici.

Futée, la mamie.

Officiellement, il était censé travailler de huit heures du matin à cinq heures du soir. Officieusement, il arrivait à sept heures du matin et travaillait en général jusqu'à sept heures du soir. Il n'aimait pas s'en aller en laissant des tâches en attente. Ce qui donnait, comme par hasard, à Elizabeth l'occasion de le voir quand elle rentrait du travail. La proximité engendrait la familiarité, et la familiarité, le réconfort. Si bien que chaque fois qu'il la voyait, il se rappelait qu'il était venu là à cause d'elle.

Les autres raisons de sa présence demeuraient assez vagues, même pour lui. Certes il avait fait la démarche, mais dans quel but ? Qu'attendait-il d'elle ? Lui avouerait-il un jour la vérité ? Où tout cela allait-il le mener ? Pendant son périple, chaque fois qu'il se posait ces questions, il supposait simplement qu'il aurait les réponses au moment où il découvrirait la femme sur la photo. Mais à présent qu'il l'avait trouvée, il n'était guère plus avancé.

Dans l'intervalle, il avait quand même appris deux ou trois choses sur elle. Qu'elle avait un fils, par exemple. Ce qui l'étonna plus ou moins... Il n'avait jamais envisagé ce cas de figure. L'enfant s'appelait Ben et avait l'air sympa. Mais c'était tout ce qu'il pouvait en dire. À en croire Nana, le gamin jouait aux échecs et lisait beaucoup, mais Thibault n'en savait guère plus. Depuis qu'il avait commencé à travailler, il remarquait cependant que Ben l'observait derrière les rideaux ou lançait des regards dans sa direction quand Thibault passait du temps avec Nana. Mais Ben gardait ses distances. Thibault se demandait s'il agissait de lui-même ou sur les conseils de sa mère.

Sans doute sur les conseils de sa mère.

Il savait qu'il ne lui avait pas fait bonne impression, au début. La façon dont il s'était figé sur place en la voyant pour la première fois ne jouait pas en sa faveur non plus. Thibault savait pourtant qu'elle était attirante, mais la photo fanée ne traduisait pas toute la chaleur de son sourire ni la gravité avec laquelle Elizabeth l'étudiait, comme en quête de défauts cachés.

Perdu dans ses pensées, Thibault atteignit la principale zone de dressage derrière le bureau. Le dogue soufflait fort, et Thibault le reconduisit au chenil. Il donna l'ordre à Zeus de s'asseoir et de rester tranquille, puis ramena le dogue dans sa cage. Il remplit d'eau sa gamelle et celle d'autres chiens dont le niveau avait visiblement baissé, puis alla récupérer au bureau le repas sommaire qu'il avait apporté. Il prit ensuite la direction du ruisseau.

Il aimait déjeuner là-bas. L'eau saumâtre et l'ombre du chêne aux lourdes branches drapées de mousse espagnole donnaient à l'endroit un charme séculaire que Zeus et lui adoraient. À travers les feuillage, il aperçut du coin de l'œil une cabane dans les arbres et une passerelle de corde et de planches, le tout semblant construit de bric et de broc par un original. Comme à son habitude, Zeus pataugea dans l'eau pour se rafraîchir, avant d'y plonger la tête en aboyant. Cinglé, ce chien.

— Qu'est-ce qu'il fait ? demanda une voix.

Thibault se tourna et découvrit Ben debout à l'orée de la clairière.

— Aucune idée, répondit-il dans un haussement d'épaules. Il fait peur aux poissons, j'imagine.

Ben rajusta ses lunettes.

— Ça lui prend souvent ?

— Chaque fois qu'il vient par ici.

— C'est bizarre, observa le gamin.

— Je sais.

Zeus remarqua la présence de Ben, tout en s'assurant qu'il n'y avait aucune menace en vue, puis replongea la tête sous l'eau et se remit à aboyer. Ben n'avait toujours pas bougé. Ne sachant trop quoi dire, Thibault reprit une bouchée de son sandwich.

— Je vous ai vu venir ici hier, déclara Ben.

— Ah ouais ?

— Je vous ai suivi.

— Je m'en doute.

— Y a ma cabane là-bas, dit-il en pointant l'index. C'est mon repaire secret.

— C'est bien d'en avoir un, approuva Thibault, tout en lui faisant signe. Tu veux venir t'asseoir ?

— Je peux pas trop m'approcher.

— Ah bon ?

— Ma mère dit que vous êtes un étranger.

— C'est bien d'écouter ta maman.

Ben parut se satisfaire de la réaction de Thibault, mais hésitait quant à la marche à suivre. Il observa Zeus et Thibault à tour de rôle, ne sachant trop quelle décision prendre, puis s'installa sur un tronc d'arbre renversé, tout en gardant une certaine distance entre eux.

— Vous allez travailler chez nous ? s'enquit-il.

— J'y travaille déjà.

119

— Non… est-ce que vous allez démissionner, je veux dire ?

— C'est pas prévu au programme, répliqua Thibault en haussant un sourcil. Pourquoi ?

— Parce que les deux derniers employés sont partis. Ils n'aimaient pas ramasser les crottes de chien.

— Personne n'aime ça.

— Ça vous embête, vous ?

— Pas vraiment.

— J'aime pas l'odeur, grimaça Ben.

— Comme la plupart des gens. J'essaye juste de l'ignorer.

Ben rajusta encore ses lunettes.

— Pourquoi vous l'avez appelé Zeus ?

Thibault ne put s'empêcher de sourire. Il avait oublié à quel point les gosses pouvaient se montrer curieux.

— Il portait ce nom quand je l'ai eu.

— Pourquoi vous l'avez pas changé pour lui donner le nom que vous vouliez ?

— J'en sais rien. Je n'y ai pas réfléchi, j'imagine.

— On a eu un berger allemand. Il s'appelait Oliver.

— Ah ouais ?

— Il est mort.

— Je suis désolé.

— Pas grave, lui assura Ben. Il était vieux.

Thibault acheva son sandwich, rangea l'emballage plastique dans son sac, puis ouvrit le sachet qu'il avait apporté. Comme Ben l'observait, il désigna ce qu'il tenait en main.

— Tu veux des amandes ?

Ben secoua la tête.

— Je suis pas censé accepter de la nourriture de la part d'un étranger.

— OK. T'as quel âge ?

— Dix ans. Et vous ?

— Vingt-huit.

— Vous avez l'air plus vieux.

— Toi aussi.

Ben sourit.

— Je m'appelle Ben.

— Enchanté de faire ta connaissance, Ben. Moi, c'est Logan Thibault.

— Vous êtes vraiment venu à pied depuis le Colorado ?

Thibault le regarda en plissant les yeux.

— Qui t'a dit ça ?

— J'ai entendu ma mère discuter avec Nana. Elles disaient que la plupart des gens normaux seraient venus en voiture.

— Elles ont raison.

— Vous avez eu mal aux jambes ?

— Au début, oui. Mais au bout d'un moment, je me suis habitué à la marche. Zeus aussi. En fait, je crois que ça lui a bien plu. Il y avait toujours des trucs nouveaux à découvrir, et Zeus a dû chasser des tas d'écureuils.

Ben se trémoussa un peu, tout en prenant un air grave.

— Est-ce que Zeus sait rapporter ?

— Comme un vrai champion. Mais il se lasse au bout de deux ou trois lancers. Pourquoi ? Tu veux lui lancer un bout de bois pour qu'il le rapporte ?

— Je peux ?

Thibault mit ses mains en porte-voix et appela Zeus, qui bondit hors de l'eau, s'arrêta à environ un mètre, puis s'ébroua. Il concentra toute son attention sur Thibault.

— Cherche un bâton !

Zeus fouilla aussitôt le sol de son museau et fit le tri parmi toute une myriade de branches tombées à terre. Finalement, il choisit un petit bâton et trottina vers son maître.

Thibault secoua la tête.

— Plus gros !

Zeus le regarda d'un air apparemment déçu, puis se détourna. Il lâcha le bâton et reprit ses recherches.

— Il s'excite en jouant, expliqua Thibault, et si le bout de bois est trop petit il le cassera en deux. Il le fait chaque fois.

Ben hocha la tête, toujours aussi sérieux.

Zeus revint avec une branche plus grosse et l'apporta à Thibault. Celui-ci ôta les rameaux restants pour la rendre plus lisse, puis la rendit à Zeus.

— Apporte-la à Ben.

Zeus ne comprit pas la commande et inclina la tête en dressant les oreilles. Thibault montra Ben et ajouta :

— Ben. Bâton !

Zeus trottina vers Ben avec le bout de bois dans la gueule, puis le déposa aux pieds du gamin. Il renifla Ben, s'avança, puis se laissa caresser.

— Il connaît mon nom ?

— Maintenant, oui.

— Pour toujours ?

— Sans doute. Dès lors qu'il t'a senti.

— Comment ça se peut qu'il apprenne aussi vite ?

— C'est comme ça. Il a l'habitude d'apprendre rapidement.

Zeus s'approcha encore et donna des coups de langue sur le visage de Ben, puis recula, avant de lorgner le gosse et le bâton à tour de rôle.

Thibault désigna le bout de bois.

— Il veut que tu le lui lances. C'est sa manière à lui de demander.

Ben s'empara du bâton et sembla encore s'interroger sur la suite des événements.

— Je peux le lancer dans l'eau ?

— Il adorerait ça.

Ben jeta donc la branche dans le ruisseau qui coulait lentement. Zeus bondit dans l'eau et se mit à patauger. Il récupéra le bâton, s'arrêta à environ un mètre de Ben pour s'ébrouer, puis s'avança vers lui et lâcha de nouveau le bâton.

— Je lui ai appris à s'ébrouer avant de s'approcher. J'aime pas être arrosé, expliqua Thibault.

— C'est cool.

Thibault sourit, tandis que Ben relançait le bâton.

— Qu'est-ce qu'il sait faire d'autre ? demanda Ben par-dessus son épaule.

— Des tas de choses. Comme… jouer à cache-cache. Si tu te caches, il peut te retrouver.

— On pourra y jouer un jour ?

— Quand tu veux.

— Génial ! C'est aussi un chien d'attaque ?

— Oui. Mais il est surtout sympa.

Tout en finissant son déjeuner, Thibault observa Ben continuer à jouer avec Zeus. Après le dernier lancer, le chien récupéra le bâton mais, plutôt que de trotter vers l'enfant, il partit sur le côté et s'allongea à terre. Une patte sur la branche, il se mit à la rogner.

— Ça veut dire qu'il en marre, déclara Thibault. Au fait, tu lances drôlement bien, dis donc. Tu joues au base-ball ?

— J'y jouais l'an dernier. Mais je sais pas si je reprendrai cette année. Je veux apprendre le violon.

— J'ai joué du violon quand j'étais petit, observa Thibault.

— C'est vrai ? répliqua Ben, l'air étonné.

— Et du piano aussi. Pendant huit ans.

De son côté, Zeus redressa la tête, visiblement en alerte. L'instant d'après, Thibault entendit quelqu'un marcher dans le sentier, tandis que la voix de Beth résonnait dans les feuillages.

— Ben ?

— Je suis là, m'man !

Thibault leva la paume en direction de Zeus.

— Tout va bien ! Tranquille !

— Ah, te voilà, dit-elle en apparaissant au grand jour. Qu'est-ce que tu fabriques ?

Son expression affectueuse se figea dès qu'elle repéra Thibault, lequel devina aussitôt la question que traduisait son regard : *Qu'est-ce que mon fils fait dans les bois avec un homme que je connais à peine ?* Thibault n'éprouva aucun besoin de se justifier. Il n'avait rien fait de mal. Au lieu de quoi, il la salua d'un signe de tête.

— Tiens, bonjour !

— Bonjour… dit-elle d'un ton prudent.

Mais Ben la rejoignait déjà en courant.

— T'aurais dû voir ce que ce chien peut faire, m'man ! Il est super doué ! Encore plus doué qu'Oliver !

— C'est génial, dit-elle en le prenant par l'épaule. On va rentrer maintenant. Le déjeuner est prêt.

— Il me connaît et tout ça…

— Qui donc ?

— Le chien. Zeus. Il connaît mon nom.

Elle se tourna vers Thibault.

— C'est vrai ?

— Ouais, acquiesça Thibault.

— Eh bien… c'est parfait.

— Tu sais quoi, m'man ? Il a joué du violon.

— Zeus ?

— Non, m'man. M'sieur Thibault. Quand il était petit, il jouait du violon.

— Vraiment ?

Elle aussi paraissait surprise.

Thibault hocha la tête.

124

— Ma mère était une sorte de mordue de musique. Elle voulait me voir maîtriser Chostakovitch, mais je n'étais pas assez doué. Cependant je ne m'en sortais pas trop mal avec Mendelssohn.

— Je vois, commenta Elizabeth dans un sourire forcé.

Malgré la gêne apparente de la jeune femme, Thibault éclata de rire.

— Quoi ? rétorqua-t-elle en se rappelant manifestement elle aussi leur première entrevue.

— Rien.

— Qu'est-ce qui ne va pas, m'man ?

— Rien, dit-elle. C'est juste que tu aurais dû me dire où tu allais.

— Je viens tout le temps par ici.

— Je sais… Mais la prochaine fois, tiens-moi au courant, OK ?

Pour que je puisse garder un œil sur toi, se garda-t-elle d'ajouter. *Et te savoir en sécurité.* Une fois de plus, Thibault comprit le message, même si celui-ci échappa à Ben.

— Je devrais sans doute retourner au bureau, reprit Thibault en se levant pour rassembler les restes de son déjeuner. Je vais vérifier que le dogue ne manque pas d'eau. Il avait chaud et je suis sûr qu'il a vidé sa gamelle. À plus tard, Ben. Vous aussi… Zeus ! On y va !

Le chien se redressa et courut vers son maître. L'instant d'après, ils s'engageaient déjà sur le sentier.

— Au revoir, m'sieur Thibault ! s'écria Ben.

Thibault revint sur ses pas.

— C'était sympa de discuter avec toi, Ben. Au fait, c'est pas M. Thibault. Mais Thibault tout court.

À ces mots, il tourna les talons et sentit le regard d'Elizabeth peser sur lui jusqu'à ce qu'il disparaisse de son champ de vision.

– 9 –

Clayton

Ce soir-là, Keith Clayton resta allongé sur le lit à fumer une cigarette, plutôt ravi que Nikki soit sous la douche. Il aimait son allure lorsqu'elle sortait de la salle de bains, les cheveux épars et humides. L'image lui évitait de penser qu'il préférerait la voir prendre ses affaires et rentrer chez elle.

C'était la quatrième fois en cinq jours qu'elle passait la nuit chez lui. Elle était caissière au Quick Stop, où il achetait ses Doritos, et ça faisait environ un mois qu'il hésitait à l'inviter. Elle n'avait pas une dentition géniale, la peau plus ou moins grêlée, mais un corps d'enfer, ce qui lui suffisait amplement, car il avait besoin de déstresser.

Il ne se remettait pas d'avoir vu Beth dimanche soir, en déposant Ben. Vêtue d'un short et d'un débardeur, elle était sortie sur la véranda et avait fait signe à son fils, avec son sourire à la Farrah Fawcett. Même s'il était destiné à Ben, ça ne faisait qu'attirer l'attention sur le fait qu'elle embellissait d'année en année.

S'il l'avait su, Clayton n'aurait peut-être pas consenti au divorce. En l'occurrence, il était reparti en la trouvant plus belle que jamais, avant de finir au lit avec Nikki, quelques heures plus tard.

En réalité, il n'avait pas envie de se remettre en ménage avec Beth. D'ailleurs, ça ne risquait pas d'arriver. Elle s'imposait trop, pour commencer, et avait tendance à la ramener lorsqu'il prenait une décision qu'elle désapprouvait. Clayton l'avait compris depuis longtemps et s'en souvenait chaque fois en la voyant. Juste après leur divorce, la dernière chose qu'il souhaitait, c'était de penser à elle, et il l'avait d'ailleurs oubliée pendant un moment. Il vivait sa vie, prenait du bon temps avec toutes sortes de filles et n'envisageait pas de se pencher sur son passé. À l'exception du gosse, bien sûr. À une période, quand Ben devait avoir trois ou quatre ans, Clayton commença à entendre certaines rumeurs selon lesquelles Beth s'était remise à sortir avec des mecs, et il ne le supportait pas. À ses yeux, pas de problème si lui sortait avec des filles… mais si elle fréquentait des hommes, ça n'avait absolument rien à voir. Pas question qu'un autre gars débarque un beau jour et joue le rôle de père pour Ben. En outre, il réalisait que l'idée qu'un autre homme puisse coucher avec Beth lui faisait horreur. Ça le mettait vraiment mal à l'aise. Il connaissait les hommes et savait ce qu'ils voulaient, et Beth était drôlement naïve, ne serait-ce que parce qu'il avait été son premier mec. D'ailleurs il y avait de fortes chances pour que lui, Keith Clayton, soit le *seul* gars avec lequel Beth ait jamais couché. Et c'était une bonne chose, car ça lui évitait de se détourner de ses priorités. Elle élevait leur fils et, même si Ben était un peu femmelette, Beth faisait du bon boulot avec le petit. Et puis c'était une fille bien qui ne méritait pas de tomber sur un type qui lui briserait le cœur. Elle aurait toujours besoin que Clayton veille sur elle.

Mais l'autre soir…

Il se demanda si elle s'était habillée en tenue légère en prévision de sa venue. Ce qui aurait changé de l'ordinaire, non ? Deux ou trois mois plus tôt, elle l'avait même invité à entrer pendant que Ben préparait ses affaires. Certes, il pleuvait des cordes et Nana l'avait regardé d'un sale œil tout le temps qu'il était resté là-bas, mais Beth se montra des plus agréables, à tel point qu'il pensa même l'avoir peut-être sous-estimée. Elle avait certains besoins, comme tout le monde. Et quel mal y aurait-il s'il l'aidait à les satisfaire de temps en temps ? C'était pas comme s'il ne l'avait jamais vue nue... Et puis ils avaient eu un gamin ensemble. Comment on appelait ça, de nos jours ? Des amis-amants occasionnels ? Il s'imaginait très bien un truc dans ce goût-là avec Beth. Tant qu'elle ne la ramenait pas ou n'en espérait pas trop. Tout en écrasant sa cigarette, il se demanda comment lui faire ce genre de proposition.

Il savait que, contrairement à lui, elle était seule depuis très, très longtemps. Les gars lui tournaient autour à l'occasion, mais il connaissait la meilleure manière de les traiter. Il se remémora la petite discussion qu'il avait eue avec Adam, voilà deux ou trois mois. Celui qui portait un blazer sur un tee-shirt, comme s'il se prenait pour un tombeur d'Hollywood. Tombeur ou pas, il était devenu blême quand Clayton l'avait obligé à se garer sur le bas-côté, avant de s'approcher de sa vitre. Le gars rentrait chez lui, après son troisième rendez-vous avec Beth. Clayton savait qu'ils avaient partagé une bouteille de vin au dîner – il les avait surveillés de l'autre côté de la rue –, et quand il lui tendit l'alcootest qu'il avait trafiqué au cas où, le visage du gars passa du blafard au cadavérique.

– On a bu un coup de trop, pas vrai ? s'enquit Clayton en prenant l'air dubitatif de circonstance, quand le type jura ses grands dieux qu'il n'avait pris qu'un seul verre.

En lui passant les menottes, Clayton crut que l'autre allait tomber dans les pommes ou mouiller son pantalon, ce qui faillit le faire éclater de rire.

Mais il se retint et remplit le procès-verbal, en prenant son temps, avant de lui faire son speech... Celui qu'il réservait à tous ceux qui semblaient intéresser Beth. À savoir qu'elle et lui avaient été mariés, avaient un enfant ensemble... et le gars devait bien comprendre que le devoir de Clayton consistait à veiller sur eux. Beth pouvait fort bien se passer d'un type qui la détournerait de l'éducation de leur fils, et elle n'allait pas s'investir dans une relation avec quelqu'un qui risquait de profiter d'elle. Le fait qu'ils soient divorcés ne signifiait pas pour autant qu'elle lui était indifférente.

Le gars pigea le message, bien sûr. Comme les autres. Non seulement à cause de la famille et des relations de Clayton, mais parce qu'il lui proposa de fermer les yeux sur l'alcootest et le P-V, à condition que le gars promette de laisser Beth tranquille et de garder cette petite conversation pour lui. Car si elle avait vent de l'affaire, ça n'apporterait rien de bon. Ça risquait de créer des problèmes avec le gosse, vous voyez ? Et il n'était pas tendre avec ceux qui créaient des problèmes avec son gosse.

Le lendemain, bien sûr, il stationnait au volant de sa voiture de patrouille quand Adam sortit du travail. Le gars blêmit de nouveau à la vue du shérif adjoint qui tripotait l'alcootest. Clayton comprit qu'il avait saisi le message avant de démarrer, et la fois suivante où il vit Adam, celui-ci était en compagnie d'une secrétaire rousse qui travaillait dans le même cabinet d'expertise-comptable que lui. Ce qui signifiait, bien sûr, que Clayton avait raison : le type ne prévoyait pas de fréquenter Beth à long terme. Encore un loser qui cherchait à tirer son coup vite fait.

Eh bien, ce ne serait pas avec Beth.

Beth piquerait une crise si elle découvrait ce qu'il avait fait, mais il ne devait pas souvent agir ainsi, heureusement. Juste de temps à autre, et tout se passait comme sur des roulettes.

Ça ne pouvait mieux se passer pour Clayton, en fait. Même le fiasco des photos d'étudiantes s'était bien terminé. Depuis le week-end dernier, ni l'appareil photo ni la carte-mémoire n'étaient réapparus au bureau du shérif ou au journal local. En raison de certains documents qu'il devait remettre en main propre dans le comté, Clayton n'avait pas eu le temps de chercher cette espèce de hippie le lundi matin. En revanche, il découvrit que le gars avait séjourné au Holiday Motor Court. La malchance – ou la chance, supposa-t-il – avait voulu que le type ait réglé sa note et qu'on ne l'ait pas revu depuis. Ce qui signifiait sans doute qu'il était parti depuis longtemps.

Dans l'ensemble, tout allait bien, donc. Vraiment bien. Sa petite gamberge au sujet de Beth… ce truc d'amis-amants… l'avait bien fait fantasmer. Ce serait pas mal, non ? Il croisa les doigts derrière sa nuque et reposa la tête sur les oreillers au moment où Nikki surgissait de la salle de bains dans des volutes de vapeur, enveloppée d'une serviette. Il sourit aux anges.

– Viens par ici, Beth.

Elle se figea sur place.

– Je m'appelle Nikki.

– Je sais bien. Mais ce soir, j'ai envie de t'appeler Beth.

– Qu'est-ce que tu racontes ?

Il la fusilla du regard.

– Ferme-la et viens par ici, OK ?

Après un instant d'hésitation, Nikki s'avança vers lui à contrecœur.

– 10 –

Beth

Peut-être qu'elle l'avait mal jugé, admit Beth. Pour ce qui concernait le travail, en tout cas. Ces trois dernières semaines, Logan Thibault s'était comporté en employé modèle. Mieux que ça, même. Non seulement il n'avait pas manqué une seule journée, mais il arrivait en avance pour pouvoir nourrir les chiens – ce dont Nana s'était toujours chargée jusqu'à son attaque – et restait tard pour balayer le bureau. Un jour, Beth l'avait même vu nettoyer les vitres avec un détergent et du papier journal. Le chenil n'avait jamais été aussi propre, la pelouse pour les exercices était tondue un après-midi sur deux, et il avait même commencé à réorganiser le fichier clients. À tel point que Beth se sentit coupable en lui tendant son premier chèque de salaire. Elle savait que la somme suffisait à peine pour vivre. Mais lorsqu'elle la lui remit, il sourit simplement en disant :

– Merci, c'est super.

– De rien, murmura-t-elle, faute de trouver mieux.

Hormis ce moment-là, ils ne s'étaient guère vus. Les cours avaient repris depuis deux semaines et Beth suivait le rythme d'une enseignante, à savoir qu'elle passait de longues heures dans son petit bureau à la maison, à corriger

131

les devoirs et à mettre à jour son planning de leçons. Ben, en revanche, sautait de la voiture dès son retour pour jouer avec Zeus. De ce que Beth pouvait en observer par la fenêtre, Ben semblait considérer le chien comme son nouveau meilleur ami, et Zeus avait l'air d'éprouver la même chose. Sitôt que la voiture s'engageait dans l'allée, le chien se mettait à renifler ici et là, en quête d'un bâton, avec lequel il accueillait l'enfant lorsque celui-ci ouvrait sa portière. Ben se précipitait hors du véhicule et, tandis qu'elle montait les marches de la véranda, Beth l'entendait rire en courant avec le chien dans le jardin. Logan – le nom lui convenait mieux que Thibault, en dépit des propos qu'il avait tenus au bord de l'eau – les observait aussi, un léger sourire aux lèvres, avant de reprendre son activité en cours.

Malgré elle, Beth aimait la facilité avec laquelle il souriait en compagnie de Ben ou Nana. Elle savait que la guerre n'avait pas son pareil pour modifier la personnalité d'un soldat, en rendant difficile sa réadaptation à la vie civile, mais Thibault ne présentait visiblement aucun signe de syndrome de stress post-traumatique. Un homme normal, somme toute… Sauf qu'il avait traversé le pays à pied ! Pour un peu, on aurait cru qu'il n'était jamais allé à l'étranger. Nana jurait qu'elle ne l'avait jamais interrogé sur l'armée. Ce qui en soi était bizarre quand on connaissait Nana, mais bon, peu importe… Il semblait bien mieux s'intégrer dans leur petite famille que Beth ne l'aurait imaginé. Deux ou trois jours plus tôt, comme Logan finissait sa journée, elle avait entendu Ben traverser la maison en trombe pour aller dans sa chambre, avant d'en ressortir tout aussi vite. En jetant un coup œil par la fenêtre, elle constata que le petit avait récupéré sa balle de base-ball pour jouer avec Logan dans la cour. Elle les observa s'amuser tous les deux, tandis que Zeus s'escrimait à courir après les balles manquées avant que Ben ne puisse mettre la main dessus.

Si seulement son ex avait pu voir avec quelle joie Ben jouait quand on ne lui mettait pas la pression et qu'on ne le critiquait pas à tout bout de champ.

Elle ne s'étonnait pas du fait que Logan et Nana s'entendent à merveille, mais la fréquence avec laquelle sa grand-mère en parlait après son départ en fin de journée et la nature élogieuse de ses remarques la déconcertaient. « Il te plairait », disait-elle, ou : « Je me demande s'il a connu Drake », une façon comme une autre de faire comprendre à Beth qu'elle devait faire l'effort de le connaître. Nana commençait même à le laisser dresser les chiens, ce qu'elle n'avait *jamais* permis à un autre employé. De temps en temps, elle faisait allusion au passé de Logan... en précisant qu'il avait dormi près d'une famille de tatous dans le nord du Texas, par exemple, ou rêvé un jour de travailler pour le programme de recherches des gisements fossilifères de Koobi Fora, au Kenya, et d'enquêter sur les origines de l'homme. Quand elle mentionnait ce genre de détails, Nana trahissait sa fascination pour Logan et sa manière de fonctionner dans la vie.

Par-dessus tout, l'activité du chenil commençait à se calmer. Après un long été trépidant, les journées trouvaient en quelque sorte leur rythme de croisière, ce qui expliquait pourquoi Beth dévisagea Nana avec appréhension au dîner lorsque celle-ci lui annonça la nouvelle.

— Comment ça, tu vas rendre visite à ta sœur ?

Nana ajouta une noix de beurre dans son bol de crevettes au gruau de maïs.

— Je n'ai pas eu l'occasion de la voir depuis l'incident, et j'ai envie de prendre de ses nouvelles de visu. Elle est plus vieille que moi, tu sais. Et maintenant que t'as repris les cours et que Ben va aussi à l'école, c'est à mon avis le meilleur moment pour y aller.

— Qui va s'occuper du chenil ?

— Thibault. Il maîtrise tout de A à Z maintenant, même la partie dressage. Il a dit qu'il ne demandait pas mieux que de faire quelques heures sup. Et a même ajouté qu'il me conduirait jusqu'à Greensboro, pour que tu n'aies pas non plus à t'en inquiéter. On a tout prévu. Il s'est même proposé de mettre de l'ordre dans la paperasse.

De la pointe de sa fourchette, elle piqua une crevette et la mastiqua avec vigueur.

— Il sait conduire ? s'enquit Beth.

— Il affirme que oui.

— Mais il n'a pas de permis.

— Il a dit qu'il ferait un saut au DMV[1]. C'est la raison pour laquelle il est parti tôt. J'ai appelé Frank et il m'a dit qu'il serait content de lui faire passer l'examen aujourd'hui.

— Il n'a pas de voiture…

— Il utilisera ma camionnette.

— Comment il est allé là-bas ?

— Avec ma camionnette.

— Mais il n'a pas de permis !

— Je crois t'avoir déjà expliqué ça, répliqua Nana en la regardant comme si elle s'adressait soudain à une attardée.

— Et la chorale ? Tu viens à peine d'y retourner.

— C'est arrangé. J'ai déjà prévenu le chef de chœur que je rendais visite à ma sœur, et elle a répondu que ça ne posait aucun problème. Elle trouve même que c'est une

---

1. *Departement of Motor Vehicles* (Service des véhicules motorisés) : organisme public chargé de l'enregistrement des véhicules et des permis de conduire.

bonne idée. Bien sûr, je suis plus ancienne qu'elle à la chorale, alors elle ne pouvait pas vraiment me le refuser.

Beth secoua la tête, tout en essayant de rester concentrée.

— Quand as-tu prévu tout ça ? La visite chez ta sœur, je veux dire ?

Nana prit une nouvelle bouchée et fit mine de réfléchir.

— Lorsqu'elle m'a appelée pour me le demander, bien sûr.

— Elle t'a appelée quand ? insista Beth.

— Ce matin.

— Ce matin ?

Du coin de l'œil, Beth vit que Ben suivait la conversation à la manière d'un spectateur à un match de tennis. Elle lui lança un regard d'avertissement, avant de reporter son attention sur Nana.

— T'es sûre que c'est une bonne idée ?

— C'est un peu de douceur dans un monde de brutes, déclara sa grand-mère d'un ton sans réplique.

— Ça veut dire quoi ?

— Ça veut dire que je vais voir ma sœur. Elle a dit qu'elle s'ennuyait et que je lui manquais. Elle m'a demandé de venir, alors j'ai accepté. C'est simple comme bonjour.

— T'as l'intention de t'absenter combien de temps ? demanda Beth en réprimant un sentiment de panique grandissant.

— Environ une semaine, j'imagine.

— Une semaine ?

Nana regarda Ben.

— Je crois que ta mère a des chenilles dans les oreilles. Elle n'arrête pas de répéter ce que je dis comme si elle m'entendait mal.

Ben gloussa et glissa une crevette dans sa bouche. Beth les observa tous les deux. Parfois, songea-t-elle, dîner en leur compagnie lui donnait l'impression de manger à la cantine scolaire.

— Et tes médicaments ? questionna-t-elle.

Nana se resservit des crevettes et du gruau.

— Je vais les emporter. Je peux aussi bien prendre mes pilules là-bas qu'ici.

— Et s'il t'arrive quelque chose ?

— Je serais sans doute mieux là-bas, tu ne crois pas ?

— Comment tu peux dire une chose pareille ?

— Maintenant que l'école a repris, Ben et toi êtes absents quasiment toute la journée, et je me retrouve seule à la maison. S'il m'arrive le moindre problème, je ne vois même pas comment Thibault pourrait le savoir. Mais à Greensboro, je serai avec ma sœur. Et, crois-le ou pas, elle a le téléphone et tout le confort moderne. Elle ne communique plus par signaux de fumée depuis l'an dernier, figure-toi.

Ben pouffa encore, mais se garda bien du moindre commentaire, préférant sourire au contenu de son bol.

— Mais tu n'as pas quitté le chenil depuis la mort de grand-père…

— Justement, l'interrompit Nana.

— Mais…

Nana lui tapota la main.

— Allons, allons… Je sais bien que tu t'inquiètes à l'idée de devoir te passer de mon esprit pétillant pendant un petit moment, mais ça t'offrira l'occasion de mieux connaître Thibault. Il viendra également ce week-end, pour te donner un coup de main au chenil.

— Ce week-end ? Mais tu pars quand ?

— Demain.

— Demain ? s'écria Beth.

Nana fit un clin d'œil à Ben.

— Tu vois ? Des chenilles, je te dis…

Une fois la vaisselle terminée, Beth sortit sur la véranda pour s'accorder quelques minutes en solitaire. Elle savait que Nana avait pris sa décision et que sa réaction à elle était disproportionnée. Attaque ou pas, Nana pouvait prendre soin d'elle-même, et tante Mimi serait enchantée de la voir. Mimi avait du mal à se déplacer ces temps-ci, et ce serait peut-être la dernière occasion pour sa sœur de passer une semaine en sa compagnie.

Toutefois la discussion de tout à l'heure la troublait. Ce n'était pas le voyage en soi qui la dérangeait, mais ce qu'annonçait leur petite dispute à table… à savoir le début de son nouveau rôle dans les années à venir, un rôle qu'elle ne se sentait pas encore prête à endosser. C'était facile de jouer celui de parent pour Ben. Son personnage et ses responsabilités étaient bien définis, en l'occurrence. Mais devenir la mère de Nana ? Nana débordait tellement d'énergie que Beth n'aurait pas pu concevoir quelques mois plus tôt qu'elle puisse décliner un jour. Et Nana s'en sortait bien, vraiment bien, surtout après son attaque. Mais qu'adviendrait-il la prochaine fois que Nana souhaiterait faire quelque chose que Beth jugerait dangereux ? Un truc tout simple… comme conduire la nuit, par exemple ? Nana n'y voyait pas aussi bien que par le passé… Et si elle voulait à tout prix se rendre au supermarché en voiture après le travail ?

Beth savait qu'en définitive elle gérerait ces situations le moment venu. Mais elle l'appréhendait. Elle avait déjà eu suffisamment de mal à surveiller Nana cet été, et nul ne pouvait alors nier ses problèmes physiques, même Nana. Qu'adviendrait-il quand Nana ne voudrait plus les admettre ?

Ses pensées s'interrompirent à la vue de la camionnette de sa grand-mère qui s'engageait lentement dans l'allée, avant de s'arrêter près de l'entrée de derrière du chenil. Logan descendit et fit le tour du pick-up. Elle l'observa décharger un sac de croquettes pour chiens en le portant sur l'épaule, puis entrer dans le bâtiment. Lorsqu'il en ressortit, Zeus trottait à ses côtés et lui reniflait la main. Beth songea qu'il avait dû laisser le chien au bureau pendant qu'il se trouvait en ville.

Logan mit quelques minutes pour décharger le reste des sacs de nourriture et, une fois sa tâche accomplie, il prit la direction de la maison. Sur ces entrefaites, le jour déclinait déjà. On entendait vaguement le tonnerre gronder au loin, tandis que les criquets entamaient leurs stridulations du soir. Beth se dit que l'orage n'éclaterait pas ; hormis quelques averses éparses, une sécheresse accablante avait régné tout l'été. Mais l'air en provenance de l'océan charriait des senteurs de pins et d'embruns, et elle se retrouva sur la plage des années plus tôt. Elle revoyait les araignées de mer fuir sous le rayon lumineux des torches électriques que Drake, leur grand-père et elle-même tenaient en main ; le visage de sa mère à la lueur du petit feu de joie que son père venait d'allumer ; les marshmallows de Nana qui s'enflammaient, alors qu'ils en faisaient griller pour confectionner des *s'mores*[1].

C'était l'un des rares souvenirs qu'elle gardait de ses parents, encore qu'elle doutait même de la réalité de la scène. Comme elle était très jeune à l'époque, elle soupçonnait que le souvenir de Nana avait fini par se confondre avec le sien. Sa grand-mère lui avait raconté cette soirée un nombre incalculable de fois, peut-être parce que ce fut la dernière qu'ils passèrent tous ensemble. Les parents de Beth

---

1. Friandise typique des feux de camp aux États-Unis et au Canada ; elle se compose de guimauve grillée et d'un morceau de chocolat, pris en sandwich entre deux biscuits.

étaient décédés dans un accident de voiture quelques jours plus tard.

— Tout va bien ?

Distraite par ces réminiscences, Beth n'avait pas vu Logan arriver sur la véranda. Dans la lumière crépusculaire, les traits de l'homme lui parurent plus doux qu'à l'ordinaire.

— Oui, pas de problème, dit-elle en se redressant et en rajustant son chemisier. J'étais perdue dans mes pensées.

— J'ai les clés de la camionnette, reprit-il d'une voix paisible. Je voulais les déposer avant de rentrer chez moi.

Comme il les lui tendait, elle savait qu'elle aurait pu se contenter de le remercier en lui souhaitant bonne nuit, mais, peut-être parce qu'elle était encore contrariée que Nana ait pris sa décision avant de lui en parler au préalable, ou bien... parce qu'elle souhaitait se faire sa propre idée sur Logan, elle prit les clés et soutint son regard.

— Merci... La journée a été longue, j'imagine ?

S'il s'étonna de son invitation à faire la causette, il n'en laissa rien paraître.

— Pas si terrible. Et puis j'ai pu faire des tas de choses.

— Comme recouvrer le droit de conduire en toute légalité ?

Il lui décocha un vague sourire.

— Entre autres, oui.

— Les freins ne vous ont pas posé problème ?

— Pas du tout, dès lors que je me suis habitué au grincement.

Beth sourit à son tour.

— Je parie que l'inspecteur a adoré ça.

— J'en suis sûr. Je l'ai bien vu à ses grimaces.

Elle éclata de rire, puis tous deux se turent quelques instants. Un éclair zébra l'horizon. Le coup de tonnerre mit un peu de temps à retentir, et Beth sut que l'orage se trouvait encore à des kilomètres de là. Dans le silence, elle remarqua que Logan la regardait encore avec cette singulière impression de déjà-vu. Il parut s'en rendre compte et détourna aussitôt les yeux. En suivant son regard, Beth constata que Zeus s'était éloigné vers les arbres. Le chien semblait être au garde-à-vous et fixait Logan, comme pour lui demander : *Tu veux qu'on aille se promener ?* Zeus aboya pour insister, mais Logan secoua la tête.

— T'emballe pas ! lui cria-t-il. (Puis, se retournant vers Beth :) Il a été confiné un petit moment et a envie de se dégourdir les pattes.

— C'est ce qu'il fait en ce moment, non ?

— En fait, il veut que je me balade avec lui. Histoire de ne pas me perdre de vue.

— Ah bon ?

— C'est plus fort que lui. C'est un chien de berger et il me considère comme son troupeau.

Beth haussa un sourcil.

— Un petit troupeau…

— Ouais, mais il grossit. Il s'est attaché à Ben et à Nana.

— Pas à moi ? dit-elle en faisant mine d'être vexée.

Logan haussa les épaules.

— Vous ne lui avez pas encore lancé un bâton à rapporter.

— Et ça lui suffit ?

— Il est facile à conquérir.

Elle rit de nouveau. Bizarrement, elle ne s'attendait pas à ce qu'il ait le sens de l'humour. Plus surprenant encore, il désigna le chien et suggéra :

— Ça vous dirait de vous balader avec nous ? Pour Zeus, c'est presque aussi bien que lui lancer un bout de bois.

— Ah… vraiment ? répliqua-t-elle comme pour gagner du temps.

— C'est pas moi qui établis les règles. Je les connais, c'est tout. Et ça me gênerait que vous vous sentiez mise à l'écart.

Elle hésita un peu, avant de reconnaître qu'il essayait simplement de se montrer sympa. Elle lança un regard par-dessus son épaule.

— Je devrais peut-être prévenir Nana et Ben.

— Vous pouvez toujours le faire, mais on ne sera pas partis longtemps. Zeus a juste envie d'aller au ruisseau, histoire de barboter quelques minutes avant de rentrer. Sinon, il a chaud.

Mains dans les poches, il se balança sur ses talons et ajouta :

— Vous êtes prête ?

— Allons-y.

Ils descendirent de la véranda et s'engagèrent sur l'allée de gravier. Zeus trottait devant eux, se retournant de temps à autre pour s'assurer qu'ils le suivaient. Ils marchaient côte à côte, mais suffisamment éloignés l'un de l'autre pour éviter de s'effleurer par mégarde.

— Nana m'a dit que vous enseigniez ? s'enquit Logan.

Beth acquiesça.

— En CE1.

— Comment se présente votre classe cette année ?

— Des gamins assez sympas. Jusqu'ici en tout cas. Et sept mères se sont déjà portées volontaires pour des activités extrascolaires, ce qui est toujours bon signe.

Passant devant le chenil, ils s'approchèrent du sentier qui menait au ruisseau. Le soleil avait décliné sous les arbres, et le chemin se retrouvait dans la pénombre. Le tonnerre gronda une nouvelle fois, tandis qu'ils avançaient.

— Vous enseignez depuis longtemps ?

— Trois ans.

— Et ça vous plaît ?

– La plupart du temps, oui. Je travaille avec des gens formidables, ce qui facilite les choses.

– Mais ?

Elle ne sembla pas comprendre la question. Il enfonça les mains dans ses poches et enchaîna :

– Il y a toujours un « mais » quand il s'agit de travail. Genre… j'aime mon boulot et mes collègues sont très cool, mais… deux ou trois d'entre eux aiment se déguiser en super-héros le week-end, et je me demande s'ils ne sont pas cinglés.

Elle rit de bon cœur.

– Non, ils sont réellement sympas. Et j'adore vraiment enseigner. C'est juste que, de temps en temps, un élève traîne avec lui un lourd passé familial, et on ne peut pas y faire grand-chose, vous savez. Ça vous brise le cœur, parfois.

Elle fit quelques pas en silence, avant de reprendre :

– Et vous, au fait ? Vous vous plaisez ici ?

– Ouais, vraiment.

Il paraissait sincère.

– Mais ?

Il secoua la tête.

– Il n'y a pas de « mais ».

– C'est pas juste. Je vous ai confié les inconvénients de mon métier.

– OK, mais vous ne vous adressiez pas à la petite-fille de votre patronne. Et, puisqu'on en parle, vous avez une idée de l'heure à laquelle on s'en va demain ?

– Elle ne vous a rien dit ?

– Non. Je pensais le lui demander en lui rendant les clés.

– Elle n'a pas précisé, mais je suis sûre qu'elle voudra que vous vous occupiez du dressage et de la promenade

142

avant de partir, sinon les chiens ne vont pas tenir en place de la journée.

Ils arrivèrent au ruisseau et Zeus plongea la tête la première dans l'eau, pataugeant et aboyant à qui mieux mieux. Ils le regardèrent s'ébattre, puis Logan indiqua le tronc d'arbre renversé. Beth s'y installa et il la rejoignit, prenant soin de ne pas s'asseoir trop près.

— C'est loin d'ici, Greensboro ? demanda-t-il.

— Il faut compter cinq heures, aller-retour. C'est presque uniquement de l'autoroute.

— Vous avez une idée du temps qu'elle va y rester ?

— Elle m'a dit une semaine, déclara Beth dans un haussement d'épaules.

— Oh...

Logan eut l'air de tomber des nues.

On a tout prévu, mon œil ! songea Beth. Logan était encore plus dans le flou qu'elle.

— J'ai comme l'impression que ma grand-mère ne vous a pas dit grand-chose.

— Uniquement qu'elle allait là-bas et que je conduirais, alors j'avais intérêt à décrocher mon permis. Oh... et puis aussi que je travaillerais ce week-end.

— Ça paraît logique. Écoutez, à ce propos... je peux me débrouiller, si vous avez des trucs à faire...

— Pas de problème, dit Logan. J'ai rien de prévu. Et il y a deux ou trois choses dont je n'ai pas eu l'occasion de m'occuper. Des petits travaux à faire.

— Comme installer la clim dans le bureau ?

— Je pensais plutôt à repeindre l'encadrement de la porte et à trouver une solution pour décoincer la fenêtre du bureau.

— Celle qu'on ne peut plus ouvrir à cause de la peinture collée dans les interstices ? Bonne chance ! Mon grand-père

143

a essayé de la débloquer pendant des années. Une fois, il s'y est même pris à la lame de rasoir, pour finir avec du sparadrap plein les doigts. Impossible de la débloquer !

– Vous ne m'encouragez pas beaucoup, observa Logan.

– J'essaye juste de vous mettre en garde. Et figurez-vous que c'est mon grand-père qui a bloqué la fenêtre dès le début en la peignant ! Persuadé de pouvoir réparer n'importe quoi, il avait une remise avec tous les outils de la création, mais ça ne marchait jamais vraiment comme prévu. C'était plus un rêveur qu'un bricoleur, à vrai dire. Vous avez vu la cabane de Ben et la passerelle ?

– De loin, admit Logan.

– L'exemple typique. Grand-père a quasiment passé tout un été à la construire, et chaque fois que Ben va y faire un tour, je me fais du souci. Je me demande même comment elle a pu tenir aussi longtemps sans s'effondrer. Ça m'effraie, mais Ben adore aller là-bas, surtout quand quelque chose le contrarie ou l'angoisse. Il l'appelle son « repaire ». Il y va souvent.

Comme elle s'interrompait, il sentit son inquiétude, mais celle-ci s'estompa avant qu'elle reprenne.

– En tout cas, grand-père était génial. Avec un cœur gros comme ça… Et il nous a offert la plus belle enfance qu'on puisse imaginer.

– Nous ?

– À mon frère et moi, précisa-t-elle en contemplant l'arbre, dont les feuilles prenaient une nuance argentée sous la lune. Nana vous a raconté ce qui est arrivé à mes parents ?

Il acquiesça.

– Brièvement… Je suis désolé.

Elle attendit, sans trop savoir s'il ajouterait quelque chose, mais il se tut.

– C'était comment, alors ? De traverser le pays à pied ?

Logan prit son temps avant de répondre.

– C'était… paisible. Le simple fait de pouvoir me rendre où je voulais, quand je voulais, et sans me presser…

– Vous en parlez comme d'une thérapie.

– C'était le cas, je suppose, dit-il avec un sourire triste qui s'évanouit dans l'instant. D'une certaine façon.

Comme il prononçait ces mots, la lumière décroissante se réfléchit dans ses yeux, qui semblèrent changer peu à peu de couleur.

– Vous avez trouvé ce que vous cherchiez ? demanda-t-elle avec gravité.

Logan marqua une pause, puis :

– Ouais… en fait.

– Et ?

– J'hésite encore…

Elle considéra sa réponse, ne sachant trop quoi en penser.

– Ne le prenez pas mal mais, bizarrement, je ne vous imagine pas rester longtemps au même endroit.

– Parce que je suis venu à pied du Colorado ?

– Surtout pour cette raison.

Il éclata de rire et, pour la première fois, Beth réalisa qu'elle n'avait pas eu ce genre de conversation depuis un petit moment. Ça lui paraissait tout simple et naturel. Avec Adam, la discussion était tendue, comme si tous deux se forçaient un peu trop à parler. Elle ignorait ce que Logan lui inspirait au juste, mais tout portait à croire qu'ils étaient enfin en bons termes. Elle s'éclaircit la voix.

– Bon… en ce qui concerne la journée de demain. Je me dis que vous devriez prendre ma voiture, et j'utiliserai la camionnette pour aller à l'école. Je m'inquiète un peu à cause des freins.

— Je dois avouer que ça me posait problème. Mais je suis certain de pouvoir les réparer. Pas demain, mais ce week-end.

— Vous êtes aussi mécanicien ?

— Oui. Les freins, c'est pas compliqué, en fait. Il faut changer les plaquettes, mais les rotors sont sans doute en bon état.

— Y a-t-il un truc que vous ne savez pas faire ? s'enquit Beth, feignant l'émerveillement.

— Oui.

Elle rit à nouveau.

— Tant mieux. Mais bon, je vais parler à Nana et m'assurer qu'elle veuille bien rouler dans ma voiture. Ces freins ne me disent rien qui vaille sur l'autoroute. Et je passerai voir les chiens dès mon retour de l'école, OK ? Je suis sûre que Nana ne vous en a pas parlé non plus. Mais je m'en occuperai.

Il hocha la tête, tandis que Zeus sortait de l'eau. Le chien s'ébroua, puis s'avança pour renifler Beth, avant de lui lécher les mains.

— Il m'aime bien.

— Disons qu'il est en train de vous goûter.

— Il est drôle, dit-elle.

Drake aurait pu faire la même plaisanterie que Logan, songea-t-elle, subitement envahie par un besoin de solitude. Elle se leva.

— Je devrais rentrer. Je suis sûre qu'ils se demandent où je suis passée.

Logan remarqua que le ciel continuait à se charger de nuages.

— Oui, moi aussi. Je tiens à arriver chez moi avant qu'il pleuve des cordes. L'orage a l'air de se rapprocher.

— Vous voulez que je vous dépose ?

146

— Merci, mais ça va aller. J'aime marcher.

— Tiens donc… Je ne m'en serais jamais doutée, répliqua-t-elle avec un léger sourire.

Ils rebroussèrent chemin jusqu'à la maison et, une fois sur l'allée de gravier, Beth sortit la main de la poche de son jean et l'agita discrètement pour lui dire au revoir.

— Merci pour la balade, Logan.

Elle s'attendit à ce qu'il rectifie, comme il l'avait fait avec Ben — en lui demandant de l'appeler Thibault —, mais il préféra lever le menton en souriant à belles dents.

— Merci à vous, Elizabeth.

Elle savait que l'orage ne durerait pas, même si tout le monde avait attendu la pluie comme une bénédiction, après un été caniculaire qui semblait ne jamais s'achever. Tandis qu'elle écoutait les dernières gouttes d'eau pianoter sur le toit, elle se surprit à penser à son frère.

Avant son départ, Drake lui avait confié que ce qui allait le plus lui manquer, c'était le bruit de la pluie sur le toit. Elle se demanda s'il avait souvent rêvé de ces orages d'été en Caroline du Nord, lorsqu'il se retrouva en plein désert. Cette pensée ranima une fois de plus son sentiment de perte et sa tristesse.

Dans sa chambre, Nana préparait ses affaires, plus excitée qu'elle ne l'avait été depuis des années. Ben, en revanche, rentrait de plus en plus dans sa coquille, car il se voyait déjà passer une grosse partie du week-end en compagnie de son père. Ça signifiait aussi que Beth serait seule à la maison, son premier week-end en solo depuis très, très longtemps.

Hormis la présence de Logan.

Elle comprenait pourquoi Nana et Ben avaient tous deux été attirés par lui. Il possédait cette sorte d'assurance tranquille qui semblait rare de nos jours. Ce fut seulement en regagnant la maison qu'elle réalisa qu'elle n'en savait guère plus à son sujet que depuis leur première entrevue. Elle se demanda s'il avait toujours été aussi secret ou si cela était dû à son vécu en Irak.

Il était passé par là, décida-t-elle. Certes, il ne l'avait pas révélé en ces termes, mais elle l'avait vu dans son expression quand elle avait fait allusion à ses parents... La sobriété de sa réaction suggérait que les événements tragiques lui étaient familiers, de même que le fait de les accepter comme autant d'aspects inévitables de l'existence.

Elle ignorait en revanche si cela modifiait en bien ou en mal ce qu'elle pensait de lui. À l'instar de Drake, c'était un marine. Mais Logan vivait encore et Drake avait disparu, et ne serait-ce que pour cette raison et d'autres plus complexes, Beth n'était pas sûre de pouvoir un jour considérer Logan en toute impartialité.

Comme elle contemplait les étoiles qui surgissaient dans le ciel entre les nuages, elle sentit se rouvrir la blessure de la perte de Drake. À la mort de leurs parents, Drake et elle étaient devenus inséparables, si bien qu'ils dormirent dans le même lit pendant une année. Il n'avait qu'un an de moins qu'elle, et elle conservait le souvenir distinct de leur premier jour de maternelle. Pour qu'il cesse de pleurer, elle lui avait promis qu'il allait se faire des tas d'amis et qu'elle l'attendrait près des balançoires pour rentrer avec lui à la maison. À l'inverse d'autres frères et sœurs, ils ne furent jamais rivaux. Elle était sa meilleure pom-pom girl et lui, son plus fervent supporter. Tout au long du lycée, elle assista à chaque match de foot, de basket ou de base-ball auquel il participa, lui donnant même des conseils au besoin. Drake, pour sa part, fut le seul à ne pas s'offusquer des sautes d'humeur de sa sœur à l'adolescence. Leur seul désaccord concernait Keith mais, contrairement à Nana, Drake gardait ses sentiments pour lui. Toutefois, Beth savait ce qu'il éprouvait, et lorsqu'elle et Keith se séparèrent, ce fut vers Drake qu'elle se tourna en quête de réconfort, tandis qu'elle tentait de trouver ses marques en tant que nouvelle mère célibataire. Et ce fut Drake, elle le savait, qui empêcha Keith d'aller tambouriner à la porte de Beth en pleine nuit, dans les mois qui suivirent. Drake était la seule et unique personne à sa connaissance que Keith craignait de contrarier.

À cette période, Drake avait mûri. Non seulement il était excellent dans presque toutes les disciplines sportives, mais il s'était également initié à la boxe à l'âge de douze ans. À dix-huit, il avait remporté les Gants d'or de Caroline du Nord à trois reprises, de même qu'il s'entraînait régulièrement avec les soldats stationnés à Fort Bragg et au camp Lejeune. À force de passer du temps avec eux, Drake envisagea de s'engager.

Il n'avait jamais été un élève brillant, et une seule année en fac lui suffit pour comprendre que ça ne lui convenait pas. Beth fut la seule personne à laquelle il confia son désir de s'engager. Elle avait accueilli avec fierté sa décision de servir son pays, et son cœur déborda d'amour fraternel et d'admiration lorsqu'elle le vit pour la première vois dans sa tenue de cérémonie. Et si elle avait eu peur en apprenant qu'il partait pour le Koweït, et plus tard en Irak, elle ne pouvait s'empêcher de croire qu'il s'en sortirait. Mais Drake Green ne rentra jamais au pays.

Elle se souvenait à peine des jours qui suivirent l'annonce de la mort de son frère, et n'aimait pas y repenser. Le décès de Drake avait laissé un vide dont elle savait qu'il ne serait jamais totalement comblé. Avec le temps, la douleur s'était atténuée, alors que, aussitôt après sa disparition, elle n'aurait jamais cru cela possible. Aujourd'hui, elle ne pouvait nier que, lorsqu'elle pensait à Drake, elle se remémorait surtout leurs jours heureux. Même quand elle lui rendait visite au cimetière pour lui parler, elle n'éprouvait plus cette angoisse. À présent, sa tristesse semblait moins viscérale que sa colère.

Là, en ce moment, celle-ci était bel et bien réelle, alors même que Beth se rendait compte qu'à l'instar de Nana et de Ben elle était attirée par Thibault... ne serait-ce que parce qu'elle retrouvait en sa compagnie une tranquillité, un bien-être qu'elle n'avait plus connus avec quiconque depuis la perte de Drake.

Autre détail non négligeable : seul Drake l'appelait toujours par son nom de baptême. Ni ses parents, ni Nana, ni Papy, ni aucun de ses amis en grandissant ne l'avaient jamais appelée autrement que Beth. Keith non plus, d'ailleurs. À vrai dire, elle ignorait même s'il avait connu un jour son véritable prénom. Seul Drake l'appelait Elizabeth, et uniquement quand ils se retrouvaient tous les deux. C'était leur secret, qu'ils ne partageaient avec personne, et elle n'aurait jamais pu s'imaginer entendre ce prénom prononcé par quelqu'un d'autre.

Mais, bizarrement, il sonnait juste dans la bouche de Logan.

Thibault

À l'automne 2007, un an après avoir été démobilisé du corps des marines, Thibault organisa ses retrouvailles avec Victor dans le Minnesota, que ni l'un ni l'autre ne connaissaient encore. Pour tous les deux, cette escapade ne pouvait mieux tomber. Victor était marié depuis six mois, et Thibault avait été son témoin. Lorsque Thibault appela son ami pour lui proposer le voyage, il songea que Victor avait justement besoin de passer un peu de temps loin de sa famille.

Le premier jour, tandis qu'ils se tenaient à bord d'un petit canot sur le lac, ce fut Victor qui brisa le silence.

– T'as fait des cauchemars ? demanda-t-il.

Thibault secoua la tête.

– Non. Et toi ?

– Oui, avoua Victor.

L'air était vif, typique de cette saison, et une légère brume matinale flottait juste au-dessus de l'eau. Mais aucun nuage n'obscurcissait le ciel, et Thibault savait que la température allait monter et que l'après-midi serait splendide.

– Toujours le même ? s'enquit-il.

– En pire, répondit Victor, rembobinant sa ligne avant

de la relancer. Je vois des morts. (Il grimaça un sourire narquois, l'épuisement se lisant dans les rides de son visage.) Comme dans ce film avec Bruce Willis, tu sais ? *Sixième Sens* ?

Thibault acquiesça.

— Ce genre de trucs, quoi. (Il s'interrompit, puis reprit, lugubre :) Dans mes rêves, je revis toutes les épreuves qu'on a traversées, sauf qu'il y a des changements. La plupart du temps, on me tire dessus, je crie au secours, mais personne ne vient, et je me rends compte que tous les autres ont été abattus eux aussi. Et je me sens mourir peu à peu. (Il se frotta les paupières, avant de poursuivre :) Aussi dur que ça puisse paraître, c'est pire quand je les vois dans la journée... ceux qui sont morts, je veux dire. Je suis au supermarché et je les vois tous, là debout, en train de bloquer l'allée. Ou alors ils sont à terre et ils saignent, et les infirmiers s'occupent d'eux. Mais ils ne disent jamais rien. Ils se contentent de me fixer, comme si c'était ma faute s'ils sont blessés ou s'ils agonisent. Alors je cligne des yeux, je respire un grand coup et ils disparaissent... J'ai l'impression de devenir fou.

— T'en as parlé à quelqu'un ? demanda Thibault.

— À personne. Sauf à ma femme, je veux dire, mais quand je lui raconte ce genre de trucs, elle prend peur et se met à pleurer. Alors je ne lui en parle plus.

Thibault se taisait.

— Elle est enceinte, tu sais, continua Victor.

Thibault sourit, comme pour se raccrocher à cette lueur d'espoir.

— Félicitations.

— Merci. C'est un garçon. Je vais l'appeler Logan.

Thibault se redressa et s'inclina.

— J'en suis honoré.

— Ça m'effraie parfois… l'idée d'avoir un garçon. J'ai peur de ne pas devenir un bon père, confia Victor, le regard perdu dans le vague au-dessus du lac.

— Tu seras un papa génial, lui assura Thibault.

— Peut-être. Je perds patience, tu sais. Il y a tellement de choses qui me mettent en rogne. Des petits trucs insignifiants, mais bizarrement ça m'agace. Et même si j'essaie de refouler ma colère, elle finit par éclater parfois. Jusqu'ici ça ne m'a pas créé de problèmes, mais je me demande combien de temps je vais devoir la réprimer avant de m'en débarrasser une bonne fois pour toutes. (Il redressa sa canne à pêche.) Ça t'arrive à toi aussi ?

— De temps en temps, admit Thibault.

— Mais pas trop souvent ?

— Non.

— J'aurais cru le contraire. J'ai oublié que la situation était différente pour toi. À cause de la photo, je veux dire.

Thibault secoua la tête.

— Tu te trompes. C'était pas facile pour moi non plus. Je ne peux pas marcher dans la rue sans regarder par-dessus mon épaule ou balayer du regard les fenêtres des étages pour m'assurer que personne ne pointe un flingue sur moi. Et la moitié du temps, je ne sais même plus comment avoir une conversation ordinaire avec les gens. La plupart de leurs préoccupations ne me concernent pas. À savoir qui travaille où, combien il ou elle gagne, ce qui passe à la télé, ou qui sort avec qui. Je suis à deux doigts de répliquer : « Qu'est-ce que ça peut bien faire ? »

— T'as jamais été le roi de la causette, grommela Victor.

— Merci.

— Quant à regarder par-dessus ton épaule, c'est normal. Je le fais aussi.

— Ah ouais ?

– Mais jusqu'ici, aucun flingue aux fenêtres.

Thibault rit dans sa barbe.

– On va pas s'en plaindre, quand même ? (Puis, comme il souhaitait changer de sujet, il demanda :) Et ton travail de couvreur, ça se passe bien ?

– On crève de chaud en été.

– Comme en Irak ?

– Non. Rien n'est comparable à l'Irak. Mais il fait assez chaud, dit-il en souriant. J'ai obtenu une promotion. Je suis chef d'équipe maintenant.

– Bravo. Comment va Maria ?

– Son ventre s'arrondit, mais elle est heureuse. Et c'est toute ma vie. J'ai tellement de chance de l'avoir épousée, dit-il en secouant la tête d'un air radieux.

– Je suis content pour toi.

– Il n'y a rien qui remplace l'amour. Tu devrais essayer.

– Un jour, peut-être… dit Thibault dans un haussement d'épaules.

Elizabeth.

Au moment où il l'avait appelée ainsi, il avait perçu une lueur dans son regard, une émotion qui lui était inconnue. Le prénom traduisait mieux sa personnalité que « Beth », trop simple et trop commun. Il véhiculait une élégance en parfaite harmonie avec la démarche gracieuse de la jeune femme, et même s'il n'avait pas prévu de l'appeler ainsi, les syllabes s'étaient échappées de ses lèvres comme un choix s'imposant de lui-même.

En rentrant chez lui, Thibault se surprit à se repasser leur conversation dans sa tête, tout en se rappelant combien il avait trouvé naturel d'être assis à ses côtés. Elle se révélait plus détendue que prévu, mais il sentait bien qu'à l'instar de Nana, elle ne savait pas trop quoi penser de lui. Plus tard, lorsqu'il se retrouva allongé dans son lit, les yeux fixés au plafond, il s'interrogea sur l'impression qu'elle avait de lui.

Le lendemain matin, Thibault veilla à ce que tout soit en ordre, avant de conduire Nana à Greensboro dans la voiture d'Elizabeth. Zeus s'installa sur la banquette arrière et passa la tête par la vitre pendant presque tout le trajet, les oreilles baissées, intrigué par le moindre changement d'odeur et de paysage. Thibault ne s'attendait pas à ce que Nana permette à Zeus de les accompagner, mais elle fit signe au chien de monter dans le véhicule en disant : « Beth n'y verra pas d'inconvénient. Et puis ma valise sera très bien dans le coffre. »

Au retour, le trajet parut plus rapide, et lorsque Thibault se gara devant le chenil, il se réjouit de voir Ben près de la maison, en train de jouer avec une balle. Zeus bondit hors de la voiture pour le rejoindre, et Ben envoya la balle dans les airs. Zeus fila la récupérer, oreilles en arrière et langue pendante. Comme Thibault s'approchait, il découvrit Elizabeth qui sortait sur la véranda et comprit soudain que c'était l'une des plus belles femmes qu'il ait jamais vue. Vêtue d'un corsage léger et d'un short révélant ses jambes fuselées, elle lui fit un petit signe amical en l'apercevant, et il eut bien de la peine à ne pas la dévorer des yeux.

— Salut, Thibault ! lui cria Ben.

Il courait après Zeus, qui paradait avec la balle dans la gueule, fier de distancer Ben de quelques foulées, aussi vite que le gosse puisse courir.

— Salut, Ben ! Ça s'est bien passé à l'école ?

— Saoulant ! répondit le gamin. Et le travail ?

— Super !

Ben continuait à courir.

– Ouais, OK !

Depuis la rentrée des classes, ils échangeaient quasiment les mêmes paroles tous les jours. Thibault secoua la tête d'un air amusé, juste au moment où Elizabeth descendait les marches de la véranda.

– Salut, Logan.

– Bonjour, Elizabeth.

Elle s'adossa à la rambarde, un léger sourire aux lèvres.

– Comment s'est passé le trajet ?

– Pas trop mal.

– Ça a dû vous sembler bizarre, j'imagine.

– Comment ça ?

– C'était quand la dernière fois où vous avez conduit cinq heures ?

Il se gratta la nuque, avant de répondre :

– J'en sais rien. Ça fait longtemps…

– Nana m'a dit que vous étiez un peu nerveux au volant, comme si vous n'arriviez pas à être à l'aise. J'étais à l'instant au téléphone avec elle. Elle a déjà appelé deux fois.

– Elle s'ennuie ?

– Non, la première fois elle voulait parler à Ben. Pour savoir si sa journée d'école s'était bien passée.

– Et ?

– Il a dit que c'était saoulant.

– Il est cohérent, au moins.

– C'est sûr… mais j'aimerais entendre un autre son de cloche. Genre : « J'ai appris des tas de choses et c'était drôlement marrant. » Le rêve de toute mère, non ?

– Je vous crois sur parole.

– Vous avez soif ? reprit-elle. Nana a laissé de la citron-nade dans une carafe. Elle l'a préparée avant de partir ce matin.

– Je serais ravi d'en boire un verre. Mais je ferais mieux d'aller voir d'abord si les chiens ne manquent pas d'eau.

– C'est fait, dit-elle en remontant sur la véranda. Entrez donc, ajouta-t-elle en lui tenant la porte. Je reviens dans une minute, OK ?

Il obtempéra, prit le temps d'essuyer ses pieds sur le paillasson et entra dans la maison. Balayant la pièce du regard, il remarqua le mobilier ancien et les tableaux originaux suspendus aux murs. Un salon rustique, songea-t-il, contrairement à ce qu'il s'était imaginé.

– Vous avez une demeure pleine de charme ! lança-t-il.

– Merci ! répondit-elle en passant la tête dans l'entrée de la cuisine. Vous n'étiez encore jamais entré ?

– Non.

– Je croyais que si. Ne vous gênez pas, faites votre petit tour.

Elle disparut à nouveau et Thibault se promena dans la pièce, notant au passage la collection de Hummel[1] sur les étagères du vaisselier. Il sourit. Il avait toujours aimé ces petits personnages.

Sur le manteau de la cheminée, il repéra une série de photographies et s'avança pour les examiner de près. Il y avait deux ou trois portraits de Ben, dont un où il lui manquait les deux dents de devant. Il découvrit à côté un joli cliché d'Elizabeth avec ses grands-parents, arborant la toque et la toge universitaires, le jour de la remise des diplômes, ainsi qu'un portrait de Nana et de son époux. Dans le coin, la photo d'un jeune marine en tenue de sortie, debout et plein d'assurance, attira son attention.

---

1. Célèbres figurines en porcelaine représentant des enfants, créées à partir des dessins de l'illustratrice Berta Hummel (1909-1946), qui portait un nom de famille prédestiné, puisqu'il signifie « marmot », « bout de chou » en allemand.

Le jeune marine qui a perdu la photo en Irak ?

— C'est Drake, dit-elle dans son dos. Mon frère.

Thibault se retourna.

— Cadet ou aîné ?

— Cadet d'un an.

Elle lui tendit le verre de citronnade sans faire d'autre commentaire, et Thibault sentit que le sujet était clos. Elle fit un pas en direction de la porte d'entrée.

— Allons sur la véranda. J'ai été enfermée toute la journée, et je veux garder un œil sur Ben. Il a tendance à vadrouiller n'importe où.

Elizabeth s'installa sur les marches du perron. Le soleil perçait les nuages, mais l'ombre de la véranda s'étirait et il y faisait un peu moins chaud. Elle ramena une mèche de cheveux derrière son oreille.

— Désolée. Je n'ai rien de mieux à vous proposer. J'ai bien tenté d'inciter Nana à installer une balancelle, mais elle trouve ça trop rustique.

Au loin, Ben et Zeus couraient dans l'herbe. Ben riait en essayant d'attraper le bâton dans la gueule de Zeus. Elizabeth sourit.

— Je suis ravie de le voir se dépenser. Il n'a pas eu l'occasion de le faire après l'école, car il a pris sa première leçon de violon aujourd'hui.

— Et ça lui a plu ?

— Il a aimé, oui. C'est ce qu'il a dit, du moins, répondit-elle en se tournant vers Thibault. Vous aimiez ça quand vous étiez enfant ?

— La plupart du temps. Jusqu'à ce que je grandisse, en tout cas.

— Laissez-moi deviner. Quand vous avez commencé à vous intéresser aux filles et au sport ?

— N'oubliez pas les voitures.

— Classique, marmonna-t-elle. Mais normal. Je suis simplement enthousiaste parce que c'est son choix à lui. Il s'est toujours intéressé à la musique, et sa prof est une perle. Elle est d'une patience d'ange.

— Tant mieux. Et ça lui fera du bien.

Elle fit mine de le détailler du regard.

— Je ne sais pas pourquoi, mais je vous imagine plus avec une guitare électrique qu'avec un violon.

— Parce que je suis venu à pied du Colorado ?

— Sans parler des cheveux.

— J'ai eu le crâne rasé pendant des années.

— Et puis votre tondeuse s'est mise en grève, c'est ça ?

— Un truc dans le genre, oui.

Elle sourit à nouveau en prenant son verre. Dans le silence qui suivit, Thibault profita de la vue. De l'autre côté de la cour, une nuée d'étourneaux jaillit des feuillages et partit à tire-d'aile pour se poser en face. Dans le ciel, poussés par la brise de l'après-midi, des nuages floconneux se déplaçaient en changeant de forme, et Thibault sentit qu'Elizabeth l'observait.

— Vous n'éprouvez pas le besoin de parler tout le temps, observa-t-elle.

— Non, admit-il en souriant.

— La plupart des gens ne savent pas apprécier le silence. Ils ne peuvent s'empêcher de jacasser.

— Je parle, mais seulement si j'ai quelque chose à dire.

— Vous aurez du mal à vous faire à Hampton. Par ici, presque tout le monde discute de sa famille, de ses voisins, du temps qu'il fait, ou de l'éventualité que l'équipe de foot du lycée remporte le championnat.

— Ah ouais ?

— Ça devient rasoir.

Il acquiesça.

— J'imagine…

Il finit son verre de citronnade, puis :

— Alors quelles sont les chances de l'équipe de foot cette année ?

Elle éclata de rire.

— C'est tout à fait ça ! Vous en voulez encore ? proposa-t-elle en tendant la main pour lui prendre son verre.

— Non, merci. C'est très rafraîchissant.

Elle posa le verre à côté du sien.

— C'est fait maison. Nana presse elle-même les citrons.

— J'ai remarqué qu'elle avait l'avant-bras développé comme celui de Popeye, plaisanta-t-il.

Elle passa un doigt sur le bord de son verre, tout en reconnaissant secrètement qu'elle appréciait son humour.

— On va donc se retrouver seuls, vous et moi, ce week-end, reprit-elle.

— Et Ben ?

— Il va chez son père demain. Comme un week-end sur deux.

— Ah ouais ?

— Mais il n'a pas envie d'y aller, soupira-t-elle. Il ne veut jamais y aller.

Thibault hocha la tête en observant le petit au loin.

— Vous n'avez rien à en dire ? insista-t-elle.

— Je ne vois pas trop quel commentaire je pourrais faire.

— Mais si vous deviez en faire un…

— Je dirais que Ben a probablement une bonne raison de ne pas vouloir y aller.

— Et moi, que vous êtes dans le vrai.

— Vous ne vous entendez pas avec votre ex-mari ? demanda-t-il d'un ton prudent.

— Disons qu'on est relativement en bons termes. Oh, c'est pas génial, remarquez. Mais ça peut aller. C'est Ben et

160

son père qui ne s'entendent pas super bien. Mon ex a des problèmes avec son fils. Je crois qu'il voulait un autre genre de gosse.

— Pourquoi Ben y va, alors ? répliqua-t-il en la fixant avec une intensité surprenante.

— Parce que j'ai pas le choix.

— On a toujours le choix.

— Non, pas dans ce cas, dit-elle en se penchant de côté pour cueillir un souci sous les marches. Son père a souhaité l'avoir un week-end sur deux et, si j'essayais de contester, disons que le tribunal statuerait sans doute en sa faveur. Et Ben devrait probablement passer encore plus de temps avec lui.

— Ça paraît injuste.

— Ça l'est. Mais pour l'instant je n'ai pas d'autre choix que de dire à Ben de faire contre mauvaise fortune bon cœur.

— J'ai comme l'impression que vous ne m'avez pas tout dit.

Elle rit à nouveau.

— Vous n'avez pas idée !

— Vous voulez en parler ?

— Non, pas vraiment.

Thibault dut réprimer son envie d'en savoir plus car Ben venait vers eux. Le gamin était en nage, le visage tout rouge, avec les lunettes de travers. Haletant, Zeus avançait sur ses talons.

— Hé, m'man !

— Salut, mon cœur ! Tu t'es bien amusé ?

Zeus donna des coups de langue sur la main de Thibault avant de s'écrouler à ses pieds.

— Zeus est génial ! Tu nous as vus quand on jouait à cacher la balle ?

— Bien sûr, répondit-elle en l'attirant vers elle. T'as l'air bouillant, ajouta-t-elle en lui passant la main dans les cheveux. Tu devrais boire un peu d'eau.

— C'est ce que je vais faire. Thibault et Zeus restent à dîner ?

— On n'en a pas encore discuté.

Ben rajusta ses lunettes, sans se rendre compte qu'elles étaient tordues.

— On fait des tacos, annonça-t-il à Thibault. Ils sont d'enfer ! M'man fait sa propre sauce et tout ça.

— Je suis sûr qu'ils sont délicieux, dit Thibault d'un ton neutre.

— On va en parler, OK ? reprit-elle en enlevant l'herbe du tee-shirt de Ben. Maintenant, file. Va boire un verre d'eau. Et n'oublie pas de te débarbouiller.

— Je veux jouer à cache-cache avec Zeus, pleurnicha Ben. Thibault a dit que je pouvais.

— Comme je viens de te le dire, on va parler de tout ça, insista Elizabeth.

— Zeus peut entrer dans la maison avec moi ? Il a soif, lui aussi.

— Laissons-le dehors, OK ? On va lui chercher de l'eau. Qu'est-ce qui est arrivé à tes lunettes ?

Ignorant les protestations de Ben, elle les lui retira.

— Attends, ça ne va prendre qu'une seconde, dit-elle en tordant les branches dans le bon sens, avant de les lui rendre. Voyons, essaye-les.

Ben lança de grands regards à Thibault en chaussant ses lunettes. Ce dernier fit comme si de rien n'était et préféra caresser Zeus allongé tranquillement auprès de lui. Elizabeth se pencha pour mieux y voir.

— Parfait, dit-elle.

— OK, concéda Ben.

Il monta les marches, ouvrit la porte grillagée, puis la laissa se fermer derrière lui dans un claquement. Lorsqu'il eut disparu, elle se tourna vers Thibault.

— Je lui ai fait honte.

— C'est ce que font toutes les mères.

— Merci ! ironisa-t-elle. C'est quoi, cette histoire de cache-cache avec Zeus ?

— Oh… Je lui en ai parlé quand on était au bord de l'eau. Il me demandait ce que Zeus savait faire et j'ai parlé de ce jeu. Mais on n'est pas obligés d'y jouer ce soir.

— Non, pas de problème, dit-elle en reprenant son verre de citronnade. (Elle réfléchit en faisant tourner les glaçons, avant de porter de nouveau son regard sur lui.) Ça vous dirait de rester dîner ?

Leurs regards se croisèrent.

— Ouais, accepta-t-il. Avec grand plaisir.

— Il n'y a que des tacos au menu, précisa-t-elle.

— J'ai entendu. Et merci de m'inviter. J'en ai déjà l'eau à la bouche, dit-il en se levant, le sourire aux lèvres. Mais, pour l'instant, laissez-moi abreuver mon chien. Qui doit aussi avoir faim. Ça ne vous ennuie pas si je prends une poignée de croquettes au chenil ?

— Bien sûr que non. Il y en a plein. Un gars nous a livré plusieurs sacs hier soir.

— Je me demande qui ça peut bien être.

— J'en sais trop rien. Une espèce de vagabond aux cheveux longs, je crois.

— Je pensais que c'était un vétéran diplômé de la fac.

— C'est du pareil au même. (Elle se leva à son tour en récupérant les verres.) Je vais aller voir si Ben se lave. Je vous retrouve d'ici quelques minutes.

Une fois au chenil, Thibault remplit les gamelles de Zeus avec de l'eau et des croquettes, puis s'assit sur une cage vide et attendit. Le chien prit son temps… Il but et grignota à tour de rôle, tout en observant son maître à la dérobée, comme pour lui demander : *Pourquoi tu me regardes ?* Thibault resta muet, sachant que le moindre commentaire ne ferait que le ralentir davantage.

Il en profita alors pour vérifier si les autres chiens allaient bien, même si Elizabeth lui avait dit qu'elle s'en était chargée, et s'assura qu'aucun d'entre eux ne manquait d'eau. Les gamelles étaient pleines. Les pensionnaires, pas trop agités. Parfait. Il éteignit le bureau et verrouilla la porte, avant de regagner la maison. Zeus le suivit, la truffe au ras du sol.

Arrivé à l'entrée, Thibault lui fit signe de s'allonger et de rester là, puis il ouvrit la porte grillagée.

— Ohé ?

— Entrez ! Je suis dans la cuisine !

Thibault s'exécuta et rejoignit Elizabeth. Elle avait passé un tablier et faisait revenir du bœuf haché dans une poêle. Une bouteille de bière était posée sur le plan de travail voisin.

— Où est Ben ? s'enquit-il.

— Sous la douche. Il ne devrait pas tarder.

Elle ajouta des épices et un peu d'eau dans la poêle, puis se rinça les mains. Après les avoir essuyées sur son tablier, elle s'empara de sa bouteille.

— Vous en voulez une ? Je prends toujours une bière les soirs où je fais des tacos.

— Volontiers.

Elle en sortit une du réfrigérateur et la lui tendit.

— C'est de la légère. Je n'ai rien d'autre.

— Merci.

Il s'adossa au plan de travail et balaya la pièce du regard. Par certains aspects, elle lui rappelait celle de la maison qu'il louait. Placards d'origine, évier en inox, installations anciennes et un petit coin repas niché sous une fenêtre, mais l'ensemble était en meilleur état, avec ici et là des petites touches féminines. Des fleurs dans un vase, une coupe remplie de fruits, de jolis rideaux aux fenêtres. Une pièce accueillante, en somme.

Elizabeth rouvrit le réfrigérateur et en sortit une laitue, des tomates et un morceau de cheddar, qu'elle posa sur le plan de travail. Elle y ajouta des poivrons verts et des oignons, puis apporta le tout sur la planche à découper. Elle s'empara d'un couteau et d'une râpe à fromage, puis se mit à trancher les oignons d'un geste fluide et adroit.

— Besoin d'un coup de main ?

Elle lui adressa un regard sceptique.

— Ne me dites pas qu'en plus du dressage de chiens, de la mécanique et du violon, vous êtes aussi un cordon-bleu ?

— Je n'irais pas jusque-là. Mais la cuisine ne me fait pas peur. Je me prépare à dîner tous les soirs.

— Allons bon… Et qu'avez-vous fait hier soir ?

— Sandwich à la dinde au pain complet. Avec un cornichon.

— Et la veille ?

— Sandwich à la dinde au pain complet. Sans cornichon !

Elle gloussa.

— Quand avez-vous réellement cuisiné pour la dernière fois ?

Il fit mine de se creuser la cervelle.

— Euh… Lundi. Saucisses aux haricots.

Elle prit un air faussement amusé.

— Au temps pour moi. Et sinon, vous savez jouer de la râpe à fromage ?

— Je me considère comme virtuose en la matière.

— OK. Il y a un saladier dans le placard là-bas, sous le

mixeur. Et inutile de râper le morceau entier. Ben prend en général deux tacos et moi, un seul. Le reste sera pour vous.

Thibault posa sa bière et alla chercher le saladier, avant de se laver les mains et d'ôter l'emballage du fromage. Tout en s'affairant, il observait son hôtesse du coin de l'œil. Celle-ci ayant terminé avec les oignons, elle s'attaqua aux poivrons. Vinrent ensuite les tomates. Elle maniait le couteau avec une précision et une rapidité inouïes.

— Vous travaillez drôlement vite.

Elle répondit sans perdre son rythme :

— À une certaine époque, je rêvais d'ouvrir un restaurant.

— C'était quand ?

— J'avais quinze ans. Pour mon anniversaire, j'ai même demandé un couteau Ginsu.

— Celui dont on voit la pub au télé-achat, tard le soir ? Avec l'animateur qui l'utilise pour découper une boîte de conserve ?

Elle hocha la tête.

— Exact.

— Et on vous l'a offert ?

— C'est celui dont je me sers en ce moment.

Il sourit.

— Je n'ai jamais connu quelqu'un qui admette en avoir acheté un.

— Maintenant si ! répliqua-t-elle en lui décochant un regard. Je rêvais donc d'ouvrir un établissement prestigieux à Charleston ou Savannah, d'écrire des livres de cuisine et d'avoir ma propre émission de télé. Complètement dingue, je sais. Mais en tout cas, j'ai passé l'été à m'entraîner à couper en dés tout ce qui me tombait sous la main, le plus vite possible, jusqu'à ce que je puisse rivaliser avec le gars de la pub. Les boîtes Tupperware étaient remplies de légumes tranchés par mes soins : courgettes, carottes, citrouilles que j'avais cueillies au jardin. Ça rendait Nana folle, car ça voulait dire qu'on devrait manger du ragoût estival presque tous les jours.

— C'est quoi, du « ragoût estival » ?

— Tout ce qui peut être mélangé puis servir d'accompagnement à des pâtes ou du riz.

Il sourit en mettant de côté le fromage qu'il avait râpé.

— Et qu'est-ce qui s'est passé, alors ?

— À la fin de l'été, on s'est retrouvés à court de légumes.

— Ah... fit-il en se demandant comment une femme pouvait être aussi jolie en tablier.

— OK, dit-elle en sortant une casserole de dessous la cuisinière, je vais m'atteler à la *salsa*.

Elle versa une grosse boîte de sauce tomate, ajouta les oignons et les poivrons, une goutte de Tabasco, sans oublier le sel et le poivre. Elle remua le tout et mit à chauffer à feu doux.

— Votre propre recette ?

— Celle de Nana. Ben n'aime pas les trucs trop épicés, alors elle a concocté ça.

— Qu'est-ce que je peux faire d'autre ? proposa Thibault en remballant le fromage restant.

— Pas grand-chose. Je n'ai plus qu'à effeuiller la laitue, et c'est bon. Ah... et puis aussi mettre les tacos au four. Je vais laisser mijoter la viande et la sauce.

— Et si je m'occupais des tacos ?

Elle lui tendit une tôle à biscuits et alluma le four.

— Vous les éparpillez un peu. Trois pour nous, et autant que vous le souhaitez pour vous. Mais ne les enfournez pas tout de suite. On a encore quelques minutes devant nous. Ben les aime à peine sortis du four.

Thibault obtempéra, et elle finit de préparer sa laitue.

167

Elle posa trois assiettes sur le plan de travail, puis reprit sa bière et désigna la porte.

— Venez voir derrière. J'ai quelque chose à vous montrer.

Thibault la suivit, puis s'arrêta net en découvrant le patio. Une haie entourait toute une série de chemins pavés qui serpentaient parmi des cornouillers en pot ; au centre du jardin trônait une fontaine à trois niveaux qui alimentait un grand bassin à koïs[1].

— Waouh ! s'exclama-t-il. C'est fabuleux !

— Et vous ne l'auriez jamais deviné, pas vrai ? C'est assez spectaculaire, mais vous devriez voir la terrasse au printemps. Chaque année, Nana et moi plantons des milliers de tulipes, de jonquilles et de lys, et l'ensemble commence à éclore juste après les azalées et les cornouillers. De mars à juillet, ce jardin est l'un des plus beaux endroits au monde. Et de l'autre côté ? Derrière cette haie plus basse ? ajouta-t-elle en pointant l'index sur la droite. C'est notre illustre jardin potager et d'herbes aromatiques.

— Nana ne m'a jamais dit qu'elle jardinait.

— Ça ne risquait pas. C'était son domaine réservé avec mon grand-père, leur petit secret, si vous préférez. Comme le chenil se trouve tout près, ils voulaient faire de ce coin une espèce d'oasis, où ils pouvaient échapper aux soucis de gestion, aux chiens et aux maîtres… Et même à leurs employés. Bien sûr, d'abord avec Drake, et ensuite avec Ben, on est venus donner un coup de main, mais dans l'ensemble mes grands-parents s'en occupaient. Ce fut le seul projet dans lequel Papy excellait vraiment. Après sa mort, Nana a décidé de le conserver en sa mémoire.

— C'est incroyable, reprit Thibault.

---

1. Carpes japonaises d'ornement.

— C'est fou, hein ? Il n'était pas si grand quand on était gamins. Sauf pour y planter des bulbes, on n'avait pas le droit de venir jouer ici. Toutes nos fêtes d'anniversaire se déroulaient sur la pelouse de devant, qui sépare la maison du chenil. Ce qui voulait dire que deux jours avant, on devait ramasser toutes les crottes de chien pour que personne n'y mette les pieds par mégarde.

— Sinon vos fêtes auraient tourné court, j'imagine…

— Ohé ! cria une voix dans la cuisine. Où vous êtes, tous les deux ?

Elizabeth se tourna au son de la voix de Ben.

— Par ici, mon cœur ! Je montre l'arrière-cour à M. Thibault.

Ben apparut, vêtu d'un tee-shirt noir et d'un pantalon à imprimé camouflage.

— Où est Zeus ? Je suis prêt pour jouer à cache-cache.

— On va d'abord dîner. Tu joueras après.

— M'man…

— Ce sera mieux quand il fera nuit, de toute manière, intervint Thibault. Comme ça, tu pourras vraiment te cacher. Et pour Zeus, ce sera aussi plus marrant.

— Et d'ici là, vous voulez faire quoi ?

— Nana m'a dit que tu jouais aux échecs.

Ben parut sceptique.

— Vous savez y jouer ?

— Peut-être pas aussi bien que toi, mais je me débrouille.

— OK… Et Zeus, il est où, au fait ?

— Sur la véranda de devant.

— Je peux aller jouer avec lui ?

— Tu mets d'abord le couvert, répliqua Elizabeth. Et tu ne joues que deux ou trois minutes. Le dîner est presque prêt.

— OK, dit-il en tournant les talons. Merci.

169

Comme le gamin détalait, elle contourna Thibault en se penchant et lui cria :

— N'oublie pas de mettre la table !

Ben s'arrêta net. Il ouvrit un tiroir, sortit les couverts, qu'il disposa comme s'il distribuait des cartes à Las Vegas, avant de poser les assiettes préparées par sa mère. L'opération lui prit une dizaine de secondes — et la table ainsi dressée en témoignait —, puis il disparut. Elizabeth secoua la tête d'un air épaté.

— Jusqu'à l'arrivée de Zeus, Ben était un gosse paisible, facile à vivre après l'école. Il lisait et étudiait, et à présent il n'a qu'une envie, c'est d'aller faire le fou avec votre chien.

Thibault eut une grimace coupable.

— Désolé.

— Ne le soyez pas. Croyez-moi, j'aime bien avoir un peu de... tranquillité, comme n'importe quelle mère, mais c'est agréable de le voir déborder d'énergie.

— Pourquoi ne pas lui offrir son propre chien ?

— Je le ferai. En temps voulu. Une fois que je verrai comment ça se passe avec Nana. (Elle but une gorgée de bière et désigna la maison d'un hochement de menton.) Allons voir où en est notre repas. Le four doit être assez chaud, à mon avis.

De retour à l'intérieur, Elizabeth enfourna les tacos, puis remua la viande et la sauce, avant de verser chacune dans un saladier. Tandis qu'elle les apportait à table avec des serviettes en papier, Thibault redressa couverts et assiettes, puis s'empara du fromage râpé, de la laitue et des tomates. Comme elle posait sa bière, il fut de nouveau frappé par sa beauté naturelle.

— Vous voulez bien appeler Ben ou je m'en charge ?

Il détourna les yeux à contrecœur.

— J'y vais, dit-il.

170

Assis sur la véranda, Ben caressait un Zeus pantelant de la tête à la queue.

— Tu l'as fatigué, observa Thibault.

— Je cours drôlement vite, admit Ben.

— Tu viens ? Le dîner est prêt.

Ben se leva et Zeus redressa la tête.

— Reste ici, ordonna Thibault.

Les oreilles du chien s'abaissèrent comme si on le punissait. Mais il reposa la tête par terre quand Ben et Thibault entrèrent dans la maison.

Elizabeth était déjà attablée. Sitôt Thibault et le petit installés, ce dernier remplit son taco de viande hachée.

— J'ai envie d'en savoir plus sur votre randonnée à travers le pays, commença-t-elle.

— Moi aussi, renchérit Ben en se versant de la sauce.

Thibault prit sa serviette et la déposa sur ses genoux.

— Qu'est-ce que vous aimeriez savoir ?

Elizabeth déplia la sienne d'un geste théâtral.

— Pourquoi ne pas commencer par le début ?

L'espace d'un instant, Thibault songea à la vérité… à savoir que tout avait commencé par une photo trouvée dans le désert du Koweït. Mais il ne pouvait pas leur en parler. Il préféra donc commencer par cette froide matinée de mars où il avait mis son sac en bandoulière et pris la route. Il leur décrivit tout ce qu'il avait vu – en prenant soin de détailler les animaux pour Ben – et s'attarda sur certains personnages pittoresques qu'il avait rencontrés. Elizabeth parut se rendre compte qu'il avait peu l'habitude de parler autant de lui, aussi le relançait-elle en lui posant des questions quand il semblait à court d'anecdotes. Dès lors, elle l'interrogea davantage sur ses études universitaires et fut attendrie de voir Ben découvrir que l'homme assis à leur table avait *réellement déterré de vrais squelettes*. Ben posa quelques questions de son cru.

— T'as des frères et sœurs ?

— Non.

— T'as pratiqué des sports ?

— Ouais, mais j'étais moyen, j'avais pas l'étoffe d'un champion.

— C'est laquelle, ton équipe de foot préférée ?

— Les Broncos de Denver, bien sûr !

Ben et Thibault discutèrent entre eux, sous l'œil à la fois amusé et attendri d'Elizabeth.

À mesure que la soirée s'avançait, la lumière du jour déclinait, et la cuisine se retrouva peu à peu dans la pénombre. Ils achevèrent leur repas et, après s'être excusé, Ben rejoignit Zeus sur la véranda. Thibault aida Elizabeth à débarrasser et à remplir le lave-vaisselle. Brisant sa propre règle, Elizabeth décapsula une deuxième bière et en offrit une autre à Thibault, puis ils sortirent pour échapper à la chaleur de la cuisine.

À l'extérieur, l'air se révélait nettement plus frais et la brise agitait les feuillages. Ben et Zeus jouaient encore, et l'atmosphère résonnait des éclats de rire du petit. Appuyée à la balustrade, Elizabeth observait son fils, et Thibault dut se faire violence pour ne pas se tourner dans sa direction. Ni lui ni elle n'éprouvaient le besoin de parler, et Thibault prit une longue gorgée de bière en se demandant où tout cela allait bien pouvoir le mener.

– 12 –

Beth

La nuit tombait et Beth observait Logan, qui gardait les yeux rivés sur l'échiquier. *Je l'aime bien*, songea-t-elle. À l'instant où cette pensée lui traversa l'esprit, elle lui parut à la fois surprenante et tout à fait naturelle.

Installés avec elle sur la véranda donnant sur l'arrière-cour, Ben et Logan en étaient à leur deuxième partie d'échecs, et Logan prenait son temps avant de jouer le coup suivant. Ben avait gagné la première manche haut la main, et elle put alors voir la surprise s'afficher sur le visage de Logan. Il se montra fair-play et demanda même à Ben de lui expliquer ses erreurs. Ils avaient donc remis les pièces en position, et Ben lui montra la série de fautes commises d'abord avec sa tour, puis avec sa reine et son cavalier.

– Tu m'épates, dis donc, s'exclama Logan en souriant au gamin. Bravo !

Beth préférait ne pas imaginer la réaction de Keith s'il avait perdu. Elle n'avait même pas à le faire, du reste. Deux ans plus tôt, son ex et le petit avait joué aux échecs, et quand Ben avait gagné, Keith avait renversé l'échiquier avant de s'en aller, fou de rage. Quelques minutes plus tard, alors que Ben ramassait encore les pièces ayant glissé sous les meubles, Keith était revenu et, plutôt que de s'excuser, il avait déclaré que jouer aux échecs était une perte de temps et que Ben ferait mieux d'étudier ou d'aller s'entraîner avec sa batte de base-ball, car il « frappait aussi bien qu'un aveugle ».

Certains jours, elle aurait volontiers étranglé cet homme !

Avec Logan, en revanche, tout se déroulait différemment. Elle constata qu'il se trouvait de nouveau en difficulté. Il suffisait de voir la manière dont il fixait l'échiquier. Certes, les subtilités qui séparaient le bon joueur du vrai champion la dépassaient, mais chaque fois que Ben étudiait davantage son adversaire que ses pièces, elle savait que la fin de la partie s'annonçait, même si, en l'occurrence, Logan ne paraissait pas s'en rendre compte.

Ce qui lui plaisait le plus dans la scène se déroulant sous ses yeux, c'était qu'en dépit de la concentration requise, Logan et Ben se débrouillaient pour… *discuter*. Au sujet de l'école et des profs de Ben, du comportement de Zeus quand il était plus jeune, et, comme Logan avait l'air sincèrement intéressé, Ben fit certaines révélations surprenantes… À savoir qu'un gamin de sa classe lui avait volé son déjeuner deux ou trois fois et que Ben craquait pour une dénommée Cici. Logan ne lui prodigua aucun conseil et préféra demander au petit ce qu'il avait l'intention de faire. Beth savait par expérience que la plupart des hommes se croyaient obligés de formuler une opinion dès lors qu'on leur confiait un problème, alors qu'on attendait simplement d'eux qu'ils vous *écoutent*.

La réticence naturelle de Logan semblait en revanche donner à Ben la possibilité de s'exprimer. À l'évidence, Logan était tout à fait à l'aise avec son image. Il n'essayait pas d'impressionner le gosse, ou de l'impressionner *elle* en lui montrant combien il s'entendait à merveille avec son fils.

Même en fréquentant des hommes par intermittence, Beth avait découvert au fil des années que la plupart de ses prétendants niaient quasiment l'existence de Ben et lui adressaient à peine la parole, ou bien ils en faisaient des tonnes pour prouver leur affection envers le gamin. Très tôt, Ben avait su voir clair dans leur jeu dès la première rencontre ou presque. Elle aussi, d'ailleurs, et ça lui suffisait en général pour couper court à la relation. Enfin… quand ce n'étaient pas *eux* qui y mettaient un terme.

Manifestement, Ben aimait passer du temps avec Logan et, qui plus est, Beth avait le sentiment que Logan se plaisait en la compagnie de son fils. Pour l'heure, il continuait à fixer l'échiquier en silence, son doigt s'attardant un instant sur un cavalier avant de le déplacer sur un pion. Ben eut un haussement de sourcils à peine perceptible. Elle ignorait si Ben jugeait correct ou non le coup envisagé par Logan, mais ce dernier se décida et avança son pion.

Ben réagit presque aussitôt, ce qui, selon elle, était mauvais signe pour Logan. Quelques minutes plus tard, celui-ci eut l'air de se dire que, quoi qu'il puisse faire, il se retrouvait coincé. Il secoua la tête en disant :

— Tu m'as bien eu.

— Ouais ! confirma Ben.

— Pourtant je croyais mieux jouer.

— C'était mieux, en effet, admit Ben.

— Jusqu'à ?

— Jusqu'à ton deuxième coup.

Logan éclata de rire.

— C'est de l'humour de joueur d'échecs ?

— On a plein de blagues comme ça, reprit Ben, visiblement fier de lui. Il fait assez sombre ? ajouta-t-il en désignant le jardin.

— Ouais, je pense. T'es prêt à jouer, Zeus ?

175

Le chien dressa les oreilles et pencha la tête de côté lorsque Logan et Ben se levèrent, puis il se remit sur ses pattes.

— Tu viens, m'man ?

— Je te suis, dit Beth en se levant à son tour.

Ils se frayèrent un chemin dans la pénombre pour rejoindre la véranda de devant. Beth s'arrêta sur les marches du perron.

— Je devrais peut-être aller chercher une lampe électrique.

— C'est de la triche ! protesta le gamin.

— Pas pour le chien. C'est pour éviter que tu te perdes.

— Il ne va pas se perdre, lui assura Logan. Zeus va le retrouver.

— Facile à dire. On voit que c'est pas votre fils.

— T'en fais pas pour moi, m'man, ajouta Ben.

Elle les regarda à tour de rôle, puis secoua la tête. Elle n'était pas franchement à l'aise, mais Logan n'avait pas l'air de s'inquiéter.

— OK, soupira-t-elle. J'en veux une pour moi, alors. Si ça ne pose pas de problème…

— OK, accepta Ben. Qu'est-ce que je fais ?

— Tu vas te cacher, répondit Logan. Et j'envoie Zeus te rechercher.

— Je peux aller n'importe où ?

— Pourquoi ne pas aller te cacher par là-bas ? suggéra Logan en désignant un coin boisé à l'ouest du ruisseau, de l'autre côté de l'allée, face au chenil. Je ne veux pas que tu glisses par mégarde dans l'eau. Et puis ton odeur imprégnera encore cet endroit. Souviens-toi que vous jouiez là-bas avant le dîner. Attention… dès que Zeus te retrouve, tu sors de ta cachette et tu le suis, c'est compris ? Comme ça, tu ne risques pas de te perdre.

Ben se tourna vers le bosquet.

176

– OK. Comment je peux savoir s'il me regarde pas ?

– Je vais le faire entrer et je compterai jusqu'à cent avant de le lâcher.

– Et tu l'empêcheras de m'espionner ?

– Promis, répondit Logan avant de focaliser son attention sur le chien. Viens, lui dit-il. (Il s'approcha de la porte et l'ouvrit, puis se tourna vers Beth.) Je peux ?

– Aucun souci, répondit-elle dans un hochement de tête.

Logan fit signe à Zeus d'entrer et lui ordonna de se coucher, puis referma la porte.

– OK, t'es prêt ?

Ben partit à petites foulées vers le bois, tandis que Logan se mettait à compter à voix haute. À mi-chemin, le gosse lui cria :

– Compte moins vite !

Sa silhouette s'évanouit petit à petit dans l'obscurité et disparut avant même d'atteindre les arbres.

Beth croisa les bras.

– Je dois avouer que tout ça m'inquiète un peu.

– Pourquoi ?

– Mon fils part se cacher dans ce bosquet en pleine nuit. Il y a de quoi s'inquiéter, non ?

– Il n'y a rien à craindre. Zeus va le retrouver en deux ou trois minutes. Dans le pire des cas.

– Vous avez une confiance excessive en votre chien.

Logan sourit, tandis qu'ils se tenaient tous deux sur la véranda et profitaient de la soirée. Encore tiède et humide, l'air était moins étouffant et exhalait des effluves de chêne, de pin et de terre… Une odeur qui rappelait chaque fois à Beth l'aspect immuable de cet endroit, en dépit des éventuels changements du monde extérieur.

Elle s'était rendu compte que Logan l'avait observée toute la soirée, tout en s'escrimant à ne pas la fixer… Et

177

elle savait qu'elle avait agi à l'identique. Beth réalisait qu'elle aimait la sensation que lui procurait l'intensité de son regard. L'idée qu'il puisse la trouver séduisante l'enchantait, mais elle appréciait aussi le fait que cette attirance n'avait rien à voir avec le désir quasi animal des autres hommes qui posaient leurs yeux sur elle. Au contraire, Logan paraissait se satisfaire du simple plaisir de sa compagnie, et bizarrement c'était exactement ce dont elle avait besoin.

— Je suis contente que vous soyez resté dîner, déclara-t-elle, ne trouvant rien de plus original pour lui exprimer sa gratitude. Ben se régale.

— Je passe moi aussi un bon moment.

— Vous avez été tellement sympa avec lui. En jouant aux échecs, je veux dire.

— Ça n'a rien d'extraordinaire.

— Pour vous...

— On est encore en train de parler de votre ex ? hésita-t-il.

— Je cache si mal mon jeu ? dit-elle en s'adossant à un montant de la véranda. Mais vous avez raison. Je parle de mon ex. Cet abruti.

Il s'appuya au montant opposé, de l'autre côté des marches, et se retrouva face à elle.

— Et donc ?

— Eh bien, j'aimerais juste que ça puisse se passer autrement avec lui.

Il hésita encore, et elle comprit qu'il se demandait s'il devait ou non poursuivre. Tout compte fait, il préféra s'abstenir.

— Vous ne l'aimeriez pas, reprit-elle. En fait, je ne pense pas qu'il vous apprécierait non plus.

— Ah bon ?

— Non. Et vous pouvez vous estimer heureux. Vous ne perdez rien, croyez-moi.

Il la regarda droit dans les yeux sans dire un mot. Elle supposa qu'il devait se rappeler la manière dont elle avait évité le sujet à une autre occasion. Elle écarta des mèches qui lui retombaient sur le front, tout en hésitant à son tour.

— Vous voulez en savoir plus ?

— Uniquement si vous avez envie d'en parler.

Ses pensées la replongèrent alors dans le passé, tandis qu'elle soupirait.

— Oh, c'est une histoire vieille comme le monde… J'étais une élève de terminale un peu ringarde, il avait deux ans de plus que moi, mais on fréquentait la même église depuis toujours, alors je le connaissais par cœur. On a commencé à sortir ensemble avant que je passe mon diplôme. Il vient d'une famille aisée et sortait toujours avec les filles ayant le plus de succès auprès des garçons, et j'ai dû me prendre au jeu, j'imagine. Je n'ai pas voulu voir des problèmes qui sautaient aux yeux, j'ai trouvé des prétextes pour les autres, et de fil en aiguille je me suis retrouvée enceinte. D'un seul coup, ma vie a… basculé, vous voyez ? Plus question d'aller à la fac à la rentrée. Je ne savais même pas ce que c'était que d'être mère, alors encore moins mère célibataire. Je m'attendais à tout sauf à ce qu'il me demande en mariage. Mais c'est pourtant ce qu'il a fait… allez savoir pourquoi. J'ai dit oui, et même si je souhaitais me persuader que tout se passerait bien et que j'aie tout fait pour convaincre Nana que j'agissais en parfaite connaissance de cause, je pense qu'on savait lui et moi qu'on commettait une erreur avant même que l'encre ait le temps de sécher sur le certificat de mariage. On n'avait quasiment rien en commun. Bref, on se disputait en permanence… et on a fini par se séparer peu après la naissance de Ben. J'étais complètement perdue à l'époque.

— Mais ça ne vous a pas empêché…

— De faire quoi ?

— De faire des études, puis de devenir institutrice. Et de vivre votre vie de mère célibataire, dit-il en souriant à belles dents. Et de vous en sortir.

— Avec l'aide de Nana, précisa-t-elle en lui rendant son sourire.

— Peu importe. (Il croisa les jambes, tout en faisant mine de l'étudier, et ajouta, narquois :) Alors, comme ça, vous étiez ringarde ?

— Au lycée ? Oh oui, une vraie cruche.

— J'ai du mal à le croire.

— Croyez ce que vous voulez…

— Et à la fac, comment vous vous organisiez ?

— Avec Ben ? Oh, c'était pas facile. Mais j'avais déjà réussi des exams de niveau supérieur dans certaines options, et obtenu des équivalences qui m'ont donné un peu d'avance. Ensuite, j'ai suivi des cours au centre universitaire de premier cycle, alors que Ben était encore dans ses couches. Je m'y rendais deux ou trois jours par semaine, pendant que Nana s'occupait de lui, puis je rentrais étudier chez moi tout en pouponnant. Idem quand je me suis inscrite à l'université de Caroline du Nord à Wilmington, qui ne se trouvait pas trop loin pour que je puisse faire l'aller-retour dans la journée. J'ai mis six ans pour avoir mon diplôme et mon certificat d'enseignante, car je ne voulais pas abuser de Nana et donner à mon ex-mari le moindre prétexte pour obtenir la garde exclusive de Ben. Et, à l'époque, il aurait très bien pu tenter le coup, ne serait-ce que parce qu'il en avait tout à fait la possibilité.

— Il m'a l'air charmant, cet homme.

— C'est peu de le dire, grimaça-t-elle.

— Vous voulez que je lui casse la gueule ?

Elle éclata de rire.

— C'est marrant, à une certaine période j'aurais accepté, mais plus maintenant. Il est juste… immature. Il croit que toutes les femmes qu'il rencontre sont folles de lui, prend la mouche pour des détails futiles et accuse les autres quand les choses ne vont pas comme il veut. Il a trente et un ans mais dix-sept dans sa tête, si vous voyez ce que je veux dire. (Elle s'était tournée, mais sentait le regard de Logan posé sur elle.) À présent, assez parlé de lui. Parlez-moi plutôt de vous.

— C'est-à-dire ?

— Peu importe. J'en sais rien. Pourquoi vous êtes-vous spécialisé en anthropologie ?

Il réfléchit à la question.

— La personnalité, j'imagine…

— Comment ça ?

— Je savais que j'avais pas envie de me spécialiser dans des disciplines concrètes comme la gestion ou le génie civil et, vers la fin de ma première année, je me suis mis à fréquenter des étudiants ayant choisi des matières classiques. Les plus intéressants étaient ceux ayant opté pour l'anthropologie. Et j'avais envie d'être intéressant.

— Vous plaisantez ?

— Pas du tout. C'est en tout cas ce qui m'a poussé à suivre les premier cours d'initiation. Ensuite, je me suis rendu compte que l'anthropologie mêlait de façon géniale l'histoire, la formulation d'hypothèses et les énigmes… tout ce qui m'attirait. Je suis devenu accro.

— Et les soirées étudiantes ?

— Pas mon truc.

— Les matches de foot ?

– Non plus.

– Vous ne vous êtes jamais dit que vous aviez raté tout ce qui est censé faire la vie d'un étudiant ?

– Non.

– Moi non plus, approuva-t-elle. Pas après avoir eu Ben, en tout cas.

Il acquiesça, puis désigna le bosquet.

– Hmm… vous pensez qu'on devrait envoyer Zeus à la recherche de Ben maintenant ?

– Oh mon Dieu ! s'écria-t-elle un peu paniquée. Oui, bien sûr ! Il peut le retrouver, non ? Ça fait combien de temps ?

– Oh, cinq minutes à tout casser. Laissez-moi récupérer Zeus. Et ne paniquez pas. Ça ne va pas traîner.

Logan alla ouvrir la porte. Zeus sortit en trottinant et en frétillant de la queue, puis descendit tranquillement les marches. Il leva aussitôt la patte sur le côté de la véranda, puis remonta pour rejoindre Logan.

– Où est Ben ? lui demanda-t-il.

Zeus dressa l'oreille. Logan pointa l'index dans la direction que le gamin avait prise.

– Va chercher Ben !

Le chien s'éloigna et se mit à trotter en décrivant de grands arcs de cercle, le museau au ras du sol. Dans les secondes qui suivirent, il flaira la piste et disparut dans le noir.

– On doit le suivre ? s'enquit Beth.

– Vous préférez ?

– Oui.

– Alors, allons-y.

Ils parvinrent à peine au premier arbre qu'ils entendaient déjà Zeus aboyer joyeusement. Juste après, Ben poussa un cri de joie. Lorsqu'elle se tourna vers Logan, il haussa simplement les épaules.

— Vous ne m'avez pas menti... Ça a duré quoi ? Deux minutes ?

— C'était pas très dur pour lui. Je savais que Ben ne s'éloignerait pas trop.

— Quelle est la piste la plus longue qu'il ait jamais suivie ?

— Il a suivi un cerf à la trace sur... je sais pas... une douzaine de kilomètres, disons. Il aurait pu continuer, mais la piste s'interrompait sur une clôture. C'était dans le Tennessee.

— Pourquoi avoir traqué ce cerf ?

— Pour s'entraîner. C'est un chien intelligent. Il aime apprendre et mettre ses connaissances en pratique. (Au même moment, Zeus surgit du bosquet à pas feutrés, Ben marchant dans son sillage.) Voilà pourquoi c'est tout aussi amusant pour lui que pour Ben.

— C'était génial ! s'exclama le petit. Il est venu droit vers moi. Je faisais aucun bruit !

— Tu veux recommencer ? proposa Logan.

— Je peux ? implora Ben.

— Si ta maman est d'accord.

Ben se tourna vers sa mère, qui leva les mains d'un air vaincu.

— C'est bon, vas-y.

— OK, ramenez-le à la maison. Et moi, je vais drôlement bien me cacher cette fois-ci, déclara Ben.

— Entendu, dit Logan.

La deuxième fois, Zeus le retrouva dans un arbre. La troisième, alors que Ben était revenu sur ses pas dans le but de brouiller la piste, Zeus le dénicha à quatre cents mètres de là, dans sa cabane près du ruisseau. Cette dernière cachette n'enchanta guère Beth : la passerelle et la plate-forme branlantes semblaient encore plus dangereuses la nuit, mais Ben accusait alors une certaine fatigue et semblait prêt à déclarer forfait, de toute manière.

Logan revint avec l'enfant et le chien à la maison. Après avoir dit au revoir à un Ben épuisé, il se tourna vers Beth et s'éclaircit la voix.

— Je tiens à vous remercier pour cette super soirée, mais je crois que je ferais bien de rentrer, dit-il.

Même s'il n'était pas loin de dix heures, une partie d'elle-même ne souhaitait pas le voir s'en aller tout de suite.

— Je vous dépose ? proposa-t-elle. Ben sera endormi d'ici deux minutes et je serais ravie de vous raccompagner en voiture.

— J'apprécie l'offre, mais on va se débrouiller. J'aime la marche.

— Je sais. Je ne sais pas grand-chose d'autre, mais ça, je l'ai retenu, dit-elle en souriant. Je vous vois demain, OK ?

— Je serai là à sept heures.

— Je peux nourrir les chiens si vous voulez venir un peu plus tard.

— Aucun problème. Et puis j'aimerais voir le petit avant son départ. Je suis sûr que Zeus aussi. Le pauvre risque de ne pas savoir quoi faire, sans Ben pour lui courir après.

— Entendu, alors…

Elle serra les bras autour d'elle, soudain déçue à l'idée que Logan s'en aille.

— Vous ne voyez pas d'inconvénient à ce que j'emprunte la camionnette demain ? J'ai besoin de faire un saut en ville pour acheter deux ou trois trucs, afin de réparer les freins. Sinon, je peux y aller à pied.

Elle sourit.

— Ouais, je sais. Mais ça ne pose aucun problème. Je dois aller déposer Ben et faire quelques courses, mais si je ne vous vois pas, je laisserai les clés sous le tapis, côté conducteur.

— Parfait, dit-il en la regardant droit dans les yeux. Bonne nuit, Elizabeth.

— Bonne nuit, Logan.

Dès qu'il fut parti, Beth passa voir Ben et l'embrassa une dernière fois sur la joue, avant de rejoindre sa propre chambre. Tout en se déshabillant, elle se repassa la soirée dans sa tête et médita sur le mystérieux Logan Thibault.

Il se révélait différent de tous les hommes qu'elle avait rencontrés, songea-t-elle, puis elle se reprocha aussitôt après son manque de subtilité. Bien sûr qu'il était différent, se dit-elle. C'était comme si elle le découvrait. Elle n'avait pas passé énormément de temps avec lui auparavant. Malgré tout, elle se jugeait assez mûre pour reconnaître la vérité quand celle-ci lui sautait aux yeux.

Logan était *vraiment* différent. Dieu sait que Keith n'avait rien à voir avec lui. Tout comme les autres hommes qu'elle avait fréquentés depuis le divorce, en fait. La plupart d'entre eux s'étaient révélés assez faciles à percer à jour ; aussi courtois et charmants, ou rustres et peu raffinés qu'ils puissent être, tous leurs efforts visaient uniquement à la mettre dans leur lit. « La niaiserie masculine », comme dirait Nana. Et Beth savait que sa grand-mère disait juste.

Mais pour en revenir à Logan… c'était là tout le problème. Beth n'avait aucune idée de ce qu'il attendait d'elle. Beth savait qu'il la trouvait attirante et donnait l'impression d'apprécier sa compagnie. Mais cela dit, elle ignorait totalement ses intentions, dans la mesure où il se plaisait aussi en la compagnie de Ben. En un sens, il la traitait comme un certain nombre des hommes mariés qu'elle connaissait : *Tu es jolie et intéressante, mais je suis déjà pris.*

L'idée lui vint alors que c'était peut-être le cas. Il avait peut-être une petite amie dans le Colorado, ou venait de rompre avec l'amour de sa vie et n'avait pas encore tourné la page. Après réflexion, elle réalisa que, s'il avait sans doute décrit tout ce qu'il avait fait et vu pendant sa randonnée à travers le pays, elle ignorait toujours la raison l'ayant poussé à entreprendre ce périple ou celle qui l'avait décidé à y mettre un terme en s'arrêtant à Hampton. Son histoire relevait davantage du secret que de l'énigme... ce qui n'en demeurait pas moins étrange. Si elle avait appris une chose sur les hommes, c'était qu'ils aimaient parler d'eux-mêmes ; de leur travail, de leur passe-temps, de leurs exploits passés, ou de leurs motivations. Logan ne faisait rien de tout ça. Assez déroutant.

Elle secoua la tête en songeant qu'elle se faisait un peu trop de cinéma. Ce n'était pas comme s'ils avaient eu un rendez-vous galant, après tout. Ça ressemblait plus à une soirée amicale... Des tacos, une partie d'échecs, et le plaisir de la conversation. Une réunion familiale, en somme.

Elle enfila son pyjama et prit un magazine sur sa table de chevet, qu'elle feuilleta d'un air distrait, avant d'éteindre. Mais une fois les yeux fermés, elle revoyait sans cesse le petit sourire en coin de Logan chaque fois qu'elle disait quelque chose qu'il trouvait drôle, ou la manière dont il tricotait des sourcils lorsqu'il se concentrait sur une tâche. Pendant un petit moment, elle ne cessa de se tourner et de se retourner dans son lit, incapable de trouver le sommeil, tout en se disant que peut-être... peut-être seulement... Logan ne dormait toujours pas et pensait à elle, lui aussi.

Thibault

Thibault regardait Victor lancer sa ligne dans les eaux froides du Minnesota. C'était un samedi matin sans la moindre brise, le lac reflétant le ciel sans nuages. Ils s'étaient mis en route de bonne heure, pour pêcher avant que le plan d'eau ne soit encombré de Jet-Ski et de hors-bord. Leurs vacances s'achevaient ce jour-là ; le lendemain, tous deux reprendraient l'avion. Pour leur dernière soirée, ils avaient prévu de dîner dans un gril, réputé comme le meilleur de la région.

– Je pense que tu vas pouvoir retrouver cette femme, annonça Victor sans préambule.

Thibault rembobinait sa ligne.

– Qui ça ?

– Celle de la photo qui te porte chance.

Thibault lorgna son ami du coin de l'œil.

– Mais de quoi tu parles ?

– Quand tu te lanceras à sa recherche, je pense que tu pourras la retrouver.

Thibault examina son hameçon avec soin, puis relança sa ligne.

– Je ne vais pas la chercher.

– C'est ce que tu dis pour l'instant. Mais tu le feras.

Thibault secoua la tête.

– Pas du tout. Et même si je le voulais, c'est impossible.

– Tu trouveras bien un moyen, rétorqua Victor, pétri d'une certitude inébranlable.

Thibault dévisagea son ami.

– Je me demande même pourquoi on en discute.

– Parce que c'est pas fini, pardi.

– Crois-moi, c'est terminé.

– Je sais que tu le penses. Mais tu te trompes.

Thibault savait de longue date qu'une fois Victor lancé sur un sujet il n'en démordait pas jusqu'à ce qu'il obtienne gain de cause. Comme Thibault ne souhaitait pas passer ainsi leur dernière journée, il se dit qu'il ferait peut-être mieux d'enterrer cette histoire une bonne fois pour toutes.

– OK, soupira-t-il. Alors pourquoi c'est pas fini ?

– Parce que c'est déséquilibré, répondit Victor dans un haussement d'épaules.

– C'est déséquilibré, répéta Thibault d'une voix monocorde.

– Oui. C'est tout à fait ça. Tu vois ?

– Non.

Victor étouffa un grognement devant autant de stupidité.

– C'est comme si quelqu'un venait poser un toit sur ta maison. Le gars travaille dur et se fait payer à la fin. Pas avant qu'il ait terminé. Mais dans le cas de la photo, c'est comme s'il avait posé le toit et bossé gratis. Il y a un déséquilibre tant que le couvreur n'est pas payé.

– Tu veux dire que je dois quelque chose à cette femme ? s'enquit Thibault, sceptique.

– Oui. La photo t'a gardé sain et sauf et t'a porté chance. Mais tant que tu ne paies pas, c'est pas fini.

Thibault prit un soda dans la glacière et en offrit un à Victor.

— Tu te rends compte que tu dis des énormités ?

Victor accepta la canette d'un hochement de tête.

— Aux yeux de certains. Mais tu finiras par la rechercher, crois-moi. Ça peut pas s'arrêter là. Il y a forcément une finalité. C'est ta destinée.

— Ma destinée.

— Exact.

— Et ça signifie quoi ?

— J'en sais rien. Mais tu le sauras quand tu l'auras retrouvée.

Thibault resta silencieux, tout en regrettant que son ami ait abordé le sujet. Pendant ce temps, Victor l'observait attentivement.

— Peut-être que vous êtes faits pour être ensemble, supposa-t-il.

— Je ne suis pas amoureux d'elle, Victor.

— Ah bon ?

— Ben non.

— Et pourtant, observa Victor, tu penses souvent à elle.

Thibault se garda de tout commentaire, car il ne pouvait rien dire.

Le samedi matin, Thibault arriva tôt et alla directement au chenil pour accomplir ses tâches quotidiennes : remplissage des gamelles, nettoyage des cages, dressage des chiens. Tandis qu'il travaillait, Ben s'amusa avec Zeus jusqu'à ce qu'Elizabeth l'appelle pour qu'il se prépare à partir. Elle fit signe à Thibault depuis la véranda, mais même à distance, il voyait bien qu'elle était préoccupée.

Le temps qu'il sorte les chiens, elle était rentrée dans la maison ; il les promenait d'ordinaire par groupes de trois, et Zeus fermait la marche. Une fois éloigné de la demeure, il leur enlevait la laisse, mais ils avaient tendance à le suivre, quelle que soit la direction empruntée. Il aimait varier les itinéraires, afin d'éviter aux chiens de vagabonder trop loin. Comme les gens, ils s'ennuyaient s'ils faisaient chaque jour la même chose. En général, les promenades duraient une trentaine de minutes par groupe. Après la troisième balade, il remarqua l'absence de la voiture d'Elizabeth et en déduisit qu'elle était partie déposer le petit chez son père.

Il n'aimait pas le père de Ben, en grande partie parce que Ben et Elizabeth ne l'aimaient pas. Le gars avait l'air d'un sale type, mais Thibault devait se contenter d'écouter Beth quand elle parlait de lui. Il n'en savait pas assez pour lui donner le moindre conseil, et quand bien même, elle n'en sollicitait aucun. Quoi qu'il en soit, ça ne le regardait pas.

Mais qu'est-ce qui le regardait, alors ? Pourquoi se trouvait-il là ? Malgré lui, ses pensées le ramenèrent à sa conversation avec Victor, et il savait qu'il était venu à Hampton en raison de ce que son ami lui avait dit ce matin-là sur le lac. Et, bien sûr, à cause des événements survenus par la suite.

Il voulut chasser ce souvenir. Pas question de s'y replonger une nouvelle fois.

Tout en rappelant les chiens, Thibault tourna les talons et se dirigea vers le chenil. Une fois qu'il eut mis les chiens dans leurs cages respectives, il alla faire un tour dans la remise. En allumant, il contempla les murs et les étagères avec stupéfaction. Le grand-père d'Elizabeth n'avait pas simplement quelques outils : l'endroit évoquait une quincaillerie en désordre. Il se promena parmi les divers tiroirs de rangement et le matériel entassé sur l'établi. Il finit par dénicher un assortiment de clés à pipe, deux ou trois clés Allen et à molette, ainsi qu'un cric, et transporta le tout vers la camionnette. Comme Elizabeth l'avait promis, le trousseau se trouvait sous le tapis. Thibault démarra et prit la direction du magasin d'accessoires auto qu'il se rappelait vaguement avoir aperçu dans le centre-ville.

Il trouva les pièces détachées, un serre-joint qui lui manquait et du lubrifiant haute température, puis revint à la maison en moins d'une demi-heure. Il installa le cric et souleva la voiture, puis démonta la première roue. Il retira le piston à l'aide du serre-joint, ôta la plaquette usée, vérifia l'état des rotors, puis installa une nouvelle plaquette avant de remettre la roue et de réitérer le processus avec les autres.

Thibault finissait de changer la troisième plaquette quand il entendit Elizabeth se garer près de la vieille camionnette. Il jeta un regard par-dessus son épaule au moment où elle descendait de son véhicule, et constata qu'elle s'était absentée plusieurs heures.

— Ça se passe bien ? s'enquit-elle.

— J'ai presque terminé.

— Vraiment ? fit-elle, l'air épaté.

— C'est juste des plaquettes de frein. Rien d'extraordinaire.

— J'ai l'impression d'entendre un chirurgien qui dirait : « Oh, c'est juste un appendice. »

— Vous voulez que je vous montre ? proposa-t-il en levant les yeux sur la silhouette de la jeune femme qui se découpait sur le ciel.

— Ça prend du temps ?

— Pas trop, dit-il en haussant les épaules. Dix minutes.

— Vraiment ? répéta-t-elle. OK. Laissez-moi ranger mes courses et je reviens.

— Vous voulez un coup de main ?

— Non, je n'ai que deux ou trois sacs.

Il réinstalla la troisième roue et finit de serrer les écrous, puis passa à la quatrième. Il la démontait quand Elizabeth le rejoignit. Lorsqu'elle s'accroupit à ses côtés, il respira un léger parfum de lotion à la noix de coco.

— D'abord, vous retirez la roue… commença-t-il.

Puis, méthodiquement, il lui expliqua la marche à suivre, en s'assurant qu'elle comprenait chaque étape. Lorsqu'il rabaissa le cric et se mit à ramasser les outils, elle secoua la tête, l'air toujours ébahi.

— Ça semble presque trop facile. J'ai l'impression que même moi je pourrais le faire.

— Sans doute.

— Alors pourquoi c'est si cher dans un garage ?

— J'en sais rien.

— J'ai pas choisi le bon métier. (Elle se releva et noua ses cheveux en une queue-de-cheval souple.) En tout cas, merci de vous en être occupé. Ça faisait un bout de temps que je devais les faire changer.

— De rien.

— Vous avez faim ? J'ai pris de la dinde pour faire des sandwiches… et des cornichons.

— Je salive déjà, dit-il.

Ils déjeunèrent sur la véranda de derrière qui surplombait le jardin. Elizabeth semblait toujours un peu ailleurs. Ils bavardèrent de la vie dans une petite ville du Sud, où tout le monde se connaissait. Certaines anecdotes d'Elizabeth ne manquaient pas d'humour, mais Thibault reconnut qu'il préférait mener une existence plus anonyme.

— Pourquoi ça ne m'étonne pas ? ironisa-t-elle.

Ensuite, Thibault repartit travailler, tandis qu'elle passa l'après-midi à nettoyer la maison. Contrairement au grand-père d'Elizabeth, Thibault parvint à décoincer la fenêtre du bureau que la peinture avait bloquée, encore que l'opération s'avéra plus compliquée que le remplacement des plaquettes de frein. D'autant qu'il eut beau la poncer, la fenêtre restait encore difficile à ouvrir et à fermer. Puis il s'attaqua à la peinture du chambranle de la porte.

Après quoi la journée reprit son cours normal. Lorsque Thibault eut accompli ses tâches au chenil, il était près de cinq heures, et même s'il aurait pu sans problème rentrer chez lui, il préféra s'attaquer à la paperasse, histoire de prendre un peu d'avance sur la journée du lendemain, qui s'annonçait longue. Ce qui l'occupa deux bonnes heures… Et il n'entendit pas Elizabeth s'approcher. Il remarqua en revanche Zeus qui s'était redressé et s'approchait de la porte.

— Je suis surprise de vous trouver encore là, dit-elle dans l'entrée. J'ai aperçu de la lumière et cru que vous aviez oublié d'éteindre.

— Ça ne risque pas.

Elle désigna la pile de dossiers sur le bureau.

— Vous ne pouvez pas savoir à quel point je suis ravie que vous vous en chargiez. Nana a bien tenté de m'inciter à mettre de l'ordre cet été, mais j'ai toujours réussi à remettre ce classement à plus tard.

— Quelle chance pour moi, ironisa-t-il.

— Pour moi, vous voulez dire ! Pour un peu, je me sentirais coupable.

— Et pour un peu je vous croirais, si vous n'aviez pas ce sourire en coin. Vous avez des nouvelles de Ben ou de Nana ?

— Des deux, répondit-elle. Nana est en pleine forme, Ben s'ennuie à mourir. Il ne me l'a pas dit en ces termes, mais ça s'entendait à sa voix.

— Ça me désole pour lui, dit-il avec sincérité.

Elle haussa les épaules d'un air tendu, avant de poser la main sur la poignée de la porte. Elle l'actionna dans les deux sens, comme intriguée par le mécanisme, puis finit par exhaler un soupir.

— Ça vous dit de venir m'aider à faire de la crème glacée ?

— Pardon ? dit-il en posant le dossier qu'il venait d'étiqueter.

— J'adore la glace maison. Il n'y a rien de meilleur par cette canicule, mais c'est pas drôle d'en fabriquer si on ne peut pas la partager avec quelqu'un.

— Je me demande même si j'ai déjà mangé de la glace maison...

— Alors vous ne savez pas ce que vous ratez ! Je peux compter sur vous ?

Son enthousiasme juvénile était communicatif.

— OK, accepta-t-il. Ça me tente bien.

— Je file acheter les ingrédients et suis de retour dans quelques minutes.

— Ce serait pas plus simple de prendre des glaces toutes prêtes ?

Les yeux d'Elizabeth pétillaient de plaisir.

— Mais c'est pas pareil. Vous verrez. Je reviens dans cinq minutes, OK ?

Elle tint parole. Thibault eut juste le temps de débarrasser le bureau et de passer voir les chiens une dernière fois qu'il l'entendait déjà se garer, de retour du supermarché. Il la retrouva comme elle descendait de voiture.

— Vous voulez bien prendre le sac de glace pilée ? demanda-t-elle. Il est sur la banquette arrière.

Il la suivit alors dans la cuisine, où elle lui indiqua le congélateur, puis posa la crème liquide sur le plan de travail.

— Vous pouvez aller chercher la sorbetière ? Elle se trouve dans le garde-manger. Étagère du haut, sur la gauche.

Thibault revint alors avec un appareil à manivelle qui semblait dater d'une cinquantaine d'années.

— C'est cet engin-là ?

— Ouais, tout à fait.

— Et ça fonctionne encore ?

— À merveille ! Surprenant, non ? Nana l'a reçue en cadeau de mariage, mais on continue de l'utiliser tout le temps. Cette sorbetière vous fait une délicieuse crème glacée.

Il la posa sur le plan de travail et resta à côté d'Elizabeth.

— Qu'est-ce que je peux faire maintenant ?

— Si vous voulez bien tourner la manivelle, je m'occupe du mélange.

— Ça me va.

Elle sortit un batteur électrique, un saladier et un verre gradué. Puis elle prit du sucre, de la farine et de l'extrait de vanille. Elle ajouta trois doses de sucre et une de farine dans le saladier, qu'elle mélangea à la main, puis battit trois œufs entiers, incorpora toute la crème liquide et trois cuillerées à café de vanille, avant de mélanger l'ensemble au mixeur. Elle ajouta enfin un peu de lait et versa le tout dans la cuve, qu'elle plaça ensuite dans la sorbetière, avant de déposer de la glace pilée et du gros sel entre la cuve et la paroi de la sorbetière.

— On est parés, annonça-t-elle en la lui tendant. (Elle prit le reste du sac de glace et le paquet de gros sel.) Cap sur la véranda ! Faut faire ça là-bas, sinon c'est pas pareil.

— Ah bon...

Elle s'installa à ses côtés sur les marches de la véranda, un peu plus près que d'habitude. Thibault coinça la sorbetière entre ses jambes et se mit à actionner la manivelle, surpris de la facilité avec laquelle elle tournait.

— Merci, reprit Elizabeth. C'était pas mon jour… alors j'ai vraiment besoin de glace pour me requinquer.

— Ah ouais ?

Elle se tourna vers lui, un sourire amusé sur les lèvres.

— C'est votre spécialité, ma parole ?

— Quoi donc ?

— De dire « Ah ouais ? » quand quelqu'un fait un commentaire. Ça suffit à relancer la conversation, sans trop s'investir ou s'immiscer dans les affaires des autres.

— Ah ouais ?

Elle gloussa.

— Eh ouais, répliqua-t-elle. Mais la plupart des gens diraient un truc comme : « Qu'est-ce qui s'est passé ? » ou bien : « Pourquoi ? »

— Entendu. Qu'est-ce qui s'est passé, alors ? Pourquoi c'était pas votre jour ?

Elle grimaça d'un air dégoûté.

— Oh, c'est juste que Ben ronchonnait ce matin en préparant ses affaires, et j'ai fini par le houspiller parce qu'il mettait un temps fou. En général, son père n'aime pas le voir arriver en retard… Mais aujourd'hui, eh bien, il avait carrément oublié que le gamin venait ! J'ai dû tambouriner à sa porte un bon moment avant qu'il se décide à l'ouvrir, et j'ai bien vu que je le tirais du lit. Si j'avais su qu'il faisait la grasse matinée, je n'aurais pas été aussi dure envers Ben, et je m'en veux encore. Et, bien sûr, je m'éloignais à peine de chez lui quand j'ai aperçu Ben qui sortait la poubelle, parce que son cher papa était trop fainéant pour s'en charger. Alors, bien sûr, j'ai passé mon temps à faire le ménage… ce qui n'était pas si terrible, pendant deux ou trois heures. Mais à la fin, j'avais vraiment besoin d'une glace.

— Ça n'a pas l'air d'un samedi de tout repos.

— Ça ne l'a pas été, marmonna-t-elle, tandis qu'il devinait qu'elle hésitait à se confier davantage. (Autre chose la taraudait, et elle poussa un long soupir, avant de poursuivre :) C'est l'anniversaire de mon frère aujourd'hui, dit-elle avec un léger sanglot dans la voix. C'est là où j'étais ce matin, après avoir déposé Ben. Je suis allée fleurir sa tombe au cimetière.

Thibault sentit sa gorge se serrer en songeant à la photo sur la cheminée. Bien qu'il soupçonnât que le frère d'Elizabeth avait été tué, c'était la première fois qu'il en avait la confirmation. Il comprit aussitôt pourquoi elle n'avait pas envie de rester seule ce soir.

— Je suis désolé, dit-il sincèrement.

— Et moi aussi. Vous l'auriez apprécié. Tout le monde l'appréciait.

— J'en suis certain.

Elle se tordit les mains sur ses genoux.

— Nana a oublié que c'était aujourd'hui. Bien sûr, elle s'en est souvenue cet après-midi et m'a appelée pour me dire qu'elle regrettait de ne pouvoir être là. Elle était quasiment en larmes, mais je lui ai répondu que tout allait bien. Qu'elle ne devait pas en faire un drame.

— C'en est pourtant un. C'était votre frère et il vous manque.

Elle eut un petit sourire mélancolique qui s'évanouit aussitôt.

— Vous me faites penser à lui, dit-elle d'une voix douce. Pas tant dans votre allure, mais dans votre comportement. Ça m'a frappée le premier jour où vous êtes entré dans le bureau. C'est comme si lui et vous sortiez du même moule. Je parie que c'est un truc de marine, non ?

— Peut-être. J'en ai croisé de toutes sortes.

— Oui, j'imagine… (Elle s'interrompit et replia les jambes en les entourant de ses bras.) Ça vous plaisait d'être un marine ?

— Parfois.

— Mais pas tout le temps ?

— Non.

— Drake adorait ça. Tout lui plaisait, en fait. (Même si elle donnait l'impression d'être hypnotisée par le mouvement de la manivelle, Thibault comprit qu'elle était perdue dans ses souvenirs.) Je me rappelle le jour où l'invasion a commencé. Avec le camp Lejeune à moins d'une heure d'ici, tout le monde en parlait. J'avais peur pour lui, surtout quand j'ai eu vent des armes chimiques et des commandos suicides, mais vous savez ce qui l'inquiétait le plus ? Avant l'invasion, je veux dire ?

— Quoi donc ?

— Une photo. Une vieille photo à la noix. Vous vous rendez compte ?

Comme elle prononçait ces paroles inattendues, Thibault sentit son cœur marteler sa poitrine, mais il s'efforça de garder son calme.

— Il m'avait donc prise en photo, continua-t-elle, quand on était arrivés à la fête foraine cette année-là. C'était notre dernier week-end ensemble avant son départ, et après avoir fait notre petit tour habituel parmi les manèges, on s'est installés un peu à l'écart de la foule. Je me revois encore assise à ses côtés près de ce pin géant et discutant pendant des heures en regardant la grande roue. C'était l'une des attractions de la foire, tout illuminée, et on entendait les gosses pousser des cris tandis qu'elle tournait encore et encore dans le magnifique ciel d'été. On a parlé de nos parents, et on se demandait à quoi ils auraient ressemblé en vieillissant, si on serait restés à Hampton ou si on aurait déménagé, et je me souviens avoir levé les yeux vers le ciel nocturne. Tout à coup, j'ai vu passer cette étoile filante et je me suis dit que nos parents devaient nous entendre...

Elle marqua une pause, noyée dans ses souvenirs, puis enchaîna :

— Il avait fait plastifier la photo et l'a gardée sur lui pendant qu'il faisait ses classes. Une fois en Irak, il m'a envoyé un e-mail m'annonçant qu'il l'avait perdue et m'a demandé de lui en renvoyer une. Ça m'a paru un peu dingue, mais je n'étais pas à sa place et j'ignorais ce qu'il devait endurer, alors j'ai répondu en lui promettant de m'en occuper. Mais je n'ai pas trouvé le temps de le faire. Ne me demandez pas pourquoi. C'était comme si j'avais une sorte de blocage. J'avais mis la carte-mémoire dans mon sac, mais chaque fois que je passais près du drugstore, j'oubliais de faire développer la photo. Et entre-temps l'invasion avait commencé. Je me suis enfin décidée à l'envoyer, mais la lettre m'est revenue sans qu'il l'ait ouverte. Drake est mort le premier jour de l'invasion.

Elle leva son regard sur Logan et reprit :

— Cinq jours. C'est le temps que ça a duré. Et je n'ai pas été fichue de lui envoyer la seule chose qu'il me demandait. Vous imaginez ce que je peux éprouver ?

Thibault avait une boule à l'estomac.

— Je ne sais pas quoi dire.

— Il n'y a rien qu'on puisse dire. Ça fait partie de ces histoires horribles, incroyablement tristes. Et maintenant… aujourd'hui, je n'arrête pas de penser que Drake s'éclipse tout doucement de notre mémoire. Nana a oublié. Ben aussi. Dans son cas, je peux comprendre. Il n'avait même pas cinq ans lorsque Drake a été tué, et vous savez ce que sont les souvenirs à cet âge-là. On n'en garde que des bribes. Mais Drake était sympa avec lui, parce qu'il aimait vraiment passer du temps en sa compagnie. Un peu comme vous, ajouta-t-elle dans un haussement d'épaules.

Thibault se serait volontiers dispensé de cette remarque. Il n'appartenait pas à cette famille…

– Je n'avais pas envie de vous engager, poursuivit-elle, sans se douter du désarroi de Thibault. Vous le saviez ?

– Oui.

– Mais pas à cause du fait que vous étiez venu à pied du Colorado. En partie, certes… mais surtout parce que vous aviez été marine.

Il hocha la tête et, dans le silence qui suivit, elle tendit la main vers la sorbetière.

– Il faut ajouter de la glace pilée, dit-elle en prenant l'appareil.

Elle souleva le couvercle pour verser la glace, puis le lui rendit.

– Pourquoi vous êtes là ? finit-elle par lui demander.

Même s'il comprenait la véritable signification de sa question, il fit l'innocent.

– Parce que vous m'avez demandé de rester.

– Pourquoi vous êtes venu à Hampton, je veux dire ? Et je souhaite entendre la vérité, cette fois-ci.

Il chercha une explication plausible.

– L'endroit m'a paru agréable et, jusqu'ici, je n'ai pas à me plaindre.

Il comprit en la regardant qu'elle se doutait bien que d'autres raisons l'avaient motivé, et elle attendit. Comme il n'ajoutait rien, elle fronça les sourcils.

– C'est en rapport avec votre affectation en Irak, non ?

Son silence le trahit.

– Vous êtes resté combien de temps là-bas ? insista-t-elle.

Il se trémoussa, un peu gêné, car il ne souhaitait pas en parler, tout en sachant qu'il n'avait guère d'autre choix.

– À quelle époque ?

– Vous y êtes allé combien de fois ?

– Trois.

– Vous étiez dans des zones de combat ?

– Oui.

– Mais vous vous en êtes sorti.

– Oui.

Elle plissa les lèvres et parut sur le point d'éclater en sanglots.

– Pourquoi vous et pas mon frère ?

Il donna quatre tours de manivelle avant de répondre, tout en sachant qu'il mentait :

– J'en sais rien.

Quand Elizabeth se leva pour aller chercher des coupelles et des cuillers, Thibault lutta contre l'envie d'appeler Zeus et de s'en aller tout simplement, là, sur-le-champ, avant de changer d'avis, et de retourner chez lui dans le Colorado.

Il ne pouvait s'empêcher de penser à la photo dans sa poche, la photo que Drake avait perdue. Thibault l'avait trouvée, Drake était mort, et à présent Thibault était là, dans la maison où Drake avait grandi et passé du temps avec la sœur qu'il avait laissée derrière lui.

En apparence, ça lui semblait totalement improbable, mais tout en luttant contre l'angoisse qui lui nouait la gorge, il se concentra sur ces faits dont il ne pouvait nier la véracité. La photo n'était rien d'autre qu'un cliché d'Elizabeth pris par son frère. Les porte-bonheur, ça n'existait pas. Thibault avait survécu à ses affectations en Irak, mais comme la grande majorité des marines en poste là-bas. Ainsi que la plupart des membres de son peloton, y compris Victor. Certains marines étaient morts, parmi lesquels Drake, et aussi tragique que soit l'événement, il n'y avait aucun rapport avec la photo. C'était la guerre. Quant à Thibault, il se trouvait là parce qu'il avait décidé de rechercher la femme apparaissant sur le cliché. Rien à voir avec la destinée ou la magie.

Mais il s'était lancé à sa recherche à cause de Victor…

Il battit des paupières en se rappelant qu'il n'avait pas cru un traître mot de ce que lui avait dit son ami.

Victor était tout bonnement superstitieux. Ce qu'il disait ne pouvait pas être vrai. Pas tout, du moins.

Zeus parut sentir l'inquiétude de son maître. Les oreilles dressées, il émit un petit gémissement et grimpa sur les marches pour lui lécher la main. Thibault lui releva la tête, et le chien frotta son museau contre lui.

— Qu'est-ce que je fais là, dis-moi ? murmura Thibault. Pourquoi je suis venu ?

Tandis qu'il attendait une réponse qui ne viendrait jamais, il entendit la porte grillagée claquer dans son dos.

— Vous parlez tout seul ou à votre chien ? s'enquit Elizabeth.

— Les deux, avoua-t-il.

Elle se rassit auprès de lui et lui tendit une cuiller.

— Et vous disiez quoi ?

— Rien d'important.

Il fit signe à Zeus de se coucher, et le chien se blottit sur la marche afin de rester tout près d'eux.

Elizabeth ouvrit la sorbetière, puis remplit les deux coupelles.

— J'espère que ça va vous plaire, reprit-elle en lui tendant la sienne.

Elle plongea sa cuiller et goûta avant de se tourner vers lui, le visage grave.

– Je tiens à m'excuser.

– De quoi ?

– Pour ce que j'ai dit tout à l'heure… Quand je vous ai demandé pourquoi vous en avez réchappé et pas mon frère.

– La question est tout à fait légitime, dit-il dans un hochement de tête, gêné par son regard insistant.

– Non. Et j'ai eu tort de vous la poser. Alors j'en suis navrée.

– Pas de problème.

Elle prit une autre cuillerée, hésitant avant de poursuivre.

– Vous vous rappelez quand je vous ai dit que je ne voulais pas vous embaucher parce que vous aviez été marine ?

Il acquiesça.

– Rien à voir avec ce que vous devez sans doute penser. C'est pas parce que vous me rappeliez Drake… mais à cause de la façon dont il est mort, précisa-t-elle en tapotant sa cuiller contre la coupelle. Drake a été victime d'un tir ami.

Thibault détourna le regard, alors qu'elle continuait :

– Je ne l'ai pas su tout de suite, bien sûr. On n'a pas cessé de nous balader avec des phrases du genre : « L'enquête se poursuit » ou bien « Nous nous penchons sur ce dossier ». Il a fallu des mois pour découvrir les circonstances de sa mort, et malgré tout on n'a jamais vraiment su le nom du responsable.

Elle cherchait les mots les plus appropriés.

– Le hic, c'est que… ça me semble injuste, vous comprenez ? Bon, je sais qu'il s'agit d'un accident… et que celui qui a tiré n'avait pas l'intention de tuer mon frère, mais si ça se produisait ici aux États-Unis, le responsable serait inculpé pour homicide involontaire. Alors que si ça se produit en Irak, personne ne souhaite voir la vérité éclater au grand jour. Et on ne la connaîtra jamais.

— Pourquoi vous me racontez ça ? s'enquit Thibault d'une voix paisible.

— Parce que c'est la vraie raison pour laquelle je ne voulais pas vous engager. Dès lors que j'ai su ce qui s'était passé pour mon frère, chaque fois que je voyais un marine, je me disais : « Et si c'était lui qui avait tué Drake ? Si ça se trouve, il protège le véritable coupable… » Je savais que j'avais tort, mais c'était plus fort que moi. Et au bout d'un moment, la colère que j'éprouvais ne me quittait plus, comme si c'était la seule façon de faire mon deuil. Je n'aimais pas la femme que j'étais devenue, mais j'étais prise dans un cercle infernal d'interrogations et de rancœurs. Et puis voilà qu'un beau jour vous débarquez comme par enchantement dans le bureau pour postuler. Et Nana, qui savait très bien ce que je ressentais – ou peut-être à cause de ce que je ressentais –, a décidé de vous embaucher. (Elle posa sa coupelle sur le côté.) C'est pour cette raison que je n'avais pas grand-chose à vous dire pendant les deux premières semaines. J'ignorais d'ailleurs ce que je pouvais bien vous dire… D'autant que je pensais que vous partiriez au bout de quelques jours, comme les autres. Mais vous êtes resté. Au contraire, vous travaillez dur et ne comptez pas vos heures ; vous êtes merveilleux avec Nana et mon fils… Alors, du coup, j'oublie le marine pour ne voir que l'homme. (Elle s'interrompit, comme perdue à nouveau dans ses pensées, avant d'ajouter en le poussant gentiment du genou :) Non seulement ça, mais en plus vous laissez les femmes émotives radoter sans leur dire de s'arrêter !

Il la poussa à son tour d'un air complice.

— C'est l'anniversaire de Drake.

— Exact. (Elle reprit sa coupelle et la leva comme pour porter un toast.) À mon petit frère Drake !

— À Drake ! lança Thibault en trinquant avec elle.

Zeus gémit en les observant d'un air inquiet. Malgré la tension ambiante, elle tendit la main et le caressa.

— Tu n'es tout de même pas jaloux ? C'est juste une pensée pour Drake.

Intrigué, le chien inclina la tête.

— Bla-bla-bla… Il doit se demander ce que je peux bien lui raconter.

— C'est vrai, mais il a senti que vous étiez bouleversée. C'est pourquoi il est resté près de vous.

— Il est vraiment étonnant. Je ne pense pas avoir déjà vu un chien aussi intuitif et bien dressé. Nana a fait la même réflexion et, croyez-moi, elle sait de quoi elle parle.

— Merci. Il a un bon pedigree.

— OK. À vous de parler, maintenant. Vous savez quasiment tout ce qu'il y a à savoir sur moi.

— Que voulez-vous savoir à mon sujet ?

Elle prit une nouvelle cuillerée de glace, avant de lui demander :

— Vous avez déjà été amoureux ?

Comme le ton désinvolte de sa question le laissait pantois, elle balaya sa stupéfaction d'un geste de la main.

— N'allez pas me rétorquer que je suis indiscrète. Pas après tout ce que je vous ai confié. Allez, je vous écoute !

— J'ai aimé une fois, admit-il.

— Récemment ?

— Non. Il y a des années. À la fac.

— C'était quel genre de fille ?

Il parut chercher le mot adéquat.

— Folklo, on va dire.

Elle ne broncha pas, mais son expression signifiait qu'elle souhaitait davantage de détails.

— OK, poursuivit-il. Elle avait une prédilection pour les Birkenstock et les jupes paysannes. Elle détestait le maquillage, rédigeait des billets d'humeur dans le journal de l'université et prenait fait et cause pour tous les groupes sociologiques du monde, à l'exception de la gent masculine de race blanche et des gens riches. Ah, j'oubliais… elle était aussi végétarienne.

Beth le dévisagea.

— Bizarrement, je n'arrive pas à vous imaginer avec une fille comme elle.

— Moi non plus. Et elle non plus, du reste. Pas à long terme, en tout cas. Mais pendant un moment, aussi étonnant que ça puisse paraître, on n'a eu aucun mal à occulter nos différences pourtant manifestes. Et ça a marché.

— Combien de temps ?

— Un peu plus d'une année.

— Vous n'avez jamais eu de ses nouvelles depuis ?

Il secoua la tête.

— Jamais.

— Et c'est tout ?

— Hormis deux ou trois idylles au lycée, c'est tout. Mais n'oubliez pas que les cinq années qui viennent de s'écouler n'étaient vraiment pas idéales pour démarrer de nouvelles relations.

— Non, je suppose.

Zeus se redressa et partit en direction de l'allée, les oreilles dressées. En alerte. Quelques instants s'écoulèrent avant que Thibault ne perçoive un léger bruit de moteur de voiture, tandis qu'au loin une lumière jaillissait par intermittence dans les arbres. Quelqu'un s'engagea dans l'allée. Elizabeth plissa le front, l'air confus, jusqu'à ce qu'une

206

berline apparaisse au détour du chemin et s'approche de la maison. Même si les lampes de la véranda n'éclairaient pas l'allée, Thibault identifia le véhicule et se redressa. C'était le shérif ou un de ses adjoints.

Elizabeth reconnut aussi la voiture.

— Ça ne me dit rien qui vaille, marmonna-t-elle.

— Qu'est-ce qu'ils veulent, d'après vous ?

Elle se leva en disant :

— C'est pas « ils ». C'est lui… mon ex-mari. (Elle descendit les marches et lui fit signe.) Restez là. Je m'en occupe.

Thibault ordonna à Zeus de s'asseoir et de ne pas bouger, tandis que la voiture se garait près de celle d'Elizabeth, à l'autre bout de la maison. À travers les buissons, il vit la portière passager s'ouvrir et Ben qui descendait avec son sac à dos à la main. Le gamin s'avança tête baissée vers sa mère. Puis la portière du conducteur s'ouvrit et l'adjoint Keith Clayton sortit.

Zeus se mit à grogner, prêt à bondir sur l'individu au moindre signal de Thibault. Elizabeth lança un regard surpris en direction du chien, tandis que Ben apparaissait à la lumière. Thibault remarqua tout comme elle que Ben n'avait pas ses lunettes, mais des marques bleuâtres autour de l'œil.

— Qu'est-ce qui s'est passé ? s'écria-t-elle en se précipitant vers son fils. (Une fois à sa hauteur, elle s'accroupit pour mieux l'examiner.) Qu'est-ce que t'as fait ?

— C'est rien, répliqua Clayton en s'approchant. Juste un bleu.

Ben se détourna, car il ne voulait pas qu'elle voie son œil.

— Et ses lunettes ? s'enquit-elle en essayant de comprendre. Tu l'as frappé ?

— Mais non. Jamais de la vie, bon sang ! Tu me prends pour qui ?

Elle semblait ne pas l'entendre et concentrait toute son attention sur le petit.

— Tu vas bien ? Dis donc, ça a l'air grave ! Qu'est-ce qui t'es arrivé, mon cœur ? Tes lunettes sont cassées ?

Elle savait qu'il ne dirait rien avant le départ de Clayton. En lui relevant la tête, elle discerna les petits vaisseaux éclatés qui rougissaient le blanc de son œil.

— Avec quelle force t'as encore dû lui lancer la balle ! reprit-elle d'un ton horrifié.

— Pas si fort que ça. Et puis c'est juste un hématome. Son œil n'a rien, et on s'est débrouillés pour réparer ses lunettes avec un bout de Scotch.

— C'est plus qu'un hématome ! rétorqua Elizabeth en se contrôlant à peine.

— Arrête d'agir comme si c'était ma faute ! brailla Clayton.

— C'est ta faute !

— C'est lui qui a raté la balle ! On jouait tranquillement. C'est juste un accident, pour l'amour du ciel ! Hein, Ben ? On s'amusait bien, pas vrai ?

— Ouais, marmonna l'enfant, tête baissée.

— Dis-lui ce qui s'est passé. Dis-lui que j'y suis pour rien. Allez, vas-y !

Ben se dandinait d'un pied sur l'autre.

— On jouait. J'ai raté la balle et je l'ai reçue dans l'œil. (Il montra ses lunettes, rafistolées avec du gros adhésif.) Papa les a réparées.

Clayton leva les mains en guise de défense.

— Tu vois ? Pas de quoi s'affoler. Ça arrive tout le temps. Ça fait partie du jeu.

— C'est arrivé quand ? demanda Elizabeth.

— Il y a quelques heures.

— Et tu ne m'as pas appelée ?

— Non. Je l'ai emmené aux urgences.

— Aux urgences ?

— Où voulais-tu que j'aille ? Je savais que je ne pouvais pas le ramener ici sans le faire examiner, alors c'est ce que j'ai fait. Comme n'importe quel parent responsable, comme tu l'as fait quand il est tombé de la balançoire et s'est cassé le bras. Et si t'as bonne mémoire, je ne suis pas devenu fou furieux contre toi, comme je ne dis rien quand tu le laisses jouer dans la cabane. Alors que c'est dangereux.

Elle semblait trop scandalisée pour s'exprimer, tandis qu'il secouait la tête d'un air écœuré.

— De toute manière, il voulait rentrer.

— OK, reprit-elle avec peine, la mâchoire crispée. (Elle fit signe à Clayton de s'en aller.) Peu importe. Maintenant, laisse-nous. Je reprends les choses en main.

Un bras autour du petit, elle allait le ramener chez elle quand Clayton repéra Thibault, qui le fixait depuis la véranda. Clayton écarquilla les yeux, qui se mirent à étinceler de colère. Il partit en direction de la maison.

— Qu'est-ce que vous faites là ? lança-t-il.

Thibault continua à le regarder sans broncher. Les grognements de Zeus s'intensifièrent, plus menaçants que jamais.

— Qu'est-ce qu'il fait là, Beth ?

— Laisse-nous, Keith. On en parlera demain, dit-elle en se détournant.

— Reste ici, tu veux ! éructa-t-il en lui empoignant le bras. Je te pose juste une question.

Au même instant, Zeus grogna avec férocité et ses pattes arrière se mirent à trembler. Pour la première fois, Clayton parut remarquer le chien, dont le poil se hérissait et qui montrait les dents.

— À votre place, je lui lâcherais le bras, intervint Thibault d'un ton posé qui s'apparentait plus à une suggestion qu'à un ordre. Tout de suite.

En lorgnant le chien, Clayton la lâcha aussitôt. Tandis qu'Elizabeth et Ben s'empressaient de rejoindre la véranda, Clayton lança un regard noir à Thibault. Zeus fit un seul pas en avant et grondait toujours.

— Je pense que vous feriez mieux de vous en aller, reprit Thibault sans se départir de son calme.

Clayton hésita un instant, puis rebroussa chemin. Thibault l'entendit jurer dans sa barbe, tandis qu'il rejoignait sa voiture, ouvrait la portière, puis la fermait dans un claquement.

Thibault félicita Zeus en le caressant.

— Bon chien, murmura-t-il.

Clayton recula et bâcla son demi-tour, puis s'éloigna en dérapant sur le gravier. Ses feux stop disparurent dans la nuit, et Zeus se calma enfin. Il agita la queue à l'approche de Ben.

— Salut, Zeus !

Le chien regarda son maître et attendit sa permission.

— OK, dit Thibault en le lâchant.

Zeus trottina fièrement vers le petit comme pour lui dire : *Ravi de te voir rentrer chez toi !* Il frotta son museau contre Ben, qui se mit à le caresser.

— Je t'ai manqué, hein ? dit le gamin, visiblement aussi heureux que le chien. Toi aussi, tu m'as manqué…

— Viens, mon cœur, intervint Elizabeth en le faisant avancer. Allons à l'intérieur que je puisse voir ton œil à la lumière.

Thibault se leva tandis qu'ils ouvraient la porte grillagée.

— Salut, Thibault, dit le gosse en lui faisant signe.

— Salut, Ben.

— Je pourrai jouer avec Zeus demain ?

— Pas de problème, si ta mère n'y voit aucun inconvénient. (Thibault comprit qu'Elizabeth souhaitait se retrouver seule avec son fils.) Je ferais mieux de m'en aller, ajouta-t-il. Il se fait tard et je dois me lever de bonne heure demain.

— Merci, dit-elle. J'apprécie. Et désolée pour tout ça.

— Vous n'avez pas à vous excuser de quoi que ce soit.

En rejoignant l'allée, il se retourna vers la maison et vit des ombres se déplacer derrière les rideaux du salon.

Tout en contemplant les deux silhouettes à travers la fenêtre, il sentit pour la première fois qu'il allait enfin comprendre la raison de sa venue à Hampton.

– 14 –

Clayton

Avec tous les endroits qui existent au monde, Clayton avait retrouvé le gars chez Beth. Alors qu'il avait… quoi ? Une chance sur un milliard de tomber sur lui !

Il détestait ce type. Rectification : il voulait le mettre en pièces. Pas seulement parce que le gars lui avait volé l'appareil photo et dégonflé ses pneus, bien que cela mérite un petit séjour derrière les barreaux en compagnie de deux ou trois camés. Ni parce que Thaï-Bolt le tenait à sa merci avec la carte-mémoire. Mais parce que ce mec, qui s'était déjà foutu de lui, l'avait fait passer pour une poule mouillée aux yeux de Beth.

« À votre place, je lui lâcherais le bras »… Et puis quoi encore ? C'est là que le gars se mettait le doigt dans l'œil jusqu'au coude. « Tout de suite… Je pense que vous feriez mieux de vous en aller »… Prononcé d'un ton calme mais ferme, genre *c'est-pas-le-moment-de-me-faire-chier*, que Clayton lui-même utilisait avec les criminels. Et il avait obtempéré en filant comme un chien battu, la queue basse… ce qui était pire.

En temps normal, il n'aurait pas supporté ça ne serait-ce qu'une seconde, même en présence de Beth et de Ben. Pour commencer, personne ne lui donnait d'ordres, et il aurait clairement fait comprendre au type qu'il venait de commettre la plus grosse erreur de sa vie. Mais c'était impossible, avec ce sale cabot qui lui reluquait l'entrejambe comme un amuse-gueule pour l'apéro dominical ! Dans le noir, ce clebs ressemblait vraiment à un loup enragé, et Clayton ne pouvait s'empêcher de penser aux histoires de Kenny Moore au sujet de Panther.

Quoi qu'il en soit, qu'est-ce que ce type fabriquait avec Beth ? Comment ça se pouvait, un truc pareil ? À croire qu'une espèce de malédiction cosmique avait décidé de lui pourrir une journée déjà drôlement merdique… avec un Ben pleurnichard et grincheux qui s'était pointé à midi en râlant parce qu'il devait sortir la poubelle.

Clayton était un gars patient, mais il en avait marre de l'attitude de ce gamin. Franchement, ras le bol ! Du coup, en plus des ordures, le gosse avait dû se coltiner le nettoyage de la cuisine et de la salle de bains ! Histoire de lui montrer comment ça marchait dans la vraie vie, quand on avait un comportement limite correct. Le pouvoir de la pensée positive et tout ça. Et puis tout le monde savait que si les mères gâtaient leurs mômes, les pères étaient censés leur apprendre que les cailles ne tombaient pas toutes rôties du ciel, pas vrai ? Du reste, le gosse avait fait du bon boulot, comme toujours, et Clayton avait vite oublié l'incident. C'était le moment de s'offrir une pause, alors il avait fait sortir le petit au jardin, histoire de s'amuser à se lancer des balles. Quel gamin refuserait de jouer avec son père par un beau samedi après-midi ?

Ben. Évidemment.

« Je suis fatigué. Il fait trop chaud, p'pa. Faut vraiment qu'on y aille ? » Le gosse n'avait pas cessé de geindre, jusqu'à ce qu'ils mettent enfin les pieds dehors. Alors Ben avait boudé. Il s'était fermé comme une huître. Pire encore, Clayton avait beau lui répéter de bien regarder cette foutue balle, le môme n'arrêtait pas de la louper parce qu'il n'essayait même pas de l'attraper. Il le faisait exprès, à coup sûr. Et tu crois qu'il courrait la récupérer, après l'avoir ratée ? Bien sûr que non ! Ce gamin est trop occupé à faire la tronche, parce qu'il trouve tout ça injuste… Du coup, il joue comme un aveugle !

Au bout du compte, Clayton en eut par-dessus la tête. Il cherchait à passer du bon temps avec son fils, mais celui-ci faisait tout pour le contrarier… Alors, oui, OK, peut-être que Clayton avait lancé la dernière balle un peu fort. Mais pour la suite, c'était pas sa faute. Si le gosse avait été attentif, la balle n'aurait pas ricoché sur son gant, et Ben ne se serait pas mis à brailler comme un bébé… À croire qu'il allait mourir ou un truc du genre. Comme s'il était le seul gamin au monde à choper un œil au beurre noir en jouant au base-ball.

Bref, le môme était blessé. Mais sans gravité. Et le coquard aurait disparu d'ici deux semaines. Dans un an, Ben aurait tout oublié, ou s'en vanterait carrément auprès de ses copains.

Beth, en revanche, n'oublierait jamais. Elle garderait long-temps… très longtemps… rancune à Clayton, même si Ben était plus fautif que lui. Elle ne comprenait pas que tous les garçons se souvenaient de leurs blessures de sport avec fierté.

Il s'attendait à la voir réagir de manière excessive, ce soir, mais ne lui en voulait pas. C'était une réaction de mère, et Clayton s'y était préparé. Il pensait avoir bien géré le truc, jusqu'au bout, quand il aperçut le gars avec le chien, assis sur la véranda comme s'il était le propriétaire des lieux.

Logan Thaï-Bolt.

Le nom lui revint aussitôt en mémoire, bien sûr. Il s'était lancé à sa recherche pendant plusieurs jours, mais sans succès, et avait carrément oublié l'affaire en se disant que le type avait dû quitter la ville. Impossible qu'un mec et son chien passent inaperçus, non ? C'était d'ailleurs pour cette raison qu'il avait fini par cesser de demander aux gens du coin s'ils les avaient vus.

Quel crétin !

Mais que faire maintenant ? Comment réagir... face à la tournure des événements ?

Il avait déjà eu affaire à Logan Thaï-Bolt, alors pas question de se laisser prendre une fois de plus au dépourvu. Ce qui signifiait qu'avant d'agir il avait besoin d'infos. À savoir : où le gars vivait, où il aimait traîner. Où Clayton pourrait le trouver seul.

Plus facile à dire qu'à faire, surtout avec le chien dans les parages. Il avait bizarrement l'impression que Thaï-Bolt et son clebs se séparaient rarement, pour ne pas dire jamais. Mais Clayton trouverait aussi un moyen de contourner ce problème.

Nul doute qu'il voulait savoir ce qui se passait entre Beth et Thaï-Bolt. Car depuis ce pauvre type prénommé Adam, il n'avait pas entendu dire qu'elle sortait avec qui que ce soit. Si bien qu'il avait peine à croire qu'elle puisse fréquenter Thaï-Bolt, vu qu'il savait *toujours* ce que Beth manigançait. Franchement, qu'est-ce qu'elle pouvait bien trouver à quelqu'un comme Thaï-Bolt ? Une fille comme elle, qui était allée à la fac, n'avait certainement pas envie de s'encombrer d'une espèce de vagabond qui débarquait d'on ne sait trop où. Ce gars ne possédait même pas de voiture.

Pourtant Thaï-Bolt se trouvait avec elle samedi soir, et c'était sans doute pas innocent. Un truc clochait quelque

215

part. Il y réfléchit, en se demandant si le type travaillait au chenil... D'une manière ou d'une autre, Clayton finirait par savoir le fin mot de l'histoire, et à ce moment-là il agirait en conséquence. Et M. Logan Thaï-Bolt allait regretter d'avoir un jour mis les pieds dans la ville de Clayton.

– 15 –

Beth

Ce dimanche-là fut le jour le plus chaud de l'été, avec un taux d'humidité élevé et une température frisant les quarante degrés. Les lacs commençaient à s'assécher dans le Piedmont, les habitants de Raleigh rationnaient leur eau et, dans la partie orientale de l'État, les cultures dépérissaient sous l'interminable canicule. Depuis trois semaines, les forêts s'étaient transformées en boîte d'allumettes géante, prêtes à s'enflammer sous le moindre mégot incandescent jeté par mégarde ou le moindre éclair, ce dernier semblant inévitable. Une seule question subsistait : où et quand le feu se déclarerait-il ?

Hormis lorsqu'ils se tenaient à l'intérieur du chenil, les chiens souffraient de la chaleur, et même Logan en éprouvait les effets néfastes. Il raccourcit les séances de dressage de cinq minutes et, quand il promenait les chiens, il se dirigeait toujours vers le cours d'eau, où ceux-ci pouvaient s'ébattre et se rafraîchir. Zeus s'y était baigné une bonne dizaine de fois et, même si Ben tenta de jouer à la balle avec lui sitôt rentré de la messe, l'animal ne montra qu'un intérêt mitigé. Ben préféra donc installer un ventilateur sur la véranda en orientant le souffle sur Zeus, et s'assit à côté

217

du chien pour y lire *Le Meurtre de Roger Ackroyd*, l'un des rares romans d'Agatha Christie qu'il n'avait pas encore finis. Il s'interrompit un bref instant pour rendre visite à Logan, d'un air un peu désœuvré, avant de reprendre sa lecture.

C'était un dimanche après-midi paisible comme Beth les adorait... Sauf que chaque fois qu'elle voyait l'ecchymose de Ben et ses lunettes rafistolées, elle éprouvait une bouffée de colère envers Keith. Lundi, elle allait devoir emmener Ben chez l'opticien. Même s'il s'en était défendu, Keith avait lancé la balle trop fort, et elle se demandait quel genre de père pouvait agir ainsi avec son fils de dix ans.

Le genre de Keith Clayton, de toute évidence.

Non seulement elle avait commis l'erreur de l'épouser, mais en plus cette erreur allait la poursuivre en s'aggravant sans cesse jusqu'à la fin de ses jours ! Sans compter que les relations entre Ben et son père semblaient empirer à chaque visite. Certes, Ben avait besoin d'un modèle masculin, et Keith était son père, mais...

Beth secoua la tête, dépitée. Une partie d'elle souhaitait emmener Ben et simplement s'en aller. S'installer dans une autre région et tout recommencer de zéro. Il était facile de fantasmer en se disant qu'il suffisait d'avoir le cran d'agir pour que tous ses problèmes disparaissent. Mais cela n'avait rien à voir avec la réalité. Le courage ne lui manquait pas, certes. Tout le reste, en revanche, rendait ce scénario impossible. Nana était en assez bonne santé pour gérer seule le chenil, mais Keith finirait par retrouver Beth n'importe où. Papy Clayton ferait tout pour qu'il y parvienne, et les tribunaux, y compris le juge Clayton, interviendraient. En l'absence de Beth, Keith se verrait à coup sûr octroyer la garde exclusive de l'enfant. L'oncle de Keith y veillerait ; c'était d'ailleurs la menace implicite qu'on lui avait faite depuis le divorce... Une menace qu'elle devait prendre au sérieux dans ce comté. Peut-être qu'elle pourrait tenter de faire appel du jugement... Mais combien de temps est-ce que cela prendrait ? Un an ? Dix-huit mois ? Bref, elle n'allait pas risquer de perdre Ben pour une période aussi longue. Et la dernière chose qu'elle souhaitait, c'était que le petit passe davantage de temps avec Keith.

À vrai dire, Keith ne tenait pas plus à la garde exclusive de l'enfant qu'elle-même ne souhaitait qu'il l'obtienne ; tant et si bien qu'au fil des années ils avaient mis au point une sorte d'accord tacite : Keith accueillerait le petit de temps à autre, mais suffisamment pour ne pas fâcher Papy Clayton. C'était assez injuste de leur part de traiter Ben comme un pion, mais comment pouvait-elle agir autrement ? Keith veillait à ce que la pension alimentaire soit versée, et Papy Clayton souhaitait garder son petit-fils à proximité.

Les gens se plaisaient à s'imaginer libres de choisir leur vie, mais Beth avait appris que ce choix se révélait parfois bien illusoire. Du moins à Hampton, où les Clayton dirigeaient quasiment tout. Papy Clayton se montrait toujours courtois lorsqu'ils se croisaient à l'église, et même s'il souhaitait acquérir les terres de Nana depuis des années, il ne leur avait pas fait de difficultés. Pour le moment. Mais dans ce monde en noir et blanc, nul doute que la famille Clayton, y compris le grand-père, maîtrisait toutes les nuances de gris et utilisait son pouvoir quand cela l'arrangeait. Chacun des membres du clan avait grandi avec l'idée d'être privilégié – voire de compter parmi les heureux élus –, d'où l'étonnement de Beth en voyant avec quelle facilité Keith avait déguerpi de chez elle la veille au soir.

Cela dit, elle était ravie que Logan et Zeus se soient trouvés là. Thibault avait géré la situation à merveille, et Beth appréciait le fait qu'il ne se soit pas attardé ensuite. Il comprenait qu'elle préférait rester seule avec Ben, et acceptait cela avec la même facilité qu'il avait chassé Keith.

Dans tous les domaines, Logan se montrait calme et tenace, songea-t-elle. Lorsqu'elle évoqua Drake, il ne tira pas la couverture à lui en parlant de l'Irak, pas plus qu'il ne lui dit ce qu'il ressentait, ou ne lui offrit le moindre conseil. C'était l'une des raisons pour lesquelles Beth lui faisait confiance et avait fini par se confier autant à lui. L'anniversaire de Drake l'avait plus ou moins perturbée, mais elle savait parfaitement ce qu'elle faisait, en fait. D'abord, c'était elle qui avait demandé à Logan de rester et, au fond, Beth savait qu'elle avait souhaité partager cet aspect de sa vie avec lui.

— Hé, m'man ?

Beth se tourna vers Ben. Son œil au beurre noir l'effrayait, mais elle fit comme si de rien n'était.

— Qu'est-ce que tu veux, mon chéri ?

— On a des sacs-poubelle ? Et des pailles ?

— Bien sûr. Pourquoi ?

— Thibault a dit qu'il allait me montrer comment fabriquer un cerf-volant et qu'on pourrait jouer avec quand on l'aurait fini.

— Ça m'a l'air drôlement sympa.

— Il dit qu'il les fabriquait comme ça quand il était petit, et qu'ils volaient super bien.

Elle sourit.

— C'est tout ce qu'il te faut ? Des sacs-poubelle et des pailles ?

— J'ai déjà trouvé du fil de pêche. Et le gros Scotch. Dans le garage de papy.

Elle aperçut Logan, à l'autre bout de la cour, qui venait vers eux. Ben le vit au même moment.

220

— Hé, Thibault ! s'écria-t-il. T'es prêt à construire le cerf-volant ?

— Je venais justement te le demander ! lui cria Logan.

— J'ai presque tout. Il manque plus que les sacs-poubelle et les pailles.

Logan leva le pouce en guise d'approbation. Tandis qu'il s'approchait, Beth s'attarda sur son torse puissant et sa taille étroite. Ce n'était pas la première fois qu'elle remarquait son corps élancé, mais aujourd'hui elle donnait presque l'impression de le… dévorer des yeux. Elle se détourna, posa une main sur l'épaule de Ben, et se sentit subitement ridicule.

— Les sacs-poubelle se trouvent sous l'évier, et les pailles, dans le garde-manger, près des cookies. Tu veux y aller ou je m'en charge ?

— J'y vais, répondit le gamin. (Puis à Logan :) J'en ai pour une minute.

Logan parvint à l'escalier au moment où Ben disparaissait dans la maison.

— Vous allez fabriquer un cerf-volant ? dit-elle, à la fois surprise et impressionnée.

— Il a dit qu'il s'ennuyait.

— Vous savez vraiment comment faire ?

— C'est pas aussi dur que ça en a l'air. Vous voulez nous aider ?

— Non, dit-elle. (De près, elle remarqua la manière dont son tee-shirt humide de sueur collait à sa poitrine, et s'empressa de détourner une nouvelle fois les yeux.) Je vais vous laisser entre vous. C'est plus une affaire d'hommes, ironisa-t-elle. Mais j'apporterai de la citronnade. Et ensuite, si vous avez faim, vous êtes le bienvenu à dîner. Ce sera tout simple… Ben avait envie de hot dogs et de macaronis au fromage.

– Ça me convient parfaitement, acquiesça Logan.

Ben ressortit, les sacs-poubelle dans une main, les pailles dans l'autre. Malgré son œil au beurre noir et ses lunettes de travers, son visage s'animait.

– J'ai tout ! s'écria-t-il. T'es prêt ?

Logan soutint le regard de Beth un peu trop longtemps, si bien qu'elle se sentit rougir et se détourna encore. Logan sourit au petit.

– Quand tu veux !

Beth se surprit à observer Logan tandis qu'il s'affairait sur le cerf-volant avec Ben, installés à la table de jardin près du grand chêne, avec Zeus à leurs pieds. Elle entendait par moments leurs voix portées par la brise. Logan indiquait à Ben comment procéder, ou Ben demandait à Logan s'il avait fait les choses correctement. De toute évidence, ils se passionnaient pour leur petit projet. Ben ne cessait de bavarder et commettait parfois des erreurs, que Logan rectifiait patiemment avec un morceau d'adhésif.

Depuis combien de temps n'avait-elle pas rougi sous un regard masculin un peu insistant ? Beth se demanda si sa gêne toute nouvelle avait un rapport avec l'absence de Nana. Voilà deux ou trois soirs qu'elle avait presque l'impression d'être livrée à elle-même pour la première fois de sa vie. Après tout, elle avait quitté le domicile de sa grand-mère pour s'installer chez Keith, puis était revenue vivre chez Nana depuis le divorce. Et même si elle appréciait la compagnie de sa grand-mère et une certaine forme de stabilité, ce n'était pas tout à fait la tournure qu'elle envisageait pour sa vie adulte. Dans le passé, elle avait à maintes reprises rêvé d'avoir un endroit bien à elle, mais ce n'était apparemment jamais le bon moment. Après l'épisode Keith, Beth avait eu besoin de Nana pour s'occuper de Ben ; quand son fils fut assez grand, son frère et son grand-père étaient morts, et Beth avait eu autant besoin du soutien de sa grand-mère que sa grand-mère du sien. Et ensuite ? Quand elle se sentit enfin prête pour déménager, Nana eut son attaque, et il n'était pas question pour Beth d'abandonner la femme qui l'avait élevée.

Mais à présent Beth avait sous les yeux un aperçu inattendu de ce que son existence aurait pu devenir en d'autres circonstances. Alors que les étourneaux voletaient au-dessus d'elle d'arbre en arbre, Beth se trouvait assise sur la véranda d'une maison pour ainsi dire vide, et assistait à une scène qui l'aidait à croire en une forme de vie harmonieuse. Même à distance, elle voyait Ben se concentrer, tandis que Logan lui montrait comment apporter la touche finale au cerf-volant. De temps à autre, Logan se penchait et lui faisait des suggestions, toujours calme et patient, laissant un maximum d'autonomie et de plaisir au gamin. Le fait même qu'il donne simplement l'impression de participer en rectifiant les erreurs de Ben, sans avoir l'air contrarié ni énervé, suscitait en elle gratitude et affection. Beth s'en émerveillait encore lorsqu'elle les vit s'avancer vers le centre de la cour. Logan tenait le cerf-volant au-dessus de sa tête et Ben déroulait le fil de pêche. Dès qu'il se mit à courir, Logan l'imita en laissant le cerf-volant décoller avant de le lâcher. Logan s'arrêta, regarda l'engin s'élever dans le ciel et, tandis qu'il battait des mains devant la joie évidente de l'enfant, Beth songea que parfois les situations les plus banales pouvaient devenir extraordinaires à condition de les vivre avec les bonnes personnes.

Nana appela dans la soirée pour demander qu'on vienne la récupérer le vendredi suivant. En son absence, Logan se joignit tous les soirs à Beth et à Ben pour le dîner. La plupart du temps, c'était Ben qui insistait pour qu'il reste, mais Beth ne tarda pas à comprendre que Logan était ravi de passer du temps avec eux, et surtout de laisser Ben prendre les choses en main. Malgré elle, et même s'ils avaient fini par se tutoyer, Beth se demandait parfois si Logan avait, lui aussi, peu d'expérience avec le sexe opposé.

Après le repas, ils prirent l'habitude de se promener. Ben et Zeus couraient en tête sur le chemin menant au cours d'eau, tandis que Logan et Beth suivaient ; un soir, ils partirent en direction de la ville, à la découverte des berges de la South River, et s'assirent sous le pont qui l'enjambait. Quelquefois, ils bavardaient de choses et d'autres : les petites anecdotes relatives au travail ou les progrès de Logan dans la réorganisation du fichier ; à d'autres moments, Logan paraissait se satisfaire de marcher à ses côtés sans trop parler. Comme le silence ne le gênait pas, elle découvrit avec surprise qu'elle s'en accommodait aussi.

Toutefois, il se passait quelque chose entre eux, et Beth le savait. Elle était attirée par lui. À l'école, tandis que ses élèves s'affairaient autour d'elle, Beth se surprenait parfois à se demander ce que Logan faisait au même instant. Peu à peu, elle admit qu'elle avait hâte de rentrer… car cela signifiait qu'elle allait le retrouver.

Le jeudi soir, ils s'entassèrent tous les trois dans la camionnette de Nana et partirent en ville manger une pizza. Zeus s'installa sur le plateau, la tête dodelinant par-dessus bord et les oreilles en arrière. Bizarrement, Beth avait comme l'impression de sortir en couple… sauf qu'il s'agissait d'un rendez-vous chaperonné par un gamin de dix ans.

Luigi's Pizza se situait dans une petite rue paisible du centre-ville, entre une boutique d'antiquités et un cabinet juridique. Avec son sol en brique, ses tables de pique-nique et ses murs lambrissés, l'établissement offrait une ambiance à la fois douillette et chaleureuse, en partie parce que Luigi n'avait pas changé la décoration depuis l'époque où Beth était encore enfant. À l'arrière du restaurant, les jeux proposés dataient du début des années 1980 : *Pac-Man*, *Millipede*, *Asteroids*. Cependant, ils rencontraient autant de succès qu'à cette période, sans doute en raison de l'absence de salle de jeux vidéo en ville.

Beth adorait l'endroit. Luigi et sa femme, Maria, âgés tous deux d'une bonne soixantaine d'années, y travaillaient sept jours par semaine et logeaient dans l'appartement du dessus. N'ayant aucune progéniture, ils jouaient un peu le rôle de parents de substitution pour la plupart des adolescents du voisinage, et accueillaient tout le monde avec un esprit tolérant et ouvert, si bien que leur établissement ne désemplissait jamais.

Ce soir-là, son habituelle clientèle hétéroclite s'y bousculait : des familles avec enfants, des juristes du cabinet voisin venus dîner après le travail, quelques couples d'un certain âge, et des groupes de jeunes par-ci par-là. Le visage de Maria s'éclaira à la vue de Beth et de Ben. Elle était petite et ronde, avec des cheveux bruns et un sourire affectueux et sincère. Elle s'avança vers eux, cartes à la main.

– Bonsoir, Beth. Bonsoir, Ben. (En passant devant les cuisines, elle baissa la tête pour appeler son mari :) Luigi ! Viens ! Beth et Ben sont là !

Beth y avait droit chaque fois qu'elle venait dîner et, même si elle était certaine que Maria accueillait chaque client avec autant d'entrain, ça lui faisait toujours plaisir d'être traitée en VIP.

Luigi débula des cuisines. Comme d'habitude, un tablier maculé de farine sanglait sa bedaine. Puisqu'il préparait encore les pizzas et que le restaurant était bondé, il prit juste le temps de leur faire un signe de la main.

— Quel plaisir de vous voir ! lança-t-il. Merci d'être venus !

Maria posa tendrement la main sur l'épaule de Ben.

— Dis donc, qu'est-ce que t'as grandi ! T'es un jeune homme maintenant. Et toi, Beth, tu es belle comme un cœur.

— Merci, Maria. Comment ça va ?

— Oh, la routine. Toujours très occupée. Et toi ? Toujours institutrice ?

— Toujours, confirma Beth.

L'instant d'après, Maria prit un air grave, et Beth devina la question suivante. Dans les petites villes, tout se savait.

— Et comment va Nana ?

— Beaucoup mieux. Elle vadrouille à présent.

— Oui, j'ai entendu dire qu'elle était partie rendre visite à sa sœur.

— Comment l'avez-vous su ? s'enquit Beth, incapable de masquer sa surprise.

— Bah... Les gens discutent, et j'ai les oreilles qui traînent, répondit Maria dans un haussement d'épaules. (Pour la première fois, Maria parut remarquer Logan.) Et qui est ce monsieur ?

— C'est mon ami Logan Thibault, dit Beth en s'efforçant de ne pas rougir.

— Vous êtes nouveau dans le coin ? Je ne vous ai jamais vu auparavant, reprit Maria en le lorgnant de la tête aux pieds avec une franche curiosité.

— Je viens de m'installer en ville.

— Eh bien, vous voilà avec mes deux clients préférés. (Maria leur fit signe d'avancer.) Venez. Je vais vous trouver une place dans un box.

Maria ouvrit la marche et posa les cartes sur la table, tandis qu'ils se glissaient sur les banquettes.

— Thé glacé pour tout le monde ?

— Ce sera parfait, Maria, répondit Beth. (Sitôt la patronne partie vers les cuisines, elle se tourna vers Logan.) Elle fait le meilleur thé glacé de la région. T'aimes ça, j'espère ?

— Ça me convient sans problème.

— Je peux avoir de la monnaie ? demanda Ben. J'ai envie d'aller faire un tour aux jeux vidéo.

— Je l'aurais juré, dit Beth en plongeant la main dans son sac. J'ai pris des pièces dans le bocal à monnaie avant de partir. Amuse-toi bien. Et ne suis pas les étrangers.

— J'ai dix ans, répliqua Ben, l'air agacé. Pas cinq !

Elle regarda son fils rejoindre les jeux, amusée par sa réaction. Parfois, il donnait l'impression d'être déjà au collège.

— Cet endroit ne manque pas de cachet, observa Logan.

— Et les plats sont succulents. On te sert des pizzas épaisses comme à Chicago… absolument divines ! Tu les aimes comment ?

Il se gratta le menton.

— Hmm… avec beaucoup d'ail et pas mal d'anchois.

Elle plissa le nez.

— Vraiment ?

— Non, je rigole. Prends ce que vous commandez d'habitude. J'ai pas de préférences, en fait.

— Ben aime le pepperoni.

— Dans ce cas, va pour le pepperoni.

Elle lui lança un regard malicieux.

— On ne t'a jamais dit que t'étais facile à vivre ?

— Pas dernièrement, répondit-il. Mais bon… je n'ai pas eu l'occasion de parler beaucoup en traversant le pays à pied.

— Tu ne t'es pas senti seul ?

— Pas avec Zeus à mes côtés.

— Mais pour la conversation, il ne peut pas vraiment participer.

— Non. Mais il ne s'est pas plaint non plus de la longueur du trajet. Contrairement à la plupart des gens.

— Moi, je n'aurais pas ronchonné, répliqua Beth, ramenant ses cheveux derrière ses épaules.

Logan ne réagit pas.

— Je suis sérieuse, protesta-t-elle. J'aurais pu sans problème traverser le pays à pied.

Logan s'abstint de tout commentaire.

— Bon… OK. Peut-être que j'aurais pleurniché une fois ou deux, admit-elle.

Il éclata de rire, puis balaya le restaurant du regard.

— Parmi tous ces clients, t'en connais combien ?

À son tour, elle parcourut la salle des yeux et réfléchit.

— Je les croise presque tous en ville depuis des années, mais ceux que je connais vraiment… environ une trentaine.

Ce qu'il estima correspondre à plus de la moitié de la clientèle présente.

— Quelle impression ça te fait ?

— De savoir que tout le monde est au courant de tout, tu veux dire ? J'imagine que ça dépend des grosses erreurs qu'on commet, puisque c'est de ça dont la plupart des gens finissent par discuter. Les aventures sentimentales, les pertes d'emploi, l'abus d'alcool ou la consommation de drogue, les accidents de voiture. Mais quand on est comme moi, blanche comme neige, c'est pas si dur à vivre.

Il sourit à belles dents.

— Ça doit être sympa d'être dans ta peau.

— Oh, ça l'est, crois-moi. Disons que t'as une chance inouïe d'être assis à ma table.

— Mais je n'en ai jamais douté !

Maria déposa les boissons. En s'éloignant, elle haussa les sourcils de manière discrète, mais juste assez pour faire comprendre à Beth qu'elle appréciait l'allure de Logan et espérait découvrir plus tard ce qu'il y avait entre eux.

Beth but une gorgée de son thé glacé et il l'imita.

— Qu'est-ce que t'en penses ?

— Très sucré, c'est sûr, dit-il. Mais agréable.

Beth hocha la tête et épongea la condensation sur son verre à l'aide d'une serviette en papier. Puis elle froissa celle-ci en boule et la mit de côté.

— Combien de temps tu comptes rester à Hampton ? reprit-elle.

— Comment ça ?

— T'es pas d'ici, t'as un diplôme universitaire, tu fais un boulot que tout le monde déteste et pour un petit salaire. Je suis en droit de m'interroger…

— J'ai pas l'intention de m'en aller.

— C'est pas ce que je t'ai demandé… mais combien de temps tu comptes rester à Hampton. Honnêtement.

Le ton employé ne tolérait aucune dérobade, et Logan n'eut aucun mal à imaginer Beth rétablissant le silence dans une classe agitée.

— Honnêtement ? J'en sais rien. Et je dis ça parce que j'ai appris ces cinq dernières années que rien n'était jamais définitif.

— C'est sans doute vrai mais, une fois de plus, tu ne réponds pas réellement à ma question.

Il parut noter la déception dans sa voix et se débrouilla pour lui fournir une réponse.

— Et si je te disais que, jusqu'ici, ça me plaît ? J'aime mon job, je trouve Nana géniale, je passe de bons moments avec Ben… Si bien que, dans l'immédiat, je n'ai aucune intention de quitter Hampton. Est-ce que j'ai répondu à ta question ?

Beth perçut une certaine impatience dans les paroles de Logan et la manière dont il la dévisageait avec intensité.

— J'ai noté, dit-elle en se penchant vers lui, que tu avais omis un élément important dans la liste de ce qui te retenait ici.

— Ah bon ?

— Ouais… Moi.

À son tour, elle guetta une réaction quelconque, tandis que ses lèvres s'ourlaient en un sourire taquin.

— Peut-être que je t'ai oubliée sans le vouloir, admit-il en esquissant lui aussi un vague sourire.

— J'y crois pas.

— Euh… disons que je suis timide ?

— Trouve-toi une autre excuse…

Il secoua la tête, l'air perplexe.

— Je suis à court d'idées.

Elle lui fit un clin d'œil en ajoutant :

— Je te laisse y réfléchir et peut-être que tu trouveras quelque chose. On peut en reparler plus tard.

— Ça me va. Quand ça ?

Elle entoura son verre de ses mains, vaguement nerveuse à l'idée de ce qu'elle allait répondre.

— T'es libre samedi soir ?

Si la question le surprit, il n'en laissa rien paraître.

— Va pour samedi soir ! dit-il avant de boire une longue gorgée de thé glacé, sans jamais la quitter des yeux.

Ni l'un ni l'autre ne remarqua que Ben était revenu à table.

— Vous avez déjà commandé les pizzas ? demanda-t-il.

Cette nuit-là, allongée dans son lit, Beth fixait le plafond en se demandant : *Qu'est-ce qui a bien pu me passer par la tête ?*

Il existait tant de raisons pour éviter ce qu'elle avait fait. Après tout, elle ne savait pas grand-chose sur lui ou son passé. Il lui cachait encore les raisons l'ayant poussé à venir à Hampton, ce qui signifiait non seulement qu'il ne lui faisait pas confiance, mais qu'elle-même ne le trouvait pas totalement fiable. Sans compter qu'il travaillait au chenil… pour le compte de Nana et à deux pas de la maison. Et si ça ne marchait pas ? S'il avait certaines… *attentes* qu'elle n'était pas prête à combler ? Est-ce qu'il reviendrait travailler lundi ? Nana allait-elle se retrouver toute seule ? Et Beth allait-elle devoir démissionner pour revenir l'aider au chenil ?

Bref, toute cette histoire soulevait des tas de problèmes éventuels, et plus elle y songeait, plus elle était convaincue d'avoir commis une terrible erreur. Pourtant, elle en avait marre d'être seule. Elle adorait Ben et Nana, mais le simple fait d'avoir passé du temps avec Thibault ces derniers jours lui avait rappelé tout ce qui lui manquait. Beth appréciait leurs balades d'après-dîner, la façon dont il la regardait, et surtout sa manière de se comporter avec Ben.

Sans parler de la facilité déconcertante avec laquelle Beth s'imaginait vivre avec Logan. Elle avait beau se dire qu'elle ne le connaissait pas depuis longtemps, son intuition prenait le pas sur tout le reste.

Et si c'était le bon ? Le seul, l'unique…

OK, elle n'irait pas jusque-là. Ils n'avaient même pas

encore eu un vrai rendez-vous en tête à tête. C'était si facile d'idéaliser quelqu'un qu'on connaissait à peine.

Beth se redressa et tapota plusieurs fois son oreiller avant de se rallonger. Ma foi, ils sortiraient ensemble et verraient bien ce qui se passerait ensuite. Certes, elle ne pouvait nier les espoirs qu'elle fondait sur cette sortie, mais sans plus. Logan lui plaisait, mais elle n'était pas amoureuse de lui. Pas encore, du moins…

– 16 –

Thibault

Le samedi soir, Thibault attendit sur le canapé, se demandant s'il avait fait le bon choix.

En d'autres lieux, à une autre époque, il n'y aurait pas réfléchi à deux fois. Nul doute qu'Elizabeth l'attirait. Il appréciait son intelligence et son ouverture d'esprit, le tout accompagné d'un sens de l'humour malicieux. Sans oublier son physique… Il ne pouvait imaginer comment elle avait pu rester seule aussi longtemps.

Mais il ne se trouvait ni ailleurs ni à une autre époque, et rien n'était normal dans toute cette histoire. Logan conservait sur lui cette photo depuis plus de cinq ans. Il avait cherché cette femme dans tout le pays, était venu à Hampton, avait pris un travail lui permettant de se retrouver auprès d'elle. Il avait sympathisé avec sa grand-mère, son fils, puis avec elle. À présent, dans quelques minutes, ce serait leur premier rendez-vous.

Logan était venu ici pour une raison bien précise, qu'il avait acceptée dès son départ du Colorado. Admettant du même coup que Victor disait vrai. Toutefois, il ne savait toujours pas si le fait de rencontrer cette femme – de

233

devenir proche d'elle – avait motivé sa venue. Pas plus qu'il n'était certain que ce ne soit pas le cas.

La seule chose dont il était sûr, c'était qu'il avait hâte de passer cette soirée avec elle. La veille, il n'avait cessé d'y penser en allant chercher Nana.

Pendant la première demi-heure, sur le trajet du retour, Nana parla de la pluie et du beau temps, en passant par la politique et la santé de sa sœur, avant de se tourner vers Logan en lui adressant un sourire narquois.

– Alors, comme ça vous allez sortir avec la petite-fille de la patronne ?

Thibault se trémoussa, nerveux, sur son siège.

– Elle vous l'a dit ?

– Évidemment ! Mais même si elle n'en avait pas soufflé mot, je le sentais venir. Deux jeunes gens séduisants, esseulés et célibataires... J'ai su que ça arriverait dès le jour où je vous ai embauché.

Thibault resta muet, et quand Nana reprit la parole, sa voix se teinta de mélancolie.

– Cette petite est douce comme une pastèque gorgée de sucre... Je me fais parfois du souci pour elle.

– Je sais, dit Thibault.

Leur conversation s'arrêta là, mais Logan comprit qu'il avait la bénédiction de Nana, un détail non négligeable compte tenu de la place importante qu'elle occupait dans la vie d'Elizabeth.

Alors que le soir tombait, il vit la voiture de Beth s'engager dans l'allée, l'avant du véhicule cahotant légèrement dans les nids-de-poule. Elle ne lui avait pas précisé à quel endroit ils se rendaient, mais seulement dit de porter une tenue décontractée. Il sortit sur le porche comme elle se garait devant la maison. Zeus le suivit, les oreilles dressées, en alerte. Quand Elizabeth descendit du véhicule et s'avança sous la lumière tamisée de la véranda, Logan ne put s'empêcher de l'admirer.

Comme lui, elle portait un jean, mais son corsage crème accentuait sa peau bronzée. Ses cheveux blond miel tombaient en cascade sur son décolleté, et il remarqua qu'elle avait mis une touche de mascara. Une séduisante étrangère qui lui était pourtant familière.

Zeus descendit les marches pour la rejoindre, gémissant et frétillant de la queue.

— Salut, Zeus. Je t'ai manqué ? Ça ne fait qu'un jour, dit-elle en lui caressant l'échine. (Et l'animal continua à gémir, avant de lui lécher les mains.) Quel accueil ! ajouta-t-elle en levant les yeux sur Logan. Tu vas bien ? Je suis en retard ?

Il prit un air nonchalant.

— Je vais bien. Et tu es pile à l'heure. Je suis ravi que t'aies pu venir.

— Tu en doutais ?

— Non, mais l'endroit n'est pas facile à trouver.

— Pas quand on a vécu toute sa vie dans le coin, dit-elle en s'approchant de la maison. C'est donc là que tu habites ?

— Exact.

— Sympa, observa-t-elle en contemplant la maison.

— Ça correspond à l'idée que tu t'en faisais ?

— Tout à fait. Robuste. Fiable. Plutôt discrète.

Il saisit l'allusion et sourit, puis revint à Zeus et lui ordonna de rester sur la véranda. Puis il descendit les marches pour la rejoindre.

— Il ne craint rien à l'extérieur ? s'enquit Beth.

— Tout se passera bien. Il ne bougera pas.

— Mais on sera absents plusieurs heures.

— Je sais.

— Incroyable.

— Ça peut te paraître bizarre, mais les chiens n'ont pas vraiment la notion du temps. D'ici une minute, il se rappellera uniquement qu'il doit rester là, mais ne saura plus pourquoi.

— Où as-tu appris autant de choses sur la gent canine et le dressage ? demanda-t-elle, intriguée.

— J'ai lu pas mal de bouquins.

— Tu lis ?

Il prit un air amusé.

— Oui. Ça t'étonne ?

— En effet. Pas facile de trimballer des livres quand on traverse le pays à pied.

— Pas si on s'en débarrasse une fois qu'on les a terminés.

Ils gagnèrent la voiture et, alors que Thibault allait lui ouvrir la portière côté conducteur, elle secoua la tête.

— C'est peut-être moi qui t'ai invité, mais c'est toi qui vas conduire.

— Ça alors ! Moi qui pensais avoir affaire à une femme libérée, protesta-t-il.

— Je suis libérée, mais tu tiendras le volant. Et paieras l'addition.

Il rit de bon cœur et lui ouvrit alors la portière passager. Une fois tous les deux installés, elle lança un regard du côté de la véranda. Zeus semblait ne pas comprendre ce qui se passait et elle l'entendit gémir à nouveau.

— Il a l'air triste.

— Sans doute, admit Logan. On se sépare rarement.

— Espèce de sale bonhomme, le gronda-t-elle.

Le ton taquin de Beth le fit encore sourire, tandis qu'il démarrait puis passait la marche arrière.

— On va dans le centre ?

— Non. Pas ce soir. Prends la direction de la nationale, puis vers la côte. On ne va pas sur la plage, mais il y a un endroit sympa sur le chemin. Je te ferai signe quand il faudra bifurquer.

Thibault s'exécuta et ils roulèrent au crépuscule sur des routes paisibles. Ils parvinrent à la nationale en quelques minutes et, à mesure qu'ils accéléraient, les arbres des bas-côtés devinrent de plus en plus flous, tandis que les ombres s'étiraient sur la chaussée et assombrissaient l'habitacle.

— Si tu me parlais de Zeus ? suggéra-t-elle.

— Que veux-tu savoir ?

— Tout ce que tu voudras bien me dire sur lui. Un détail que j'ignore.

Il aurait pu déclarer : « Je l'ai acheté parce qu'une inconnue sur une photo possédait un berger allemand », mais il préféra répondre :

— J'ai acheté Zeus en Allemagne. J'y suis allé en avion et je l'ai moi-même choisi dans la portée.

— Ah bon ?

Il acquiesça.

— Là-bas, le berger allemand, c'est comme l'aigle à tête blanche chez nous. À savoir un symbole de fierté nationale, et les éleveurs prennent leur travail très au sérieux. Je souhaitais un chien doté d'un bon pedigree, et c'est en Allemagne qu'on trouve les meilleurs. Zeus vient d'une longue lignée d'animaux ayant remporté des compétitions Schutzhund.

— C'est-à-dire ?

— Dans ces concours, on teste non seulement l'obéissance des chiens, mais aussi leurs capacités à pister et à protéger. Les épreuves durent au moins deux jours et, en règle générale, les vainqueurs sont les animaux les plus aptes au dressage et les plus intelligents. Comme Zeus vient d'une lignée de champions, il a été élevé pour exceller dans ces deux domaines.

— Et c'est toi qui t'es chargé de son dressage, dit-elle, visiblement impressionnée.

— Depuis l'âge de six mois. Quand on est partis à pied du Colorado, je lui faisais faire des exercices tous les jours.

— C'est un animal incroyable. Tu pourrais l'offrir sans problème à Ben, tu sais. Il serait enchanté !

Thibault resta muet.

Elle remarqua son expression et s'approcha de lui en glissant sur le siège.

— Je plaisantais, voyons… Pas question que je te prive de ton chien.

Thibault sentit la chaleur du corps de Beth l'irradier.

— Ne le prends pas mal mais… comment ton fils a-t-il réagi quand tu lui as dit que tu sortais avec moi, ce soir ? demanda-t-il.

— Ça ne l'a pas dérangé. Nana et lui prévoyaient de regarder un DVD. Ils en avaient parlé dans la semaine au téléphone. En se mettant d'accord sur la soirée et tout ça…

— Ça leur arrive souvent ?

— Auparavant, oui… mais c'est la première fois depuis qu'elle a eu son attaque. Je sais que Ben s'en réjouissait d'avance. Nana prépare du pop-corn pour l'occasion et le laisse veiller plus tard que d'habitude.

— À l'inverse de sa mère, bien sûr.

— Bien sûr, admit-elle en souriant. Sinon, qu'est-ce que t'as fait de beau aujourd'hui ?

— Tout ce que j'avais pas eu le temps de faire dans la semaine. Ménage, lessive, courses, ce genre de choses.

Elle arqua un sourcil admiratif.

— Waouh ! Une vraie fée du logis, se moqua-t-elle. J'imagine que tu fais ton lit au carré.

– Absolument !

– Faut que tu montres à Ben comment on fait.

– Pas de problème.

Les premières étoiles apparaissaient dans le ciel nocturne, et les phares de la voiture balayaient la route sinueuse.

– On va où, au juste ? reprit Thibault.

– T'aimes les crabes ?

– J'adore.

– C'est un bon début. Et le *shag dancing*[1] ?

– Jamais entendu parler...

– Eh bien... tu vas devoir t'y mettre rapidement.

Quarante minutes plus tard, Thibault s'arrêta devant un bâtiment qui lui faisait penser à un vieil entrepôt. Elizabeth l'avait dirigé vers la zone industrielle du centre de Wilmington, et ils s'étaient garés devant une bâtisse dont le revêtement extérieur en bois ne datait pas d'hier. Peu de choses le différenciait des immeubles voisins, hormis la centaine de véhicules garés sur le parking et une sorte de petite coursive en planches, à la balustrade ornée de guirlandes de Noël, qui en faisait le tour.

– Comment s'appelle ce restau ?

– Shagging for Crabs.

– Original. Mais j'ai un peu de mal à l'imaginer comme la super attraction touristique du coin.

– Forcément, c'est réservé aux gens du cru. Une copine de fac m'en avait parlé et j'ai toujours voulu y aller.

---

1. Danse de couple dérivée du swing des années 1920-1940, où les partenaires remuent peu le haut du corps, restent souvent en position fermée ou avec de brèves ouvertures, et exécutent de nombreux sautillements et jeux de jambes.

— T'es jamais venue ici ?

— Non. Mais j'ai entendu dire que c'était drôlement sympa.

À ces mots, elle s'engagea sur la coursive grinçante. Devant eux, la rivière scintillait sous la lune. À mesure qu'ils avançaient, la musique à l'intérieur s'amplifiait. Lorsqu'ils ouvrirent la porte, elle les submergea comme une lame de fond, de même que le fumet des crabes et du beurre fondu flottant dans l'atmosphère. Thibault prit le temps de scruter l'endroit.

L'intérieur du bâtiment se révélait tout ce qu'il y a de brut et sans fioritures. La première moitié de la salle était remplie de dizaines de tables de pique-nique, recouvertes de nappes en plastique à carreaux rouges et blancs, agrafées au plateau en bois. Thibault vit les serveuses déposer des seaux remplis de crabes au milieu de tablées, où les bruyants convives arboraient des bavoirs en plastique et mangeaient avec les doigts. On avait placé des pichets de beurre fondu au centre des tables, avec des coupelles individuelles pour chaque dîneur, dont la bière semblait la boisson de prédilection.

Juste devant Logan et Beth, dans la partie qui surplombait le cours d'eau, se dressait une sorte de grand bar... ou plutôt un comptoir de fortune, constitué de morceaux de bois flotté entassés sur des tonneaux. Les gens s'y pressaient sur trois rangées. De l'autre côté de la salle, on apercevait ce qui devait tenir lieu de cuisine. Mais ce qui attirait l'œil, c'était la scène installée à l'extrémité du bâtiment, où un orchestre jouait *My Girl* des Temptations. Une bonne centaine de gens évoluaient sur la piste en exécutant des pas de danse que Thibault voyait pour la première fois.

— Waouh ! s'exclama-t-il dans le brouhaha ambiant.

Une rousse fluette d'une quarantaine d'années, avec un tablier noué autour de la taille, s'approcha d'eux.

240

— Salut les jeunes, dit-elle. C'est pour dîner ou pour danser ?

— Les deux, répondit Beth.

— Vos prénoms ?

Logan et elle échangèrent un regard.

— Elizabeth… dit-il.

— Et Logan, compléta-t-elle.

La femme griffonna les noms sur son calepin.

— Maintenant, une dernière question. Famille ou Joyeux drilles ?

Elizabeth la regarda, médusée.

— Pardon ?

La femme fit claquer le chewing-gum qu'elle mastiquait.

— C'est votre première visite, je parie ?

— Oui.

— Bon… je vous explique en deux mots. Vous devez partager une table. C'est comme ça que ça marche ici. Tout le monde se mélange. Maintenant, soit vous voulez dîner en compagnie de gais lurons et vous allez vous retrouver à une tablée où ça rigole et parle fort, soit vous préférez un tablée familiale, d'ordinaire un peu plus calme. Bien sûr, je peux pas vous garantir l'ambiance de votre table. Je pose juste la question. Alors ? Famille ou Joyeux drilles ?

Elizabeth et Thibault échangèrent de nouveau un regard et parvinrent à la même conclusion.

— Joyeux drilles ! répondirent-ils en chœur.

Ils se retrouvèrent à une table de six étudiants de l'université de Caroline du Nord. La serveuse les présenta comme étant Matt, Sarah, Tim, Allison, Megan et Steve. Et tous levèrent leurs canettes en clamant à l'unisson :

— Salut Elizabeth ! Salut Logan ! On a des crabes[1] !

Thibault réprima une envie de rire à cause du jeu de mots a priori volontaire… mais il resta perplexe en voyant les jeunes le regarder d'un air impatient.

La serveuse murmura :

— Vous êtes censés répondre : « On veut des crabes, surtout si on les attrape avec vous ! »

Cette fois, il rit de bon cœur avec Elizabeth, avant de prononcer les paroles prescrites, sacrifiant volontiers au rituel en vigueur dans l'établissement.

Beth et lui s'installèrent face à face. Elle se retrouva assise à côté de Steve, lequel la trouvait manifestement fort à son goût, alors que Thibault s'asseyait auprès de Megan, qui ne lui témoigna aucun intérêt particulier, car Matt lui plaisait beaucoup plus.

Une serveuse rondelette et débordée passa à leur table en prenant à peine le temps de s'arrêter pour lancer à la cantonade :

— Du rab de crabes, les amis ?

— Oui ! Oui ! Oui ! Jusqu'au bout de la nuit ! répondirent les étudiants en chœur.

Thibault entendit la même réponse résonner ici et là dans la salle. La variante, que les clients clamaient haut et fort, était : « On n'en veut plus ! On est repus ! » Toute cette ambiance turbulente rappelait à Logan le culte *The Rocky Horror Picture Show*, dont les fans connaissaient toutes les répliques et jouaient le film dans la salle tandis que les néophytes se prenaient au jeu.

La nourriture se révéla d'excellente qualité. Un seul plat au menu, préparé d'une seule et unique manière, et chaque

---

1. *Crabs* signifie aussi « morpions » en argot anglais.

seau de crabes était servi avec son lot de serviettes et de bavoirs. Comme le voulait la tradition, on laissait les déchets sur la table, que des jeunes en tablier venaient régulièrement débarrasser.

Évidemment, les étudiants chahutèrent à qui mieux mieux et les blagues fusèrent. Elizabeth se fit gentiment draguer et but deux bières avec Logan, ce qui ajouta à l'ambiance débridée de la tablée.

Après le repas, ils allèrent se laver les mains aux toilettes. Lorsqu'elle en ressortit, Elizabeth le prit par le bras.

— Prêt pour le shag ? demanda-t-elle d'un ton charmeur.

— Je sais pas trop. Comment ça se danse, au juste ?

— Apprendre à danser le shag, c'est comme apprendre à devenir un gars ou une fille du Sud. C'est tout l'art de se détendre en écoutant l'océan et en sentant la musique.

— J'ai comme l'impression que tu n'es pas une débutante.

— Oh, je l'ai dansé une fois ou deux, avoua-t-elle avec fausse modestie.

— Et tu vas m'apprendre les pas ?

— Je serai ta partenaire. Mais le cours débute à neuf heures.

— Le cours ?

— Tous les samedis. C'est pourquoi il y a autant de monde ce soir. Ils proposent un cours de shag pour débutants, pendant que les habitués font une pause. On n'aura plus qu'à suivre les pas qu'ils nous indiqueront. Ça démarre bientôt.

— Il est quelle heure ?

Elizabeth jeta un coup d'œil à sa montre.

— L'heure d'apprendre le shag !

Elizabeth se révéla bien plus douée qu'elle ne l'avait laissé entendre, ce qui, heureusement, aida beaucoup Thibault à ne pas se ridiculiser sur la piste. Encore qu'à ses yeux le plus agréable résidait dans le frisson quasi électrique qu'il éprouvait chaque fois qu'ils se touchaient et le parfum qu'elle exhalait lorsqu'il la faisait tournoyer. Dans l'air humide, la chevelure de Beth se muait en une luxuriante crinière dorée, tandis que sa peau luisait de transpiration, l'ensemble lui donnant des allures de sauvageonne. De temps à autre, elle lui décochait un sourire en coin, comme si elle savait parfaitement l'effet qu'elle produisait sur lui.

Quand l'orchestre décida de faire une pause, Thibault s'apprêta à quitter la piste, mais Elizabeth l'arrêta au moment où les premières notes d'*Unforgettable* de Nat King Cole s'échappaient de la sono qui diffusait à présent un CD. Elle le regarda et il comprit ce qui lui restait à faire.

Sans dire un mot, il glissa le bras derrière le dos de Beth et lui prit la main. Il l'attira à lui sans la quitter des yeux et, avec une lenteur mesurée, tous deux entamèrent un slow langoureux.

Thibault remarquait à peine les autres couples qui les avaient rejoints ici et là. Comme la musique continuait, Elizabeth le serra si fort qu'il sentit son souffle alangui tout contre lui. Il ferma les yeux, elle posa la tête sur son épaule… En un instant, ils se retrouvèrent seuls au monde. Ils en oublièrent la chanson, l'endroit, les autres danseurs. Thibault s'abandonna à son étreinte, tandis qu'ils chaloupaient tendrement sur la piste, perdus dans un monde qui semblait n'exister que pour eux.

Sur le trajet du retour, dans la nuit noire, Thibault prit la main d'Elizabeth, qui, de son pouce, le caressa en silence.

Lorsqu'ils s'arrêtèrent devant chez lui un peu avant onze heures, Zeus, toujours allongé sur la véranda, leva la tête au moment où Thibault coupait le moteur pour se tourner vers Elizabeth.

— J'ai passé une super soirée, murmura-t-il.

Il s'attendait à ce qu'elle réplique la même chose, mais sa réaction le surprit.

— Et tu ne vas pas m'inviter chez toi ?

— Si, répondit-il simplement.

Alors que Thibault ouvrait la portière d'Elizabeth, le chien se redressa, puis il commença à agiter la queue quand elle descendit du véhicule.

— Salut, Zeus !

— Viens ! ordonna Thibault.

L'animal bondit du porche et courut les rejoindre. Il leur fit la fête en jappant et en tournant comme un fou autour d'eux.

— On lui a manqué, dit-elle en se penchant. Pas vrai, mon chien ? (Zeus lui lapa le visage à grands coups de langue. Elle se redressa aussitôt et s'essuya en grimaçant.) Beurk… Je ne me ferais jamais aux débordements d'affection canine !

— Mais lui adore ça ! répliqua Thibault. (Il lui fit signe en montrant la maison.) T'es prête ? Autant te prévenir tout de suite : ne t'attends pas à un palace.

— Tu as de la bière au frigo ?

— Oui.

— Alors, tout va bien.

Ils gravirent les marches. Thibault ouvrit la porte et appuya sur l'interrupteur. Un unique lampadaire s'alluma et projeta une lumière tamisée sur un fauteuil placé près de la fenêtre. Le centre de la pièce était occupé par une table basse, avec deux bougies en guise de décoration. Un canapé de taille moyenne lui faisait face, recouvert de la même housse marine que le fauteuil, avec derrière eux une étagère abritant quelques livres. Un porte-revues vide et un autre lampadaire complétaient le décor minimaliste.

Toutefois c'était propre. Un peu plus tôt dans la journée, Thibault avait fait le ménage, nettoyé le parquet en pin et les vitres. Il détestait le désordre et la saleté. La poussière omniprésente en Irak n'avait fait qu'accentuer son obsession du rangement et de la netteté.

Elizabeth prit le temps de parcourir le salon du regard avant d'entrer.

— J'aime bien, dit-elle. Où as-tu trouvé les meubles ?

— C'était compris dans la location.

— Ce qui explique les housses.

— Exact.

— Pas de télé ?

— Non.

— Une radio ?

— Non plus.

— Tu fais quoi quand tu es chez toi ?

— Je dors.

— Mais encore ?

— Je lis.

— Des romans ?

— Non… Enfin, ça m'arrive. Mais je lis surtout des biographies et des documents.

— Pas d'anthropologie ?

— J'ai un ouvrage de Richard Leakey. Mais j'aime pas trop les pavés d'anthropologie postmoderne, qui supplantent les anciens depuis quelque temps. De toute manière, c'est pas le genre d'ouvrages qu'on trouve facilement à Hampton.

Elle contourna les meubles en promenant son doigt sur les housses.

— De quoi il parle ?

— Qui ça ? Leakey ?

— Ouais, dit-elle en souriant. Leakey.

Il plissa les lèvres, tout en rassemblant ses idées.

— L'anthropologie classique possède grosso modo cinq domaines de prédilection : à quelle période l'homme a commencé à évoluer, à quel moment il s'est mis à marcher sur ses deux jambes, pourquoi il y avait autant d'espèces d'hominidés, pourquoi et comment ces espèces ont évolué, et tout ce que cela signifie dans l'histoire de l'évolution de l'homme moderne. Le bouquin de Leakey traite surtout des quatre derniers champs d'investigation que je viens de citer, en insistant sur la manière dont la fabrication d'armes et d'outils a influencé l'évolution d'*Homo sapiens*.

Elle ne pouvait masquer son amusement, mais il voyait bien qu'elle n'en demeurait pas moins épatée.

— Et si on prenait une bière ? suggéra-t-elle.

— J'en ai pour une minute, dit-il. Fais comme chez toi.

Il revint de la cuisine avec deux bouteilles et une boîte d'allumettes. Elizabeth s'était installée au milieu du canapé ; il lui tendit une boisson et s'assit auprès d'elle, posant les allumettes sur la table.

Elle s'en empara aussitôt et en craqua une, observant l'étincelle qui se muait en flamme. D'un geste fluide, elle alluma les deux bougies, puis souffla sur l'allumette.

— J'espère que ça ne te dérange pas. J'adore l'odeur des bougies.

— Pas du tout.

Il se leva et éteignit le lampadaire, et seule la lueur chaleureuse des bougies éclaira le salon. Il revint s'asseoir encore plus près d'Elizabeth et l'observa fixant la flamme, son visage à moitié dans l'ombre. Il prit une gorgée de bière en se demandant à quoi elle pouvait penser.

— Tu sais depuis combien de temps je ne me suis pas retrouvée seule avec un homme, dans une pièce éclairée aux chandelles ? demanda-t-elle en se tournant vers lui.

— Non.

— C'est une question piège. La réponse est... *jamais*, avoua Elizabeth, qui paraissait la première étonnée. Tu ne trouves pas ça bizarre ? J'ai été mariée, j'ai eu un enfant, puis j'ai divorcé, eu quelques rendez-vous mais... jamais l'occasion ne s'est présentée. Pour ne rien te cacher, c'est la première fois que je me retrouve chez un homme depuis mon divorce, admit-elle d'un air presque honteux. Est-ce que tu m'aurais fait entrer si je ne m'étais pas invitée ? demanda-t-elle, alors que son visage était à quelques centimètres de celui de Thibault. Réponds-moi franchement. Si tu mens, je le saurai...

Il fit glisser la bouteille entre ses mains.

— J'en suis pas certain...

— Pourquoi ? Qu'est-ce qui cloche chez m...

— Ça n'a rien à voir avec toi, l'interrompit-il. C'est plus en rapport avec Nana et ce qu'elle pourrait penser.

— Parce que c'est ta patronne ?

— Parce que c'est ta grand-mère. Et je la respecte. Mais surtout parce que je te respecte. J'ai passé une soirée géniale. Depuis cinq ans, je ne me rappelle pas m'être autant amusé avec qui que ce soit.

— Et pourtant tu ne m'aurais pas invitée chez toi ? répliqua-t-elle, visiblement ébahie.

— J'ai pas dit ça... J'ai dit que je n'en étais pas certain.

— Ça veut dire non.

— Ça signifie que je cherchais un moyen de te demander d'entrer sans te choquer, mais tu m'as pris de court. Et si la véritable question, c'est de savoir si j'avais envie de t'inviter chez moi... alors la réponse est oui.

Le genou de Thibault effleura celui d'Elizabeth.

— Et d'où viennent tous tes… problèmes ?

— Bah… disons que j'ai pas eu beaucoup de chance avec les types que j'ai rencontrés.

Il se garda cette fois de l'interrompre, mais lorsqu'il écarta le bras pour le poser sur le dossier du canapé, il sentit Elizabeth se nicher au creux de son épaule.

— Au début, ça ne me dérangeait pas, reprit-elle enfin. J'étais si occupée avec Ben et mon boulot à l'école que je ne m'en suis pas vraiment rendu compte. Mais plus tard, quand ça s'est reproduit plusieurs fois, j'ai commencé à m'interroger. Sur moi-même. Et je me suis posé des tas de questions complètement dingues. J'ai fait un truc qui ne fallait pas ? Je ne me suis pas suffisamment intéressée à lui ? Je sens mauvais ? (Elle tenta d'esquisser un sourire, mais ne put masquer la tristesse et le doute qui transparaissaient dans ses paroles.) Bref, toutes sortes d'idées folles me sont passées par la tête. Parce qu'il m'arrivait parfois de rencontrer un type et de me dire que ça collait plutôt bien entre nous… et puis, tout à coup, j'entendais plus parler de lui. Non seulement il cessait de m'appeler, mais si je tombais ensuite sur lui par hasard, il me fuyait comme la peste. Bref, j'y comprenais rien. Et je pige toujours pas. Et puis ça m'a perturbée. Ça m'a fait mal. Avec le temps, c'est devenu de plus en plus difficile d'en vouloir aux gars avec qui je sortais, et j'ai fini par en conclure qu'un truc ne tournait pas rond chez moi. Peut-être que j'étais faite pour vivre seule.

— Il n'y a rien qui cloche chez toi, lui dit-il en lui pressant tendrement le bras pour la rassurer.

— Cherche bien. Je suis sûre que tu trouveras la faille.

Thibault percevait la blessure sous l'autodérision.

— Non, dit-il. Je ne crois pas.

— T'es gentil.

— Je suis sincère.

Elle sourit en buvant une gorgée de bière, puis ajouta :

— La plupart du temps…

— Allons bon… Tu ne me trouves pas sincère ?

Elle haussa les épaules.

— Si… La plupart du temps…

— C'est censé vouloir dire quoi ?

Elle posa la bouteille sur la table et rassembla ses idées.

— Je pense que t'es un garçon génial. Intelligent, qui ne rechigne pas à bosser, sympa, et super avec Ben. Je le sais, ou du moins je le pense, parce que je l'ai constaté de visu. Mais c'est ce que tu ne dis pas qui me pousse à m'interroger sur toi. Je crois te connaître mais, en y réfléchissant bien, je me rends compte que c'est pas vraiment le cas. Tu étais quel genre d'étudiant ? J'en sais rien. Qu'est-ce qui s'est passé ensuite ? J'en sais rien. Bon, je sais que tu es parti en Irak, puis qu'une fois démobilisé tu es venu jusqu'ici à pied depuis le Colorado, mais j'ignore pourquoi. Quand je te pose la question, tu te contentes de me répondre que « Hampton a l'air d'un coin agréable ». T'as fait des études supérieures, tu es loin d'être idiot, et pourtant tu te satisfais d'un salaire minimum. Quand je te demande pourquoi, tu me rétorques que t'aimes bien les chiens. (Elle se passa la main dans les cheveux, puis enchaîna :) Le problème, c'est que je sens bien que tu me dis la vérité… Sauf que tu ne me dis pas *toute* la vérité. Et la partie que tu laisses de côté, c'est celle qui pourrait m'aider à comprendre qui tu es vraiment.

En l'écoutant, Thibault évita de penser à tout ce qu'il ne lui avait pas dit. Il savait qu'il ne pouvait pas tout lui confier… Jamais il ne le lui confierait. Il était impossible qu'elle puisse comprendre... Et pourtant il souhaitait qu'elle sache qui il était réellement. Plus que tout, il réalisait qu'il avait envie qu'elle l'accepte.

— Je ne parle pas de l'Irak parce que je n'aime pas me remémorer ce que j'y ai vécu.

Elle secoua la tête.

— Tu n'es pas forcé de me raconter, si tu n'y tiens pas…

— J'y tiens, reprit-il d'une voix posée. Je sais que tu lis les journaux, alors tu as dû te faire une idée de ce qu'est la vie là-bas. Mais ça ne ressemble pas à ce que tu imagines, et je ne vois pas vraiment comment je pourrais te le faire partager. Il faut en faire soi-même l'expérience. La plupart du temps, c'était pas aussi terrible que tu pourrais le penser. Souvent… presque tout le temps… ça allait. N'ayant ni femme ni enfants, c'était plus facile pour moi que pour d'autres. J'avais mes amis, mon petit train-train. Parfois, c'était dur. Franchement pénible. À tel point que ça m'a donné envie d'oublier que j'avais mis les pieds là-bas.

Elle resta silencieuse, avant de prendre une longue inspiration.

— Et tu es venu à Hampton à cause de ce que t'as vécu en Irak ?

Il se mit à décoller l'étiquette de sa bouteille en la grattant lentement avec son ongle.

— D'une certaine façon… admit-il.

Elle sentit son hésitation et posa une main sur son avant-bras. La chaleur du contact parut libérer une tension en lui.

— Victor était mon meilleur ami en Irak, commença Thibault. Il se trouvait avec moi pendant mes trois périodes de service. Notre unité avait subi beaucoup de pertes… mais, à la fin, j'étais prêt à oublier ce que j'avais vécu là-bas. Et j'y suis parvenu, plus ou moins… Mais pour Victor, c'était pas aussi simple. Il ne pouvait s'arrêter d'y penser.

Une fois que nous avons été démobilisés, chacun est parti de son côté. Il est rentré chez lui en Californie, et moi dans le Colorado, mais on avait toujours besoin l'un de l'autre. On se téléphonait, on s'envoyait des e-mails et on faisait semblant d'accepter le fait que, après avoir évité chaque jour pendant quatre ans de se faire tuer, on se retrouvait parmi des compatriotes qui devenaient fous si quelqu'un leur piquait une place de parking ou si on ne leur servait pas le bon capuccino chez Starbucks. Bref, on a fini par se revoir pour un séjour de pêche dans le Minnesota…

Il s'interrompit, car il ne souhaitait pas se rappeler ce qui s'y était passé, mais savait qu'il le devait. Il but alors une longue gorgée de bière et reposa la bouteille sur la table.

– C'était l'automne dernier et… j'étais drôlement content de le revoir. On n'a pas reparlé de notre période de service en Irak, mais c'était pas nécessaire. Le simple fait de passer quelques jours en compagnie de quelqu'un qui savait ce qu'on avait traversé nous suffisait à l'un comme à l'autre. À cette époque, d'ailleurs, Victor allait plutôt bien. C'était pas la super forme, mais il allait bien. Il était marié, avec un gamin en route… et je me souviens m'être dit que même si ses cauchemars et ses mauvais souvenirs venaient le hanter, ça s'arrangerait à la longue et il irait de mieux en mieux.

Thibault regarda Elizabeth avec une émotion qu'elle n'aurait su nommer.

– Le dernier jour, on est partis pêcher de bon matin. On n'était que tous les deux à bord de ce petit canot… et quand on est arrivés à la rame, le lac était lisse comme un miroir. À croire qu'on était les premiers à troubler l'eau. Je me souviens d'avoir observé un faucon dans le ciel et son reflet glissant sur l'onde juste au-dessous, en songeant que je n'avais rien vu d'aussi beau. On avait prévu de partir avant qu'il y ait trop de monde sur le lac, puis d'aller boire une bière et de dîner en ville. Histoire de fêter la fin du séjour. Mais on n'a pas vraiment vu le temps passer et on est restés trop longtemps sur le lac.

Il commença à se masser les tempes, essayant de garder son sang-froid.

— J'avais repéré l'autre bateau auparavant. J'ignore pourquoi celui-ci en particulier. Peut-être que ma période en Irak m'avait rendu plus suspicieux… En tout cas, je me rappelle m'être dit de le garder à l'œil. C'était bizarre, malgré tout. Ces gens-là ne faisaient rien de plus que les autres plaisanciers ou pêcheurs. Juste des jeunes qui s'amusaient : ski nautique, plongée… Ils étaient six à bord — trois garçons et trois filles — et on devinait qu'ils voulaient profiter du lac tant que la température le permettait.

Sa voix devint rauque comme il poursuivait son récit :

— Je l'ai entendu venir, et j'ai su qu'on aurait des ennuis avant même de le voir. Le moteur fait un bruit bien particulier quand le bateau bifurque à plein gaz dans ta direction. Mais seul ton subconscient peut capter le son un millième de seconde avant d'apercevoir l'engin… Et là, j'ai senti la catastrophe venir. J'ai eu à peine le temps de tourner la tête pour découvrir la proue de l'autre bateau qui nous fonçait dessus à cinquante kilomètres-heure. À ce moment-là, Victor avait compris ce qui se passait, et je reverrai toujours son expression… un mélange de frayeur et de surprise… comme celle de mes camarades en Irak, juste avant de mourir…

Il poussa un long soupir.

— Leur bateau a carrément coupé le nôtre en deux. Il a percuté Victor de plein fouet, le tuant sur le coup. Quand tu penses que juste avant on parlait de son bonheur d'être marié, et l'instant d'après, mon meilleur ami… le seul que j'aie jamais eu… mourait sous mes yeux.

Elizabeth posa tendrement la main sur le genou de Thibault.

— Je suis désolée… murmura-t-elle, le visage blême.

Il ne sembla pas l'entendre.

— C'est tellement injuste. Après avoir survécu à trois périodes de service en Irak, avec tout ce qu'on a traversé… il a fallu qu'il meure au cours d'une sortie de pêche ! Ça n'a aucun sens. Par la suite, j'ai vécu l'enfer… Pas physiquement. Mais mentalement, j'étais au trente-sixième dessous. Je lâchais prise. Impossible de manger, de dormir plus de quelques heures par nuit… À d'autres moments, je ne pouvais plus m'arrêter de pleurer. Victor m'avait confié qu'il était hanté par des visions de soldats défunts, et après sa mort, ça m'est arrivé aussi. Tout à coup, la guerre devenait quasi omniprésente. Chaque fois que j'essayais de m'assoupir, je revoyais Victor ou des scènes d'échanges de coups de feu qu'on avait vécues, et je me mettais à trembler de tous mes membres. Si Zeus n'avait pas été là, je serais devenu complètement fou.

Il s'arrêta et regarda Elizabeth. Malgré les souvenirs pénibles qu'il évoquait, Thibault était frappé par la beauté de son visage et les reflets dorés de sa chevelure.

— Je ne sais pas quoi dire… avoua-t-elle d'un ton compatissant.

— Moi non plus, déclara-t-il dans un haussement d'épaules. Je ne m'explique toujours pas ce qui s'est passé.

— Tu sais que tu n'y es pour rien, quand même ?

— Ouais, marmonna-t-il. Mais l'histoire ne s'arrête pas là.

Il posa les mains sur celles d'Elizabeth, sachant qu'il était allé trop loin pour s'interrompre en chemin.

— Victor était assez superstitieux, reprit-il enfin. Il croyait en toutes sortes de signes du destin et, lors de notre dernière journée ensemble, il m'a dit que je connaîtrais ma destinée quand je l'aurais découverte. Du coup, impossible de m'ôter cette idée de la tête. Je n'ai pas cessé de repenser à ses paroles... Et petit à petit, j'en suis venu à me dire que mon destin ne m'attendait pas dans le Colorado... même si j'ignorais où exactement. Finalement, j'ai rempli mon sac à dos et je suis parti à pied. Ma mère a cru que j'avais pété les plombs. Mais plus j'avançais sur la route, plus je me sentais revivre. Comme si ce long chemin était la condition de ma guérison. Et quand je suis arrivé à Hampton, j'ai su que je n'avais pas besoin d'aller plus loin. J'avais trouvé l'endroit où j'étais censé m'arrêter.

— Alors tu es resté.

— Ouais.

— Et ta destinée ?

Il ne répondit pas. Il s'était évertué à lui confier une grande partie de la vérité et ne souhaitait pas lui mentir. Il contempla la main d'Elizabeth sous la sienne et songea subitement que tout cela clochait. Il savait qu'il devait y mettre un terme avant d'aller plus loin... Se lever du canapé et la raccompagner à la voiture. Lui souhaiter bonne nuit et quitter Hampton dès l'aurore. Mais impossible de prononcer ces mots... de se lever du canapé. Un sentiment nouveau s'était emparé de Thibault, qui se tourna vers Elizabeth avec un émerveillement dont il était le premier surpris.

Il avait traversé la moitié du pays en quête d'une inconnue dont il ne possédait qu'une simple photo, pour finir par tomber amoureux de cette femme bien réelle, vulnérable, sublime, avec laquelle il s'était senti plus vivant que jamais depuis la guerre. Il ne saisissait pas très bien ce qui lui arrivait, mais il n'avait jamais été aussi sûr de ce qu'il éprouvait de toute son existence.

255

Ce qu'il perçut alors dans l'expression d'Elizabeth suffit pour qu'il comprenne qu'elle ressentait exactement la même chose, aussi l'attira-t-il doucement vers lui. Comme leur deux visages se rapprochaient, il sentit son souffle en effleurant ses lèvres avant de les sceller aux siennes.

Tout en enfouissant les mains dans sa chevelure dorée, il l'embrassa avec fougue et passion. Il l'entendit murmurer de plaisir en l'entourant de ses bras. Il entrouvrit les lèvres et sentit sa langue s'unir à la sienne et, tout à coup, il comprit que cette femme lui était destinée, que ce qui leur arrivait ne pouvait que leur convenir à tous les deux. Il l'embrassa sur la joue, dans le cou, lui mordilla tendrement le lobe de l'oreille, puis revint à ses lèvres avec un regain d'ardeur. Ils se levèrent du canapé et Thibault la conduisit calmement vers la chambre.

Chacun prit ensuite le temps de découvrir le corps de l'autre. Thibault la chevaucha et la combla de mille et une caresses, souhaitant prolonger à jamais ce merveilleux instant.

Il sentit Elizabeth frémir de plaisir… encore et encore. Plus tard, elle se lova, grisée de bonheur, au creux de son épaule. Ils bavardèrent, partagèrent des fous rires, blottis l'un contre l'autre, et, après qu'ils eurent fait l'amour une seconde fois, il resta allongé auprès d'elle et la regarda droit dans les yeux, puis promena un doigt tendre le long de sa joue. Il sentit venir en lui les mots qu'il n'aurait jamais cru pouvoir adresser à qui que ce soit.

– Je t'aime, Elizabeth, murmura-t-il, sachant qu'il disait vrai.

Elle lui prit les mains et lui embrassa les doigts un à un.

– Je t'aime aussi, Logan.

Clayton

Keith Clayton observa Beth qui quittait la maison, sachant pertinemment ce qui s'était passé à l'intérieur. Plus il y réfléchissait, plus il avait envie de la suivre, histoire de lui passer un savon dès qu'elle serait de retour chez elle. En lui expliquant la situation afin qu'elle comprenne que ce genre de comportement n'était pas tolérable. Peut-être même qu'il lui collerait une baffe ou deux… Oh, pas trop fort, juste assez pour qu'elle pige qu'il ne rigolait pas. Mais ça n'arrangerait pas franchement la situation. Et il ne ferait jamais une chose pareille. Il n'avait jamais giflé Beth. Il n'était pas ce genre de gars.

M'enfin, c'était quoi ce cirque ? Qu'est-ce qui allait encore lui tomber sur le coin du nez ?

D'abord, il s'avère que le type travaille au chenil. Ensuite, ils dînent quasiment tous les soirs ensemble chez elle, en se regardant les yeux dans les yeux, comme dans ces films hollywoodiens de série Z. Et plus tard – alors là, c'est le bouquet ! – ils sortent dans cette espèce de boîte minable, et après… Même s'il ne voyait rien à cause des rideaux, Clayton était sûr qu'elle était passée à la casserole comme la dernière des traînées. Sans doute sur le canapé. Et parce qu'elle avait bu un coup de trop.

Ce qui lui rappela le bon vieux temps. Il suffisait de servir à Beth deux ou trois verres de vin, de continuer à remplir son verre quand elle tournait le dos, ou de corser ses bières avec un peu de vodka, et il n'y avait plus qu'à attendre… Sitôt qu'elle se mettait à bafouiller, Clayton savait que ça se terminait par une super partie de jambes en l'air… Là, dans le salon. L'alcool était génial pour ça. Une fois saoule, non seulement cette femme ne pouvait pas dire non… mais elle se déchaînait au plumard ! Tandis qu'il rôdait à l'extérieur de la maison, il n'eut aucun mal à imaginer le corps de Beth sans ses vêtements. S'il n'avait pas été aussi énervé, ça aurait même pu l'exciter de la savoir là-dedans, le corps en sueur, brûlant de désir. Mais le hic, c'est qu'elle ne se comportait pas vraiment en bonne mère de famille, pas vrai ?

Clayton connaissait la musique. Dès lors qu'elle se mettrait à avoir des relations sexuelles avec le gars qu'elle fréquentait, ça deviendrait normal et accepté par tout le monde. Une fois que le pli serait pris, elle recommencerait avec d'autres types. C'était pas plus compliqué que ça. D'abord un gars, puis deux, puis trois… puis quatre ou cinq, voire dix ou vingt… Et Clayton n'avait pas envie d'un défilé de mecs qui feraient un clin d'œil à Ben en sortant, l'air de dire : *Ta mère est drôlement bonne !*

Pas question de laisser faire ça. Beth était idiote comme la plupart des femmes, et c'était la raison pour laquelle il la surveillait depuis toutes ces années. Et ça marchait comme sur des roulettes, jusqu'à ce que Thaï-Bolt débarque un beau jour.

Un vrai cauchemar ambulant, ce gars ! Comme s'il n'avait qu'un seul but : détruire la vie de Clayton.

Ça non plus, il n'en était pas question !

La semaine précédente, Clayton avait découvert pas mal de trucs au sujet de Thaï-Bolt. Non seulement qu'il travaillait au chenil – par quel miracle il avait atterri là-bas, mystère… –, mais aussi qu'il vivait dans une baraque délabrée près de la forêt. Après avoir passé quelques coups de fil pseudo-officiels aux forces de l'ordre du Colorado, l'échange d'infos entre collègues se chargea du reste. Il apprit que Thaï-Bolt était diplômé de l'université du Colorado. Qu'il avait servi dans le corps des marines, en Irak, et reçu plusieurs citations. Mais le plus intéressant, c'était que des gars de son unité laissaient plus ou moins entendre qu'il avait passé une sorte de pacte avec le diable pour rester en vie.

Clayton se demandait ce que Beth allait en penser.

Lui-même n'y croyait pas. Il avait rencontré suffisamment de marines pour savoir que la plupart d'entre eux étaient loin d'être abrutis. Cependant, il existait forcément quelque chose de louche chez ce type, si ses copains de chambrée se méfiaient plus ou moins de lui.

Et pourquoi traverser le pays à pied pour s'arrêter à Hampton ? Le gars ne connaissait personne en ville, et à ce que Clayton avait cru comprendre, il n'y était jamais venu auparavant. Ça aussi, c'était bizarre. En outre, Clayton ne pouvait s'empêcher de se dire que la réponse à toutes ses interrogations lui crevait les yeux… Mais impossible de la trouver. Il y parviendrait tôt ou tard. Comme toujours.

Clayton continua à surveiller la maison, se disant qu'il était temps de régler son compte à ce mec. Pas maintenant, certes. Pas ce soir. Pas avec le chien dans les parages. La semaine prochaine, peut-être. Quand Thaï-Bolt serait au boulot.

Voilà… C'était ça qui le différenciait du commun des mortels. La plupart des gens menaient leur vie comme des criminels : ils agissaient d'abord et réfléchissaient ensuite. Pas Keith Clayton. Il réfléchissait toujours avant d'agir. Il planifiait. Il anticipait. C'était du reste la raison principale de son inaction jusqu'ici, même s'il les avait vus tous les deux se garer devant la maison, s'il savait ce qui se passait à l'intérieur, et s'il avait regardé Beth ressortir de la maison, échevelée et les joues en feu. En définitive, il savait que tout ça n'était qu'une question de pouvoir, et pour l'heure c'était Thaï-Bolt qui le détenait. À cause de la carte-mémoire. Celle contenant les photos qui risquaient de couper les vivres à Clayton.

Mais le pouvoir n'était rien si on ne l'utilisait pas. Et Thaï-Bolt ne s'en était pas servi. Donc… soit ce gars ne réalisait pas ce qu'il avait entre les mains, soit il s'était débarrassé de la carte-mémoire, ou alors c'était le genre à ne pas s'occuper des affaires des autres.

À moins que ce soit les trois à la fois.

Bref, Clayton devait en avoir le cœur net. En commençant par le début, pour ainsi dire. À savoir qu'il devait chercher cette carte-mémoire. Si le type l'avait toujours, Clayton la dénicherait et la détruirait. Du coup, il reprendrait le pouvoir… Et Thaï-Bolt aurait ce qu'il méritait. Et si Thaï-Bolt avait jeté la carte-mémoire juste après l'avoir trouvée ? Ce serait encore mieux. Il s'occuperait alors de Thaï-Bolt, et tout rentrerait dans l'ordre entre Beth et lui. Ce qui comptait avant tout.

Bon sang, ce qu'elle avait du chien en sortant de cette maison ! Quelque part ça l'excitait quand même de l'avoir vue aussi sexy, en sachant ce qu'elle venait de faire, même si c'était en compagnie de Thaï-Bolt. Ça faisait longtemps qu'elle n'avait pas eu d'amant, et elle paraissait… différente. En outre, il savait qu'après cette nuit elle était sans doute prête pour d'autres aventures.

Cette amitié *avec avantages en nature* s'annonçait sous les meilleurs auspices.

– 18 –

Beth

— J'imagine que tu t'es bien amusée, observa Nana d'un ton narquois.

C'était dimanche matin, et Beth venait d'échouer à la table de la cuisine. Ben dormait encore à l'étage.

— En effet, admit-elle en bâillant.

— Et ?

— Et… rien d'autre.

— T'es rentrée drôlement tard pour quelqu'un qui n'a rien fait d'autre.

— C'était pas si tard. Tu vois bien ? Je suis déjà debout. (Beth passa la tête dans le réfrigérateur, puis le referma sans y avoir pris quoi que ce soit.) Ce serait impossible si j'étais rentrée à une heure tardive. Et puis pourquoi t'es si curieuse, d'abord ?

— Je veux juste savoir si j'aurai toujours un employé lundi.

Nana se versa une tasse de café, puis s'affala sur une chaise.

— Je ne vois pas pourquoi il en serait autrement…

— Alors tout s'est bien passé ?

Cette fois, Beth laissa la question en suspens quelques

261

instants, tandis que les images de sa soirée défilaient dans sa tête. Tout en remuant son café, elle se sentait bien plus heureuse qu'elle ne l'avait été depuis longtemps.

– Ouais, répondit-elle enfin. Tout s'est bien passé.

Dans les jours qui suivirent, Beth passa le plus de temps possible avec Logan, évitant toutefois de trop s'afficher devant Ben. C'était le genre de conseil qu'un thérapeute familial prodiguait à un parent célibataire qui s'engageait dans une relation. Mais tout au fond d'elle-même, Beth savait que ce n'était pas l'unique raison. En réalité, c'était excitant de faire comme si rien n'avait changé entre eux ; cela donnait à la relation un parfum illicite, un peu comme une aventure extraconjugale.

Nana n'était pas dupe, évidemment. De temps à autre, alors que Beth et Logan s'escrimaient à sauver les apparences, Nana bredouillait des paroles sans queue ni tête, du genre « De vrais chameaux en plein Sahara » ou « C'est comme des cheveux et des pantoufles ». Plus tard, Beth et Logan tentèrent de décrypter ces marmonnements. La première expression semblait indiquer qu'ils étaient faits l'un pour l'autre ; la seconde, en revanche, les laissa perplexes un petit moment… jusqu'à ce que Logan suggère, dans un haussement d'épaules : « C'est peut-être en rapport avec Raiponce et Cendrillon. »

Des contes de fées… Avec une fin heureuse. Une fois de plus, Nana se montrait adorable à sa manière, sans vouloir trahir son côté fleur bleue.

Ces instants volés où les deux tourtereaux se retrouvaient ensemble prenaient une intensité presque irréelle. Beth devenait hypersensible au moindre geste ou mouvement de

Logan, quand il lui prenait la main, par exemple, pendant leurs promenades du soir, alors qu'ils marchaient loin derrière Ben… avant de la relâcher dès que Ben réapparaissait. Logan possédait un sixième sens – sans doute développé dans l'armée – et devinait à quelle distance le petit s'était éloigné. Beth préférait donc rester discrète et appréciait le fait que Logan se conforme à ce souhait.

Par ailleurs, et à son grand soulagement, Logan continuait à traiter Ben comme auparavant. Le lundi, il arriva au chenil avec un arc et des flèches, achetés au magasin de sport. Ben et lui passèrent une heure à tirer sur des cibles, passant la moitié du temps à récupérer les flèches qui atterrissaient dans des buissons épineux ou se coinçaient entre des branches… dont ils ressortirent tous deux avec des tas de griffures. Après dîner, ils se retrouvèrent pour une partie d'échecs au salon, pendant que Beth et sa grand-mère débarrassaient la table. Tout en essuyant la vaisselle, elle songea qu'elle pourrait aimer Logan à tout jamais, simplement parce qu'il savait s'y prendre avec son fils.

Même si Logan et elle gardaient un profil bas, ils se trouvaient toujours des excuses pour être ensemble. Le mardi, en rentrant de l'école, elle constata qu'avec la permission de Nana il avait installé une balancelle sur la véranda « afin qu'on ne soit plus obligé de s'asseoir sur les marches ». Pendant que Ben était à sa leçon de musique, elle se délecta du mouvement lent et régulier de la balancelle, assise auprès de Logan. Le mercredi, elle partit en voiture avec lui acheter de la nourriture pour chien. Une activité courante, mais le simple fait d'être seule en sa compagnie lui suffisait. Parfois, lorsqu'ils roulaient ensemble dans la camionnette, il passait un bras autour de ses épaules, et elle en profitait pour se lover contre lui, ravie de ce moment d'intimité.

Elle pensait à lui au travail, en se demandant ce qu'il faisait, ou de quel sujet Nana et lui pouvaient discuter. Elle l'imaginait, sa chemise humide collée à sa peau en sueur, tandis qu'il dressait les chiens. Le jeudi matin, Beth vit Logan et Zeus arriver dans l'allée, par la fenêtre de la cuisine. Nana enfilait lentement ses bottes en caoutchouc, ce qui se révélait d'autant plus difficile depuis son léger handicap au bras. Beth se détourna de la vitre et s'éclaircit la voix.

— Ça t'embête si Logan prend sa journée ? demanda-t-elle.

Nana ne chercha même pas à masquer son sourire goguenard.

— Pourquoi donc ?

— J'ai envie de me balader avec lui aujourd'hui. Rien que nous deux.

— Et l'école ?

Beth était déjà fin prête, son panier-repas tout préparé.

— J'envisage de me faire porter pâle.

— Tiens donc !

— Je l'aime, Nana… lâcha-t-elle tout de go.

Nana secoua la tête, mais ses yeux pétillaient.

— Je me demandais quand t'allais enfin cracher le morceau, plutôt que me laisser jouer à ces devinettes stupides.

— Désolée.

Nana se leva et fit quelques pas en tapant du pied, afin de s'assurer qu'elle était bien à l'aise dans ses bottes.

— Bah, je devrais pouvoir me débrouiller aujourd'hui, reprit-elle. Et puis ça me fera sans doute du bien. J'ai trop regardé la télé ces temps-ci.

Beth ramena une mèche de cheveux derrière son oreille.

— Merci.

— À ton service. Mais faudrait pas que ça devienne une habitude. C'est le meilleur employé que j'aie jamais eu.

Logan et Beth passèrent l'après-midi enlacés et firent plusieurs fois l'amour… Lorsque vint le moment de retourner enfin chez elle – Beth tenait à être à la maison quand Ben rentrerait de l'école –, elle était certaine que Logan l'aimait autant qu'elle l'aimait, et que lui aussi commençait à envisager de passer ensemble le restant de leur existence.

Une seule ombre à ce tableau par ailleurs idyllique : Beth avait le sentiment que quelque chose le contrariait. Rien à voir avec elle… Beth en était sûre. Ni avec la qualité de leur relation… le comportement de Logan dans l'intimité suffisait à dissiper le moindre doute. Non, c'était autre chose… mais impossible de savoir quoi au juste. Encore qu'en y réfléchissant Beth réalisa qu'elle s'en était rendu compte pour la première fois le mardi après-midi, juste après son retour à la maison avec Ben.

Comme toujours, le petit avait bondi de la voiture pour aller jouer avec Zeus, pressé de se dépenser avant sa leçon de musique. Tandis qu'elle discutait avec Nana dans le bureau du chenil, elle entrevit Logan dans le jardin, les mains dans les poches, comme perdu dans ses pensées. Même dans le pick-up, en passant un bras autour d'elle, Beth aurait juré qu'il était encore préoccupé. Et ce soir, après sa partie d'échecs avec Ben, il s'était éloigné vers la véranda, tout seul.

Beth le rejoignit quelques minutes plus tard et s'assit auprès de lui sur la balancelle.

— Quelque chose te tracasse ? finit-elle par demander.

Il ne répondit pas tout de suite.

— Pas vraiment…

— T'es contrarié à cause de moi ?

Il secoua la tête en souriant.

– Non, pas du tout.

– Qu'est-ce qui se passe ?

Il hésita encore.

– Je ne sais pas vraiment, répéta-t-il.

Elle le dévisagea en battant des paupières, intriguée.

– Tu veux qu'on en discute ?

– Ouais… Mais plus tard.

Le samedi, comme Ben était chez son père, ils se rendirent en voiture à Sunset Beach, près de Wilmington.

À cette époque, la foule des estivants avait disparu et, hormis quelques flâneurs, ils se retrouvèrent quasiment seuls sur la plage. Grâce au Gulf Stream, la température de l'océan restait agréable et ils pataugeaient jusqu'aux genoux dans les vagues, en jouant à la balle avec le chien. Zeus se régalait et barbotait comme un fou, aboyant de temps en temps après la balle de tennis comme pour tenter de l'immobiliser.

Beth avait prévu un pique-nique, et quand le chien fut fatigué, ils se retirèrent un peu plus haut sur la grève et s'installèrent sur des serviettes pour déjeuner. Elle sortit méthodiquement les ingrédients pour préparer des sandwiches et se mit à découper des fruits. Tandis qu'ils se restauraient, un crevettier apparut à l'horizon et, pendant un long moment, Logan le contempla avec cet air préoccupé qu'elle avait remarqué durant la semaine.

– Tu as de nouveau ce regard, finit-elle par lui dire.

– Quel regard ?

– Vide ton sac, répliqua-t-elle en ignorant sa question. Qu'est-ce qui t'embête à ce point ? Et pas de réponse évasive, cette fois-ci.

— Tout va bien, dit-il en se tournant vers elle. Je sais que je devais avoir l'air un peu ailleurs ces derniers jours, mais j'essaye seulement de comprendre un truc…

— Quoi exactement ?

— Pourquoi on sort ensemble.

Beth manqua s'étrangler. Ce n'était pas du tout la réponse qu'elle attendait…

— Je me suis mal exprimé, reprit-il en secouant la tête. C'est pas ce que je voulais dire. En fait, je me demande comment cette occasion a pu se présenter pour nous deux… Ça n'a pas de sens.

Elle fronça les sourcils.

— Je ne te suis toujours pas.

Zeus, qui était allongé près d'eux, redressa la tête pour regarder une volée de mouettes se poser dans les parages. Plus loin, des bécasseaux s'agitaient au bord de l'eau, en quête de crabes des sables. Logan les observa un instant, avant de poursuivre, d'une voix posée, tel un professeur exposant son sujet.

— Disons que, de mon point de vue… voilà ce que j'ai sous les yeux : une jeune femme charmante, belle, intelligente, qui n'a pas encore trente ans, spirituelle et passionnée. Et qui sait en outre fort bien jouer de sa séduction. (Il lui adressa un sourire entendu et enchaîna.) Autrement dit : un canon, selon la définition communément admise… Arrête-moi si je te mets mal à l'aise.

— Tu t'en sors très bien, dit-elle en lui tapotant le genou. Continue…

Il se passa une main fébrile dans les cheveux.

— C'est ce que j'essaye de comprendre. J'arrête pas d'y réfléchir depuis quelques jours.

Elle tenta en vain de suivre le fil de sa pensée. Cette fois, plutôt que de lui tapoter le genou, elle le serra comme pour le pincer.

– Faut apprendre à être plus clair, dis donc. Je ne pige toujours pas où tu veux en venir.

Pour la première fois depuis qu'elle le connaissait, Beth entrevit une lueur d'impatience traverser le regard de Logan. Celle-ci disparut dans la seconde, et elle sentit que c'était à lui qu'il en voulait et non à elle.

– Je veux simplement dire que c'est pas logique que tu n'aies pas eu de relation durable depuis ton divorce. (Il s'interrompit, comme pour chercher l'expression adéquate.) Certes, tu as un fils, et pour certains hommes, c'est rédhibitoire. Mais en général tu ne caches jamais le fait d'être mère, et je présume que la plupart des gens en ville connaissent ta situation. Je me trompe ?

– Non.

– Et les gars qui t'ont proposé de sortir avec eux… Ils savaient tous d'entrée de jeu que tu avais un fils ?

– Oui.

Il la fixa d'un air inquisiteur.

– Alors où sont-ils ?

Zeus posa la tête sur les genoux et elle se mit à le caresser derrière les oreilles, tout en se sentant adopter une attitude de défense.

– Qu'est-ce que ça peut faire ? rétorqua-t-elle. Et pour ne rien te cacher, je ne suis pas vraiment sûre d'apprécier ce genre de questions. Mon passé ne regarde que moi. Je ne peux pas le changer… Et si t'as l'intention de rester là à m'interroger sur les types avec qui je suis sortie, à quel moment, et ce qui s'est passé avec eux, ne compte pas sur moi. Je suis comme je suis, et j'aurais cru que toi plus que les autres comprendrais ça, M. Je-viens-du-Colorado-à-pied-mais-ne-me-demandez-pas-pourquoi…

Logan se taisait et elle savait qu'il méditait sur ce qu'elle venait de déclarer. Lorsqu'il reprit la parole, sa voix débordait d'une tendresse inattendue.

— Je ne disais pas ça pour te mettre en colère. Mais parce que je pense que tu es la femme la plus remarquable que j'aie jamais rencontrée. (Il marqua de nouveau une pause, comme pour s'assurer qu'elle avait bien saisi le message.) Je parie que la plupart des hommes éprouveraient la même chose que moi. Et puisque tu es sortie avec d'autres mecs, surtout dans une petite ville qui compte si peu de femmes libres dans ta tranche d'âge… eh bien, je suis sûr qu'ils ont dû se rendre compte à quel point t'étais une fille formidable. OK, peut-être que parmi eux certains n'étaient pas vraiment ta tasse de thé, alors tu as mis fin à la relation. Mais les autres ? Ceux qui te plaisaient ? Il y en a forcément eu un quelque part avec qui tu sentais que ça pouvait coller.

Il prit une poignée de sable et s'amusa à le faire glisser entre ses doigts.

— Voilà… ce sont toutes ces questions qui me traversent l'esprit. Parce qu'on a peine à croire que ça n'ait pas marché avec quelqu'un… Et pourtant tu m'as dit toi-même que tu n'avais pas eu beaucoup de chance avec les mecs.

Il s'essuya les mains sur la serviette et ajouta :

— Jusqu'ici, est-ce que je fais fausse route ?

Beth le regarda droit dans les yeux, se demandant comment il pouvait en savoir autant.

— Non, admit-elle.

— Et tu t'es toi-même posé la question, pas vrai ?

— Parfois, avoua-t-elle. Mais tu ne crois pas que tu pousses un peu trop loin l'analyse ? Même si je suis aussi géniale que tu l'affirmes, n'oublie pas que les temps ont changé. Il existe sans doute des milliers, voire des dizaines de milliers de femmes dans mon cas.

— Peut-être, dit-il en haussant les épaules.

— T'as pas l'air convaincu.

— Non, dit-il, comme ses yeux bleu azur soutenaient son regard.

— Alors, quoi ? Tu penses à une espèce de cabale dirigée contre moi ?

Plutôt que de répondre à la question, il reprit une poignée de sable et lui demanda tout à trac :

— Qu'est-ce que tu peux me dire au sujet de ton ex ?

— Qu'est-ce qu'il vient faire là-dedans ?

— Je suis curieux de savoir ce qu'il pense du fait que tu sortes avec des types.

— Je suis certaine que ça ne lui fait ni chaud ni froid. Et je ne vois même pas pourquoi tu penses que ça pourrait avoir de l'importance.

Il lâcha d'un seul coup la poignée de sable.

— Parce que, dit-il d'un ton soudain plus grave, je suis presque sûr que c'est lui qui s'est introduit par effraction chez moi l'autre jour.

19

Thibault

Le samedi, en fin de soirée, après le départ d'Elizabeth, Thibault trouva Victor assis dans son salon, toujours vêtu du short et de la chemise hawaïenne qu'il portait le jour de sa disparition.

La vue de son ami l'arrêta net. Il le contempla, médusé. Impossible... rien de tout cela n'était réel. Il savait pertinemment que Victor était mort... et enterré aux environs de Bakersfield. Par ailleurs, il savait aussi que Zeus aurait réagi en présence d'un intrus bel et bien réel dans la maison. Or le chien se dirigea tranquillement vers son écuelle d'eau.

Dans le silence ambiant, Victor sourit.

— Il y a autre chose, déclara-t-il d'une voix rauque, laissant présager le pire.

Le temps que Thibault cligne des yeux, Victor avait disparu... et, à l'évidence, il n'avait jamais été là.

C'était la troisième fois qu'il apparaissait à Thibault depuis son décès. La première fois, ce fut aux obsèques qu'il l'aperçut, à l'angle d'un mur, derrière l'église.

— Tu n'y es pour rien, avait prononcé Victor juste avant de se volatiliser.

Thibault en avait eu le souffle coupé, puis il s'était enfui à toutes jambes.

La deuxième apparition s'était produite trois semaines avant que Thibault ne se mette en route pour sa longue randonnée à travers le pays. Cette fois, Victor lui apparut au supermarché. Thibault farfouillait dans son portefeuille, cherchant combien de bières il pouvait s'offrir. Il buvait beaucoup à cette époque-là et, tout en comptant ses billets, il entrevit une image du coin de l'œil. Victor secouait la tête sans dire un mot. Toute parole aurait été superflue. Thibault comprit qu'il était temps pour lui de cesser de noyer son mal-être dans l'alcool.

Et ce soir… voilà qu'il surgissait dans son salon.

Thibault ne croyait pas aux fantômes et savait que l'image de Victor n'était pas réelle. Aucun spectre ne le hantait… Il ne recevait aucune visite de l'au-delà, et aucun esprit tourmenté ne venait lui livrer un message quelconque. Victor n'était que le fruit de son imagination, l'œuvre de son subconscient. Après tout, Victor demeurait la seule personne que Thibault ait jamais écoutée.

Il savait aussi que l'accident de bateau se limitait à cela : un triste et banal accident. Les jeunes de l'autre embarcation en étaient ressortis traumatisés et leur épouvante, face au drame qu'ils avaient malgré eux provoqué, se révélait des plus sincères. Quant à la boisson, Thibault n'ignorait pas en son for intérieur que cela lui faisait plus de mal que de bien. Mais, étrangement, c'était plus facile pour lui de renoncer à ses excès en écoutant Victor.

Cependant il ne s'attendait pas à revoir son ami une fois de plus.

Thibault réfléchit aux paroles de Victor – « Il y a autre chose » – et se demanda s'il existait un lien entre cette petite phrase et sa conversation avec Elizabeth. A priori, non... mais ça le tracassait malgré tout. Et plus il cherchait à élucider le mystère, moins il trouvait de réponse. Son subconscient refusait, cette fois, de coopérer.

Il gagna la cuisine et se servit un verre de lait, remplit la gamelle de Zeus, puis alla dans sa chambre. Une fois allongé sur le lit, il médita sur ce qu'il avait dit à Elizabeth.

Thibault avait longtemps et mûrement réfléchi avant de se décider à lui confier quoi que ce soit. Il ne savait pas trop ce qu'il espérait obtenir en agissant ainsi, hormis lui ouvrir les yeux sur la possibilité que Keith Clayton puisse contrôler sa vie d'une manière qu'elle ne pouvait imaginer.

Ce que faisait exactement ce type. Thibault en avait eu la certitude en constatant qu'on avait pénétré chez lui. Certes, n'importe qui aurait pu s'introduire par effraction – histoire de se faire quelques dollars vite fait, en piquant deux ou trois objets susceptibles d'être revendus –, mais la façon de procéder laissait supposer autre chose. La maison était trop bien rangée. Rien ne traînait. Aucun objet déplacé. À croire que tout avait même été *remis en place*.

La couverture sur le lit fut le premier détail qui le fit tiquer. Un léger faux pli, créé par quelqu'un qui ne savait pas faire un lit au carré comme dans l'armée... peu de gens s'en seraient aperçus. Mais ça n'échappa pas à Thibault. Les vêtements dans les tiroirs trahissaient le même genre de désordre infime : un froissement ici, une manche pliée de travers là. Outre le fait de s'être introduit chez lui pendant qu'il se trouvait au travail, l'intrus avait passé son domicile au peigne fin.

Dans quel but ? Thibault ne possédait rien de précieux à voler. Il suffisait de jeter un rapide coup d'œil à travers les fenêtres pour se rendre compte que l'endroit ne contenait aucun objet de valeur. Non seulement il n'y avait aucun appareil électronique dans le salon, mais la deuxième chambre était carrément vide, et l'ameublement de celle où il dormait se limitait à un lit, une table de nuit, une commode et une lampe. Hormis les plats et couverts, ainsi qu'un ancien ouvre-boîte électrique sur le plan de travail, la cuisine apparaissait tout aussi dépouillée. Le garde-manger renfermait de la nourriture pour chien, une miche de pain et un pot de beurre de cacahuètes. Cependant, quelqu'un avait pris le temps de fouiller la maison de fond en comble, sans omettre de regarder sous le matelas. Et bien sûr dans les tiroirs, sans oublier de tout remettre en ordre ensuite.

Aucune signe d'énervement ou de contrariété de la part du supposé cambrioleur ayant découvert qu'il n'y avait rien à voler. Celui-ci avait tenté de faire disparaître les traces de son passage.

Autrement dit, l'intrus ne venait pas pour dérober quoi que ce soit, mais pour chercher quelque chose. Un objet bien précis. Thibault ne mit pas longtemps à deviner lequel… et qui était l'auteur de l'effraction.

Keith Clayton voulait récupérer son appareil photo. En l'occurrence, la carte-mémoire. Sans doute parce que les clichés qu'elle contenait risquaient de lui causer des ennuis. Bref, ça coulait de source, compte tenu de ce que faisait Clayton la première fois que Thibault était tombé sur lui par hasard.

OK… Clayton souhaitait donc effacer les traces de son passage. Mais il y avait *autre chose*… En rapport avec Elizabeth.

Ça n'était *pas logique* qu'elle n'ait pas eu de vraies relations depuis dix ans. En revanche, ça collait avec ce qu'il avait entendu le fameux soir autour du billard, en montrant la photo à ce groupe de gars. Qu'avait dit l'un d'eux ? Thibault ne s'en souvint pas tout de suite et s'en voulut de n'avoir pas davantage prêté attention à la remarque. Sur le moment, il tenait tellement à connaître le nom d'Elizabeth qu'il avait ignoré le commentaire… Grave erreur. Avec le recul, les paroles prenaient une tournure menaçante.

« … disons qu'elle sort pas avec des mecs. Son ex n'apprécierait pas, et crois-moi, t'as pas envie de t'y frotter. »

Thibault passa en revue tout ce qu'il savait au sujet de Keith Clayton. Membre d'une famille puissante. Petite brute. Soupe au lait. Occupant une fonction qui lui permettait d'abuser de son pouvoir. Un type qui pensait que tout ce qu'il souhaitait lui était systématiquement dû ?

Concernant ce dernier point, Thibault ne pouvait se montrer affirmatif, mais ça cadrait avec le reste.

Clayton ne voulait pas qu'Elizabeth fréquente d'autres hommes. Elle n'avait pas eu de vraies relations depuis des lustres. Elle s'interrogeait certes à ce sujet de temps en temps, mais n'avait même pas envisagé un lien possible entre son ex-mari et ses échecs sentimentaux. Aux yeux de Thibault, il s'avérait tout à fait possible que Clayton manipule les gens et les événements et – dans une certaine mesure – contrôle encore sa vie. Pour que Clayton sache si Elizabeth avait une relation dans le passé, il devait l'épier depuis des années. Tout comme il la surveillait maintenant.

On n'avait donc aucun mal à imaginer comment Clayton avait mis fin aux précédentes relations d'Elizabeth… Mais jusqu'ici, il avait gardé ses distances en ce qui concernait Thibault et elle. Et Thibault ne l'avait pas vu les espionner, ni remarqué quoi que soit d'inhabituel. Au lieu de cela, Clayton s'était introduit chez lui en quête de la carte-mémoire, profitant du fait que Thibault était au travail.

Histoire de fourbir ses armes ?

Probablement. Mais dans quel but ? Chasser Thibault de la ville, dans le meilleur des cas. Cependant, Thibault ne pouvait s'empêcher de penser que Clayton n'en resterait pas là. Comme Victor le disait : il y avait autre chose.

Il aurait voulu partager avec Elizabeth ce qu'il savait à propos de son ex-mari, mais ne pouvait lui répéter de but en blanc les propos entendus autour du billard. Ça supposait qu'il lui parle de la photo, et il ne pouvait le faire pour l'instant. Thibault préférait l'orienter dans la bonne direction, en espérant qu'elle établirait elle-même le lien. Ensemble, dès lors qu'ils sauraient jusqu'où Clayton était prêt à aller pour saboter leur relation, ils pourraient réagir en conséquence. Ils s'aimaient. Ils sauraient à quoi s'attendre. Et tout s'arrangerait.

Était-ce la raison de sa venue ? Tomber amoureux d'Elizabeth et vivre avec elle ? Était-ce sa destinée ?

Bizarrement, quelque chose clochait. Les paroles de Victor semblaient le confirmer. Un autre motif avait décidé sa venue. Tomber amoureux en faisait peut-être partie. Mais ce n'était pas tout. Un autre événement se préparait.

Il y a autre chose…

Thibault dormit le reste de la nuit sans se réveiller, comme c'était le cas depuis son arrivée en Caroline du Nord. Un truc de soldat… ou plus exactement de combattant, quelque chose qu'il avait dû apprendre par nécessité. Les soldats fatigués commettent des erreurs. Son père le disait. Tous les officiers qu'il avait connus l'affirmaient. Son expérience confirma la véracité de leurs propos. Autrement dit, il avait appris à dormir lorsque c'était le moment, aussi chaotique que soit la situation, en se disant qu'il serait plus apte à la gérer le lendemain.

Hormis la brève période ayant suivi la mort de Victor, Thibault n'avait jamais eu de problème d'insomnie. Il aimait dormir et appréciait la manière dont ses pensées semblaient fusionner pendant qu'il rêvait. Le dimanche au réveil, il eut une vision : une roue, avec de multiples rayons concentriques. Sans trop savoir pourquoi, quelques minutes plus tard, alors qu'il promenait Zeus, Thibault comprit soudain qu'Elizabeth ne se trouvait pas au centre de la roue, comme il le supposait inconsciemment. En revanche, tous les événements s'étant produits depuis son arrivée à Hampton semblaient graviter autour de Keith Clayton.

En définitive, c'était la première personne qu'il avait rencontrée ici. Il avait pris son appareil photo. Clayton et Elizabeth avaient été mariés. Clayton était le père de Ben. Clayton avait saboté les relations d'Elizabeth. Clayton les avait vus passer une soirée ensemble, quand il avait ramené Ben avec son œil au beurre noir. En d'autres termes, c'était le premier à être au courant de leur idylle. Clayton s'était introduit chez lui en douce. Clayton – et non pas Elizabeth – était la raison de sa venue à Hampton.

Au loin, le tonnerre se mit à gronder, sourd, menaçant.

Un orage se préparait et l'air était si lourd qu'il laissait présager une grosse tempête.

Hormis ce qu'Elizabeth lui avait confié au sujet de son ex-mari, il se rendit compte qu'il savait très peu de choses sur Clayton. Comme les premières gouttes de pluie tombaient, Thibault regagna sa maison. Plus tard, il irait faire un tour à la bibliothèque. Il se livrerait à quelques recherches dans l'espoir de mieux connaître Hampton et le rôle que les Clayton y jouaient.

20

Beth

— Ça ne me surprend pas, grommela Nana. À mon humble avis, ça ne gênerait pas feu ton mari…

— Il n'est pas mort, Nana.

— L'espoir fait vivre… soupira sa grand-mère.

Beth but une gorgée de café. C'était dimanche et elles revenaient de la messe. Pour la première fois depuis son attaque, Nana avait chanté en solo dans l'un des cantiques. Mais Beth n'avait pas voulu la déstabiliser en abordant le sujet plus tôt. Elle savait trop ce que la chorale représentait aux yeux de Nana.

— Tu ne m'aides pas beaucoup, reprit Beth.

— Comment ça ?

— Je disais juste…

Nana se pencha vers elle et l'interrompit :

— Je sais très bien. Tu me l'as déjà dit, tu te souviens ? Et si tu me demandes si je pense que Keith s'est introduit chez Thibault à son insu, je te réponds simplement que ça ne m'étonnerait pas. Je n'ai jamais aimé ce bonhomme.

— Oh, vraiment ? ironisa Beth.

— Ça va, ma belle. Pas la peine de faire la maligne.

— Je ne fais pas la maligne…

Nana ne semblait pas l'entendre.

— Tu as l'air fatiguée. Encore un peu de café ? Et si je te faisais du pain perdu ?

— J'ai pas faim, répondit Beth en secouant la tête.

— Tu dois quand même te nourrir. C'est pas sain de sauter des repas, et je sais que t'as déjà sauté le petit déjeuner. (Elle se leva de table.) Je vais préparer du pain perdu.

Inutile de la contredire. Dès lors que Nana avait décrété quelque chose, impossible de l'en dissuader.

— Et pour le reste ? Tu crois que Keith aurait pu…

Elle laissa la phrase en suspens. Nana haussa les épaules, tandis qu'elle glissait deux tranches de pain dans le toasteur.

— Faire fuir les hommes que tu as fréquentés ? Rien chez lui ne me surprendrait. Et ça expliquerait pas mal de choses, non ?

— Mais ça n'a pas de sens. Je peux te donner les noms d'une demi-douzaine de filles avec lesquelles il est sorti, et c'est pas comme s'il m'avait plus ou moins fait comprendre qu'il aimerait qu'on se remette ensemble. Qu'est-ce que ça peut lui faire que j'aie ou non des petits copains ?

— Ça le dérange parce qu'il ne vaut pas mieux qu'un enfant gâté, déclara Nana. (Elle déposa une noisette de beurre dans une casserole, qu'elle mit sur le feu.) Tu étais son jouet, et même s'il en a d'autres pour s'amuser à présent, ça ne veut pas dire pour autant qu'il n'a pas envie de jouer avec les anciens.

— Je ne suis pas sûre d'apprécier la comparaison, répliqua Beth, mal à l'aise.

— Peu importe que tu l'apprécies ou non. Le tout, c'est de savoir si c'est vrai.

— Et tu le penses ?

— J'ai pas dit ça, mais seulement que je ne serais pas étonnée. Et ne viens pas me dire que toi tu le serais. J'ai vu la manière dont il te reluque toujours de la tête aux pieds. J'en ai froid dans le dos, et ça me démange de le tabasser avec le ramasse-crottes qu'on utilise pour les chiens.

Beth sourit un bref instant. Lorsque les toasts jaillirent du grille-pain, Nana les posa sur une assiette. Elle versa le beurre fondu sur les tranches, puis ajouta du sucre et de la cannelle, avant d'apporter l'assiette à Beth.

— Tiens. Mange un peu. T'es squelettique ces temps-ci.

— Je pèse le poids que j'ai toujours pesé.

— C'est pas suffisant. Et ça ne l'a jamais été. Si tu ne fais pas attention, tu vas t'envoler dans la tempête, dit Nana en désignant la fenêtre d'un hochement de tête, avant de se rasseoir. On va en avoir une de tous les diables. Et elle sera la bienvenue. On a besoin de pluie. J'espère seulement qu'on n'a pas de braillards dans le chenil.

Nana faisait allusion aux chiens qui avaient peur de l'orage et menaient la vie dure à leurs camarades de chenil. Beth en profita pour changer de conversation. Sa grand-mère lui offrait toujours une porte de sortie en cas de sujet trop épineux, mais tandis que Beth mordait dans son pain perdu, elle se rendit soudain compte qu'autre chose la tracassait.

— Je pense qu'ils se sont déjà rencontrés, dit-elle enfin.

— Qui ça ? Thibault et le pauvre type ?

— Ne l'appelle pas comme ça, s'il te plaît, répliqua Beth en levant les mains. Je sais que tu ne l'apprécies pas, mais c'est toujours le père de Ben et je ne veux pas que tu prennes l'habitude de le dénigrer quand le petit peut t'entendre. Là, il est encore dans sa chambre, mais...

Nana eut un sourire triste.

— Tu as raison, admit-elle. Désolée. Je n'emploierai plus ce genre de mot. Mais qu'est-ce que tu me disais, au fait ?

– Tu te souviens quand je t'ai parlé du soir où Keith a ramené Ben à la maison avec l'œil au beurre noir ? Tu étais chez ta sœur… (Nana acquiesça.) Cette nuit, j'y ai repensé. Sur le coup, je n'y ai pas vraiment prêté attention, mais quand Keith a vu Logan, il n'a pas demandé qui il était. Au lieu de ça, comme s'il avait eu un déclic, il s'est tout de suite mis en pétard en voyant Logan et lui a lancé : « Qu'est-ce vous faites là ? » ou un truc comme ça.

– Et alors ? demanda Nana, perplexe.

– C'est la *façon* dont il l'a dit. Il semblait moins surpris de découvrir un homme chez moi que Logan en particulier. Comme si Logan était la dernière personne qu'il s'attendait à voir.

– Qu'est-ce que Thibault en dit ?

– Il ne m'en a pas parlé. Mais c'est logique, non ? Que leurs chemins se soient croisés auparavant ? Puisqu'il pense que Keith a pénétré chez lui ?

– Peut-être, dit Nana. (Puis elle secoua la tête.) J'en sais rien, en fait… Thibault t'a dit ce qu'il pensait que ton ex cherchait éventuellement chez lui ?

– Non. Sauf qu'il n'y avait pas grand-chose à trouver.

– C'est une manière de répondre à la question sans y répondre vraiment.

– Hmm…

Beth prit une nouvelle bouchée de pain perdu en songeant qu'elle n'arriverait jamais à tout finir.

Nana se pencha vers elle.

– Et ça te chagrine aussi ?

– Un peu, avoua Beth dans un léger hochement de tête.

– Parce que t'as l'impression qu'il te cache quelque chose ?

Comme sa petite-fille ne répondait pas, Nana tendit le bras en travers de la table et lui prit la main.

– Je pense que tu as tort de te faire de la bile à ce sujet. Peut-être que ton ex-mari est allé fouiller chez Thibault, et peut-être pas… Peut-être qu'ils se sont déjà croisés ou peut-être pas. Mais rien de tout ça n'est aussi important que de savoir si oui ou non ton ex a manigancé je ne sais quoi dans ton dos. Voilà ce qui m'inquiéterait à ta place, parce que ça te concerne directement. (Elle s'interrompit, lui laissant le temps de digérer ses paroles.) Je dis ça parce que je vous ai observés, Thibault et toi, quand vous êtes ensemble, et c'est évident qu'il tient énormément à toi. Et je pense que s'il t'a fait part de ses soupçons, c'est parce qu'il n'a pas envie que se reproduise avec lui ce qui s'est passé avec les hommes que tu as fréquentés dans le passé.

– Alors tu crois que Logan a raison ?

– Oui. Pas toi ?

Beth mit un petit moment avant de répondre :

– Oui, je le pense aussi.

Encore fallait-il en être sûre… Après leur conversation, Beth enfila un jean, un imperméable et prit la voiture pour se rendre en ville. La pluie s'était mise à tomber dru deux ou trois heures plus tôt, un déluge entrecoupé de rafales de vent, engendré par la tempête tropicale qui avait traversé la Caroline du Sud en remontant par la Géorgie. La météo prévoyait quinze à vingt centimètres d'eau dans les vingt-quatre heures, et davantage à venir. Deux autres tempêtes dans le golfe du Mexique avaient balayé les côtes ces derniers jours, et l'on s'attendait à ce qu'elles finissent par déferler dans les terres en apportant encore plus de pluie. L'été chaud et sec touchait officiellement à sa fin.

Même avec les essuie-glaces à la vitesse maximale, Beth voyait à peine la route à travers le pare-brise. Les caniveaux commençaient à déborder et, tout en roulant, elle aperçut des nappes d'eau se frayant un chemin vers la rivière. Jusque-là, celle-ci n'avait pas monté, mais ça ne saurait tarder : dans un rayon de quatre-vingts kilomètres, de nombreux affluents venaient grossir son cours d'eau, lequel, selon Beth, atteindrait bientôt la cote d'alerte. La ville savait gérer les inondations ; les tempêtes de ce type faisaient partie de la vie de la région, et la plupart des entreprises et commerces se situaient assez loin du fleuve et pouvaient en éviter les conséquences, sauf dans le cas d'ouragans particulièrement violents. Quant à la route menant au chenil, qui longeait la rivière, c'était une autre histoire, en revanche. Lors de grosses tempêtes, notamment à la période des ouragans, le cours d'eau débordait parfois sur la route et rendait la circulation dangereuse. Pour l'heure, ça ne poserait aucun problème, mais plus tard dans la semaine, Beth craignait que la situation n'empire.

Derrière son volant, elle méditait encore sur sa conversation avec Nana. Hier matin, tout lui paraissait tellement plus simple, mais à présent elle ne pouvait chasser les questions qui l'assaillaient. Au sujet non seulement de Keith, mais aussi de Logan. Si tous les deux s'étaient en effet déjà rencontrés, pourquoi Logan n'en avait-il pas parlé ? Et qu'est-ce que Keith pouvait bien chercher dans la maison de Logan ? En tant que shérif, il avait accès à toutes sortes d'informations personnelles… donc ça ne pouvait être quelque chose de cet ordre-là. Quoi, alors ? Beth avait beau se creuser la tête, impossible de deviner de quoi il s'agissait.

Quant à Keith lui-même…

Et si Nana et Logan avaient raison ? Car, après mûre réflexion, Beth finissait par rallier leur cause… Comment avait-elle pu ne rien voir ?

Beth admettait avec peine qu'elle ait pu autant se tromper sur le compte de son ex. Cela faisait plus de dix ans qu'elle avait affaire à cet homme et, même s'il n'était jamais apparu à ses yeux comme l'incarnation de la bonté, la seule idée qu'il ait pu saboter sa vie privée ne lui avait jamais traversé l'esprit. Qui irait faire une chose pareille ? Et pourquoi ? La description de Nana – selon laquelle Keith considérait Beth comme un jouet qu'il ne voulait pas partager – sonnait si juste qu'elle en eut des crispations dans la nuque en conduisant.

Ce qui la surprenait le plus, c'était que, dans cette petite ville où l'on ne pouvait quasiment pas garder un secret, elle ne l'avait jamais soupçonné. Ce qui la poussait à s'interroger sur ses amis et voisins, mais surtout sur les hommes qui lui avaient demandé de sortir avec eux. Pourquoi n'avaient-ils pas tout bonnement dit à Keith d'aller se faire voir ailleurs ?

Parce que c'était un Clayton. Et ils ne s'opposaient pas à lui pour les mêmes raisons qu'elle quand il s'agissait de Ben. Parfois, c'était plus facile d'arrondir les angles et de s'entendre.

Beth détestait franchement cette famille.

Bien sûr, elle brûlait les étapes dans le cas présent. Le fait que Logan et Nana soupçonnent Keith d'agir dans son dos ne signifiait pas pour autant qu'ils disaient vrai. C'était d'ailleurs la raison de son déplacement en voiture.

Elle bifurqua à gauche au principal carrefour et prit la direction d'un quartier autrefois dominé par les vastes demeures de style traditionnel, dotées de spacieuses vérandas. Les rues étaient bordées d'arbres gigantesques, pour la plupart au moins centenaires, et Beth se souvint que dans son enfance c'était la partie de la ville qu'elle préférait. La tradition voulait que les familles résidantes décorent à grands frais l'extérieur de leurs maisons pour les jours de fête, en donnant ainsi à l'endroit un aspect pitto-resque et chaleureux.

Sa maison se situait à mi-hauteur de la rue, et elle aper-cevait sa voiture garée sous l'abri prévu à cet effet. Un autre véhicule stationnait derrière et, même si cela signifiait qu'il avait de la compagnie, Beth ne se sentait pas d'humeur à repasser. Une fois arrêtée devant le domicile, elle mit la capuche de son imperméable et sortit sous les trombes d'eau.

Elle pataugea dans les flaques de l'allée et gravit les marches du porche. À travers les fenêtres, elle discernait une lampe allumée dans un coin du salon ; la télévision voisine diffusait la dernière course du NASCAR. Son visi-teur avait dû insister pour regarder la compétition... car elle savait pertinemment que le maître des lieux détestait le NASCAR.

Beth pressa la sonnette et recula d'un pas. Lorsque son visage apparut dans l'entrée, il mit un bref instant avant de la reconnaître. Dans son expression, elle vit un mélange de surprise et de curiosité, le tout mâtiné d'un sentiment inat-tendu chez lui : la peur.

Son regard balaya vivement la rue de part en part, avant de se poser sur elle.

— Beth, dit-il. Qu'est-ce que tu fais là ?

— Salut, Adam, dit-elle en souriant. Je me demandais si tu voulais bien m'accorder quelques minutes. J'aimerais vraiment discuter avec toi.

— Je ne suis pas seul, dit-il à voix basse. C'est pas le bon moment.

Comme pour accréditer ses propos, elle entendit une voix de femme au même moment, en provenance du salon.

— Qui est-ce ?

— S'il te plaît, insista Beth.

285

Il sembla se demander s'il allait ou non lui fermer la porte au nez, puis soupira.

— Une amie ! répondit-il, avant de se tourner vers Beth.

— Juste une minute, OK ?

Elle entrevit la femme par-dessus l'épaule d'Adam, une bière à la main, dans un jean et un tee-shirt un peu trop moulants. Beth reconnut la secrétaire du bureau d'Adam. Noelle... ou quelque chose comme ça.

— Qu'est-ce qu'elle veut ? s'enquit la fille, d'un ton qui signifiait qu'elle aussi l'avait reconnue.

— J'en sais rien, répondit Adam. Elle ne fait que passer, OK ?

— Mais j'ai envie de voir la course, maugréa Noelle en faisant la moue, tandis qu'elle le prenait par la taille.

— Je sais. J'en ai pas pour longtemps. (Il hésita en voyant l'expression boudeuse de la fille.) Je te le promets...

Beth se demanda si ce ton geignard était une seconde nature chez Adam... auquel cas elle ne l'avait jamais remarqué. Soit il avait essayé de le lui cacher à l'époque, soit elle l'avait volontairement ignoré... Ce qui était plus probable, mais l'idée la déprimait un peu.

Adam sortit et ferma la porte derrière lui. Alors qu'il lui faisait face, elle n'aurait su dire s'il était effrayé ou en colère. Ou les deux.

— Qu'y a-t-il de si important ? demanda-t-il avec la voix d'un adolescent qui craint d'avoir commis une bêtise.

— Rien... Je suis juste venue te poser une question.

— À quel propos ?

Beth le força à la regarder dans les yeux.

— Je veux connaître la raison pour laquelle tu ne m'as jamais rappelée après notre dîner en tête à tête.

— Quoi ? répliqua-t-il, nerveux, en se dandinant d'un pied sur l'autre. Tu plaisantes, ma parole...

— Pas du tout.

— Je ne t'ai pas rappelée, point barre. Ça n'a pas marché entre nous. Désolé. C'est la raison de ta visite ? Tu souhaites que je te présente des excuses ?

Il geignait de plus en plus... À tel point qu'elle se demanda même franchement pourquoi elle était sortie avec lui dans le passé.

— Non, je ne suis pas là pour ça.

— Pour quoi, alors ? Écoute, je ne suis pas seul, reprit-il en pointant le pouce par-dessus son épaule. Je vais devoir te laisser.

Comme la question demeurait en suspens, il regarda de nouveau la rue de chaque côté, et Beth comprit ce qui se passait.

— Tu as peur de lui, c'est ça ? dit-elle.

Bien qu'il tente de le cacher, elle savait qu'elle venait de toucher un point sensible.

— De qui ? Mais de quoi tu parles ?

— De Keith Clayton. Mon ex-mari.

Il ouvrit la bouche comme pour s'exprimer, mais aucun son n'en sortit. Au lieu de quoi il reprit son souffle avec peine et tenta de nier.

— Je ne sais pas de quoi tu parles.

Elle s'avança vers lui.

— Qu'est-ce qu'il a fait ? Il t'a menacé ? Flanqué la trouille ?

— Non ! J'ai pas envie d'en parler...

Adam se tourna pour saisir la poignée. Elle lui attrapa le bras et l'en empêcha en s'approchant encore, puis se retrouva nez à nez avec lui. Il se crispa un peu, puis se détendit.

— Il t'a menacé, pas vrai ? insista-t-elle.

— Je ne peux pas parler de ça... Il...

287

Même si elle soupçonnait Logan et Nana d'avoir raison, même si sa propre intuition l'avait poussée à venir ici, Beth crut défaillir quand Adam confirma ses craintes.

– Qu'est-ce qu'il a fait ?

– Je ne peux pas te le dire. Toi, plus que quiconque, tu devrais le comprendre. Tu sais comment il est. Il va…

Il s'interrompit, comme s'il réalisait soudain qu'il en avait trop dit.

– Il va quoi ?

Adam secoua la tête.

– Rien. Il ne va rien faire, dit-il en se redressant. Ça n'a pas marché entre nous. Restons-en là.

Il ouvrit la porte, marqua un temps d'arrêt, prit une profonde inspiration, et elle se demanda s'il allait changer d'avis.

– Ne reviens pas, s'il te plaît, conclut Adam.

Assise sur la balancelle de la véranda, ses vêtements encore trempés, Beth regardait les trombes d'eau tomber. Nana la laissa tranquille et n'intervint que pour lui tendre une tasse de thé brûlant et un cookie tout chaud qui sortait du four. Mais, contrairement à son habitude, elle n'avait pas pipé mot.

Beth commença à boire le thé à petites gorgées, avant de se rendre compte que ça ne lui disait rien. Elle n'avait pas froid ; en dépit du déluge continuel, il faisait chaud, et elle apercevait des nappes de vapeur flottant sur la propriété. Au loin, l'allée semblait se noyer dans la grisaille.

Son ex n'allait pas tarder à arriver. Keith Clayton. De temps à autre, elle marmonnait son nom… comme un juron.

Elle n'en revenait pas. Rectification : elle aurait pu et dû s'en douter. Même si elle aurait volontiers giflé Adam pour son comportement de mauviette, elle savait qu'elle ne pouvait pas vraiment lui en vouloir. C'était un gars charmant, mais pas le gabarit à jouer au basket ou au base-ball. Comment s'étonner qu'il n'ait pas tenu tête à son ex ?

Elle regrettait quand même qu'Adam ne lui ait pas révélé comment Keith s'y était pris pour l'évincer. Quoique c'était facile à imaginer : Adam devait louer son bureau à la famille Clayton. Qui possédait la majeure partie des bureaux et cabinets du centre-ville. Keith l'avait-il menacé de mettre fin à son bail ? De lui empoisonner l'existence ? Ou avait-il carrément abusé de son pouvoir en tant que représentant des forces de l'ordre ? Jusqu'où ce type était-il prêt à aller ?

Beth essaya de trouver combien de fois exactement cela s'était produit. Elles n'étaient pas si nombreuses... Peut-être cinq ou six, songea-t-elle, où la relation s'était finie de la même manière soudaine et inexplicable qu'avec Adam. En comptant Frank... avec qui ça remontait à combien ? Sept ans ? Keith la suivait, l'espionnait depuis si longtemps ? Cette seule idée lui nouait l'estomac.

Et Adam...

Comment se faisait-il que chaque homme qu'elle fréquentait tournât casaque et fit le mort dès le moment où Keith intervenait ? Certes, il appartenait à une puissante famille, et exerçait la fonction de shérif adjoint... mais qu'est-ce qui les empêchait de l'envoyer paître en lui disant de se mêler de ses affaires ? Et pourquoi n'étaient-ils pas au moins venus lui en parler à elle ? Plutôt que de fuir comme des lâches. Décidément, entre Keith et eux, elle n'avait pas eu de chance avec les hommes. Un vieux dicton lui revint en mémoire : « Tu me trompes une fois, tu es une fripouille. Tu me trompes deux fois, je suis une andouille. » Était-ce sa faute si elle choisissait toujours des hommes aussi décevants ?

Peut-être, admit-elle. Mais là n'était pas la question. Le problème, c'était que Keith avait agi dans l'ombre afin de préserver une sorte de statu quo qui ne convenait qu'à lui seul. Comme si Beth lui appartenait.

Cette seule pensée la crispa encore plus, et elle regretta que Logan ne soit pas là. Non pas parce que Keith allait bientôt venir déposer Ben. Elle n'avait pas besoin de Logan pour ça. Keith ne lui faisait pas peur. Il ne l'avait jamais effrayée, parce qu'elle savait qu'il n'était rien d'autre qu'une petite frappe… et les petites frappes étaient promptes à se faire rabattre le caquet dès lors qu'on leur tenait tête. C'était pour la même raison que Nana ne le craignait pas. Drake non plus, du reste, et Keith s'était toujours montré nerveux en sa présence.

Non, elle regrettait que Logan ne soit pas là parce qu'il savait écouter et ne l'aurait pas interrompue dans son délire, ni n'aurait tenté de résoudre son problème… Pas plus qu'il ne se serait lassé de l'entendre répéter pour la énième fois : « J'en reviens pas qu'il m'ait fait ça ! » Bref, il l'aurait simplement laissée se soulager.

Toutefois, pas question de me défouler en me saoulant de paroles, se dit-elle. *Il vaut mieux laisser ma colère mijoter… jusqu'à ce que j'affronte Keith.* En même temps, elle n'avait pas envie de sortir de ses gonds. Si elle se mettait à hurler, Keith se bornerait à nier tout en bloc avant de filer en rageant. Ce qu'elle souhaitait, en revanche, c'était qu'il reste à l'écart de sa vie privée – surtout à présent que Logan venait d'y entrer – sans rendre les week-ends de Ben encore pires qu'ils ne l'étaient déjà.

En définitive, il valait mieux que Logan ne soit pas présent. Keith risquerait d'en faire des tonnes s'il le revoyait, allant jusqu'à le provoquer... ce qui risquait de dégénérer. Si Logan touchait ne serait-ce qu'un cheveu de son ex, il allait se retrouver en prison pour un bon bout de temps. Beth en parlerait plus tard à Logan, afin de s'assurer qu'il comprenne bien la façon dont les cartes étaient distribuées à Hampton. Mais pour l'heure, elle devait gérer toute seule son petit problème.

Au loin, des phares surgirent dans la grisaille, et la voiture parut se dissoudre sous les trombes d'eau, avant de réapparaître à l'approche de la maison. Beth vit Nana épier derrière les rideaux, puis s'éloigner de la fenêtre. Elle se leva de la balancelle et s'avança jusqu'au bord de la véranda, tandis que la portière du passager s'ouvrait. Ben descendit tant bien que mal du véhicule avec son sac à dos et mit les pieds dans une flaque. Ce qui n'eut pas l'air de le déranger, tandis qu'il trottait vers le porche et montait les marches à toute vitesse.

— Salut, m'man ! (Ils s'étreignirent, puis il leva les yeux sur elle.) On peut avoir des spaghettis pour dîner ?

— Bien sûr, mon cœur. Comment s'est passé ton week-end ?

— Bah... Tu sais... murmura-t-il dans un haussement d'épaules.

— Ouais... Je sais. Pourquoi ne pas rentrer te changer ? Je crois que Nana a préparé des cookies. Et retire tes chaussures trempées, OK ?

— Tu viens ?

— D'ici quelques minutes. Je veux d'abord parler à ton père.

— Pourquoi ?

— Ne t'inquiète pas. Ça n'a rien à voir avec toi.

Il essaya de lire dans ses pensées, et elle posa la main sur son épaule en ajoutant :

— File. Nana t'attend.

Ben obtempéra, tandis que Keith baissait sa vitre de quelques centimètres.

— On a passé un super week-end ! Ne l'écoute pas s'il te dit le contraire.

Il s'exprimait d'un ton nonchalant, confiant. Sans doute, songea-t-elle, parce que Logan ne se trouvait pas dans les parages.

Elle s'avança un peu.

— T'as une minute ?

Il la regarda, interloqué, puis coupa le moteur. Il sortit de la voiture et se précipita sur les marches. Une fois sur la véranda, il secoua la tête en projetant quelques gouttes d'eau, puis se redressa en souriant à belles dents. Il devait probablement se trouver sexy.

— Qu'est-ce qui se passe ? demanda-t-il. Comme je te le disais, Ben et moi, on s'est bien amusés ce week-end.

— Tu lui as encore fait nettoyer ta cuisine ?

Le sourire s'effaça.

— Qu'est-ce que tu veux, Beth ?

— Ne prends pas la mouche. Je t'ai seulement posé une question.

Il continua à la dévisager, essayant de deviner où elle voulait en venir.

— Je ne te dis pas ce que tu dois faire avec Ben quand il est avec toi, et j'attends de toi le même respect. Maintenant, de quoi tu souhaites me parler ?

— De deux ou trois petites choses, en fait. (Malgré le dégoût qu'il lui inspirait, elle s'efforça de sourire et désigna la balancelle.) Tu veux bien t'asseoir ?

Il parut surpris.

— Bien sûr. Mais je ne peux pas rester longtemps. J'ai des projets pour ce soir.

Tu m'étonnes… songea-t-elle. *Ou alors tu veux me le faire croire.* Le genre d'allusion classique à laquelle Beth avait droit depuis leur divorce.

Ils prirent place sur la balancelle. Une fois assis, il testa le mouvement d'avant en arrière, puis s'adossa en écartant les bras.

– C'est sympa. C'est toi qui l'as installée ?

Elle tenta de garder un maximum de distance entre eux deux.

– Non, c'est Logan.

– Logan ?

– Logan Thibault. Il travaille pour Nana au chenil. Tu te rappelles ? Tu l'as rencontré.

Il se gratta le menton.

– Le gars qui était là l'autre soir ?

Comme si tu ne le savais pas.

– Exact.

– Et ça le dérange pas de nettoyer les cages et de ramasser la merde ?

Elle ignora la pique.

– Non - non…

Il soupira en secouant la tête.

– Eh bien, je préfère ma place à la sienne. (Il se tourna vers elle et haussa les épaules.) Bon, alors… ?

Elle réfléchit soigneusement aux mots qu'elle allait utiliser.

– Ça m'est difficile d'en parler…

Elle laissa volontiers la phrase en suspens, sachant que ça ne ferait qu'aiguiser sa curiosité.

– Mais encore ?

Elle se redressa, puis reprit :

– Voilà… L'autre jour, je discutais avec une copine et elle m'a dit quelque chose qui m'a mise mal à l'aise.

— Quoi donc ? répliqua Keith en se penchant, l'oreille aux aguets.

— Euh… avant de te le dire, sache que c'est juste une rumeur. L'amie d'une amie d'une amie l'a su… et c'est venu jusqu'à moi. Bref, il s'agit de toi.

— Je t'écoute, dit-il, l'air intrigué.

— Elle m'a dit… que dans le passé, tu me suivais quand j'avais des rendez-vous galants. Et même que tu as déclaré à certains que tu ne voulais pas qu'ils sortent avec moi.

Elle mit un point d'honneur à ne pas le regarder en face, mais l'observa du coin de l'œil, et le vit se figer sur place. Pas seulement sous le choc. Mais parce qu'il se sentait manifestement coupable. Elle serra les lèvres pour ne pas exploser de rage.

Le visage de Keith se détendit.

— J'arrive pas à le croire, reprit-il en pianotant sur son genou avec les doigts. Qui t'a dit ça ?

— Aucune importance, répliqua-t-elle en faisant un geste agacé de la main. Tu ne la connais pas.

— Simple curiosité.

— C'est pas important, je te dis. Alors, c'est pas vrai, si ?

— Bien sûr que non. Comment tu as même pu penser un truc pareil ?

Menteur ! hurla-t-elle en son for intérieur, s'obligeant à ne rien laisser paraître.

Dans le silence qui suivit, il secoua la tête, l'air dépité.

— À mon humble avis, tu ferais bien de te trouver de meilleures copines. Et pour ne rien te cacher, ça me fait même un peu de peine qu'on ait cette conversation.

Elle s'efforça encore de sourire.

— Je lui ai dit que c'était pas vrai.

— Mais tu voulais t'en assurer d'abord auprès de moi.

Elle sentit un soupçon de colère dans la voix de Keith et se rappela à la prudence.

— Puisque tu devais passer à la maison, dit-elle d'un air désinvolte. En outre, on se connaît toi et moi depuis assez longtemps pour se parler en adultes. (Elle l'observa en écarquillant les yeux d'un air candide.) Ça t'ennuie que je t'aie posé la question ?

— Non, mais quand même… le fait que tu puisses penser que…

— Je ne l'ai pas pensé. Mais je voulais t'en parler, car je me suis dit que ça t'intéresserait peut-être de savoir ce que les gens pouvaient dire dans ton dos. Je n'aime pas qu'ils parlent du père de Ben en ces termes, et je l'ai d'ailleurs dit à ma copine.

Les paroles de Beth produisirent l'effet escompté. Il bomba le torse, bouffi d'orgueil.

— Merci de m'avoir défendu.

— Je n'avais rien à défendre. Tu sais ce que sont les ragots. Les déchets toxiques des petites villes… À part ça, sinon ? Le boulot… ça se passe bien ?

— La routine. Et tes élèves, cette année ?

— De braves gamins. Jusqu'ici, du moins.

— Bien… (Il désigna la cour.) Sacrée tempête, hein ? Je distinguais à peine la route.

— Je pensais la même chose en te voyant arriver. C'est dingue. Quand je pense qu'il faisait si beau hier à la plage.

— T'es allée à la mer ?

Elle acquiesça.

— Avec Logan. On se voit pas mal ces temps-ci.

— Waouh… ça m'a tout l'air sérieux.

Elle lui décocha un regard oblique.

— Ne me dis pas que ma copine disait la vérité à ton sujet.

295

– Non… Bien sûr que non.

Elle eut un petit sourire espiègle.

– Je sais bien. Je te taquinais. Et sinon… il n'y a rien de sérieux entre nous pour le moment, mais c'est un type génial.

Il joignit les mains et lui demanda :

– Et Nana, comment elle prend ça ?

– En quoi c'est important ?

Il s'agita, un peu gêné.

– Je veux juste dire que ce genre de situation peut se révéler délicate.

– Mais de quoi tu parles ?

– Il travaille ici. Et tu sais comment ça se passe dans les tribunaux de nos jours. Vu ta situation… tu cours tout droit vers le procès pour harcèlement sexuel.

– Il ne ferait pas un truc pareil…

Keith prit ensuite un ton docte et patient, comme pour sermonner une adolescente.

– Crois-moi, c'est ce qu'on dit toujours. Mais réfléchis deux secondes. Il n'a aucun lien dans le coin. Il travaille pour Nana. Je doute qu'il ait beaucoup de fric. Cela dit, ne le prends pas mal… Mais souviens-toi que ta famille possède pas mal de terrain. (Il haussa les épaules, avant d'ajouter :) Je te dis juste ça parce qu'à ta place, je ferais gaffe.

Il sembla persuasif et, même si elle savait que ce n'était pas le cas, plein de sollicitude. Tel un ami inquiet pour son bien-être. Il devrait jouer la comédie, songea-t-elle.

– C'est Nana qui possède la maison et le domaine. Pas moi.

– Tu sais comment peuvent être les avocats.

À qui le dis-tu ! songea-elle. *Je me souviens du tien à l'audience pour décider de la garde de l'enfant.*

— Je ne pense pas que ça pose problème, mais j'en toucherai deux mots à Nana, concéda Beth.

— C'est sans doute une bonne idée, dit-il, plus sûr de lui que jamais.

— Je suis si contente de ne pas m'être trompée sur ton compte.

— Comment ça ?

— Tu sais... le fait que ça ne te gêne pas que je sorte avec un type comme Logan. Hormis ta crainte d'un procès pour harcèlement sexuel, certes... Il me plaît beaucoup, tu sais.

— Je ne dirais pas que ça ne me gêne pas...

— Mais tu viens juste de déclarer...

— Que ça m'est égal que tu sortes avec tel ou tel mec, et c'est vrai. En revanche, je veux savoir quel genre de type entre dans la vie de mon fils, parce que je tiens à lui.

— C'est tout à ton honneur. Mais quel rapport avec le reste ? protesta Beth.

— Réfléchis une fois de plus, Beth... tu ne vois pas les choses que je suis obligé de voir. Dans mon boulot, je veux dire. Je me retrouve sans arrêt face à des choses terribles... Alors, bien sûr, je souhaite savoir quel genre de gars passe beaucoup de temps avec Ben. Au cas où j'aurais affaire à quelqu'un de violent, de pervers...

— C'est pas du tout le cas, l'interrompit Beth, sentant le feu lui monter aux joues. On s'est renseignées à son sujet.

— N'importe qui peut s'inventer un passé. C'est pas compliqué de se pointer avec une fausse identité. Comment savoir s'il s'appelle vraiment Logan ? C'est pas comme si tu pouvais interroger les gens d'ici. As-tu parlé à quelqu'un de son passé ? De sa famille ?

— Non...

— Eh bien voilà… Je te dis simplement d'être prudente. Et pas uniquement à cause de Ben. Mais aussi pour toi. Il y a des tas de gens horribles sur terre, et s'ils ne sont pas sous les verrous, c'est parce qu'ils ont appris à dissimuler leur vice.

— Tu m'en parles comme d'une sorte de criminel !

— Détrompe-toi. Il se pourrait qu'il soit le gars le plus charmant du monde. Je te fais juste remarquer que tu ne sais pas qui il est réellement. Et tant que tu ne le sauras pas, mieux vaut prévenir que guérir. Tu lis les journaux et tu regardes les infos. Je ne t'apprends rien. Figure-toi que je ne veux pas qu'il arrive quoi que ce soit à Ben. Et j'ai pas envie non plus que tu sois blessée.

Beth allait répliquer mais, pour la première fois depuis qu'elle avait entamé cette discussion avec son ex, les mots lui manquaient.

21

Clayton

Assis au volant, Clayton jubilait.

Il avait dû réfléchir à toute vitesse, mais ça s'était passé bien mieux qu'il ne l'aurait cru, compte tenu de la manière dont la conversation s'était engagée. Quelqu'un l'avait balancé… Tout en roulant, il essaya de trouver de qui il pouvait s'agir. En général, il n'y avait pas de secret dans une petite ville, mais cette affaire-là s'en approchait. Hormis lui-même, bien sûr, les seuls au courant n'étaient autres que les quelques hommes avec lesquels il avait eu une petite discussion.

Ça pouvait être l'un d'entre eux, mais bizarrement Clayton en doutait. De vraies larves, ces types, pas un seul pour racheter l'autre… Mais ils étaient tous passés à autre chose. Ils n'avaient donc aucune raison de le débiner. Même cet abruti d'Adam s'était trouvé une nouvelle petite copine, il n'allait donc pas se mettre à moucharder maintenant.

Sinon, il pouvait simplement s'agir d'une rumeur. En établissant certains rapprochements, quelqu'un soupçonnait peut-être Clayton d'avoir manigancé des choses. Une jolie fille qui ne cessait de se faire plaquer, encore et encore, sans aucune raison apparente… Maintenant qu'il y repensait,

Clayton avait peut-être laissé échapper un truc à Moore ou même à Tony au sujet de Beth, et quelqu'un avait peut-être surpris la conversation… encore qu'il n'ait jamais été assez bête ou assez saoul pour divulguer un détail trop précis. Il savait les problèmes que cela pouvait occasionner avec son père, surtout qu'il avait pris l'habitude d'user de sa position de shérif adjoint dans ses menaces. Quoi qu'il en soit, quelqu'un avait lâché le morceau à Beth.

Cela dit, il n'accordait pas trop d'importance au fait qu'il s'agisse d'une copine à elle. Beth avait pu facilement changer ce petit détail pour le déstabiliser. Le mouchard pouvait être un homme ou une femme ; ce dont Clayton était sûr, en revanche, c'était qu'elle l'avait appris récemment. La connaissant comme il la connaissait, il savait qu'elle n'aurait pas pu garder longtemps ce genre d'info.

Mais c'est là où tout devenait confus. Il était passé chercher Ben le samedi matin et elle n'avait rien dit. Beth lui confia ensuite être allée à la plage dans la même journée en compagnie de Thaï-Bolt. Le dimanche, il l'avait vue à l'église, mais elle se trouvait chez elle en fin d'après-midi.

Par conséquent… qui lui avait parlé ? Et à quel moment ?

Nana, éventuellement, songea-t-il. Cette femme était depuis toujours sa bête noire. Et celle de Papy Clayton, en un sens. Ça faisait quatre ou cinq ans qu'il tentait de faire vendre ses terres à la vieille, afin qu'il puisse y construire. Non seulement la propriété jouissait d'une superbe vue sur la rivière, mais les emplacements sur berge prenaient de la valeur. Les gens du Nord qui venaient s'installer dans la région adoraient les propriétés au bord de l'eau. Papy Clayton acceptait en général les refus de Nana sans sourciller ; bizarrement, il l'aimait bien. Sans doute parce qu'ils fréquentaient la même église… Un truc qui n'entrait manifestement pas en ligne de compte dans l'opinion que Nana avait de son ex-petit-fils par alliance, lequel fréquentait aussi la même église.

Toutefois, c'était probablement le genre de problème que Thaï-Bolt pourrait engendrer. Mais comment serait-il au courant, bon sang ? Clayton et lui ne s'étaient vus que deux fois, et il y avait peu de chances que Thaï-Bolt ait pu découvrir la vérité uniquement après ces deux rencontres. Et la petite visite de sa maison en son absence ? Clayton y réfléchit, puis rejeta l'idée. Il n'y était resté que vingt minutes en tout et pour tout, et n'avait même pas dû forcer la serrure, puisque le gars ne s'était pas donné la peine de verrouiller la porte d'entrée. Aucun objet ne manquait, alors pourquoi Thaï-Bolt aurait d'emblée soupçonné quelqu'un de s'être introduit chez lui ? Et même s'il avait deviné qu'on était venu fouiller sa baraque, pourquoi ferait-il le lien avec Clayton ?

Ces questions n'amenaient pas vraiment de réponses satisfaisantes, mais l'hypothèse selon laquelle Thaï-Bolt aurait un rapport avec ce petit souci inattendu semblait coller. Clayton n'avait que des problèmes depuis l'arrivée de Thaï-Bolt. Il en déduisait donc que Thaï-Bolt se situait en haut de la liste des gens qui feraient sans doute mieux de se mêler de leurs oignons. Ce qui lui donnait une raison de plus de régler son compte à ce mec.

Pour l'instant, il n'allait quand même pas trop se prendre la tête avec ça. Il était toujours sacrément fier de la manière dont il avait sauvé la face en discutant avec Beth. Cela aurait pu se solder par un fiasco. Lorsqu'elle le fit venir sur la véranda, il était loin de se douter qu'elle lui demanderait s'il était intervenu dans les relations qu'elle avait eues dans le passé. Cependant il s'en était bien tiré. Outre le fait qu'il avait su nier de manière crédible, il l'avait fait réfléchir à deux fois au sujet de Thaï-Bolt... et, surtout, convaincue

301

que c'était principalement dans l'intérêt de Ben. Qui sait ? Peut-être que Beth finirait par *larguer* ce type, et Thaï-Bolt quitterait la ville. Ce serait génial, non ? Encore un problème de relation résolu pour Beth, et Thaï-Bolt se retrouvait hors circuit.

Clayton roulait lentement et savourait sa victoire. Il se demanda s'il allait s'offrir une bière pour fêter ça, puis se ravisa. Il ne pouvait guère parler à ses potes de ce qui s'était passé. Au départ, c'étaient les bavardages qui lui avaient attiré des ennuis.

Il passa devant un certain nombre de grandes demeures, chacune se dressant au milieu d'une propriété de deux mille mètres carrés. Clayton vivait au bout d'une impasse, avec pour voisins un médecin et un avocat. Bref, il ne s'était pas trop mal débrouillé, songea-t-il.

Ce fut seulement en tournant dans l'allée qu'il remarqua quelqu'un sur le trottoir devant sa maison. En ralentissant, il aperçut le chien à côté du gars et pila net en battant des paupières, stupéfait. Il coupa le moteur et, malgré la pluie, sortit de la voiture pour se diriger tout droit vers Thaï-Bolt.

Lorsque Zeus se mit à gronder en s'avançant lentement, Clayton s'arrêta. Thaï-Bolt leva la main et le chien s'immobilisa.

— Qu'est-ce que vous foutez là ? brailla-t-il pour se faire entendre sous le déluge.

— Je vous attendais, répondit Thaï-Bolt. Je pense qu'il est temps qu'on ait une petite discussion.

— Et pourquoi je devrais vous parler, d'abord ? éructa Clayton.

— Je crois que vous le savez.

Ce genre de phrase ne plaisait guère à Clayton, mais pas question de se laisser intimider par ce type. Ni maintenant. Ni jamais.

302

— Ce que je sais, en revanche, c'est que vous êtes en état de vagabondage. Dans ce comté, c'est un délit.

— Vous n'allez pas m'arrêter.

Justement, Clayton l'envisageait déjà.

— N'en soyez pas si sûr.

Thaï-Bolt continuait à le dévisager comme pour le défier. D'un coup de poing, Clayton lui aurait volontiers fait passer l'envie de le narguer, mais l'éternel cabot se tenait toujours là.

— Qu'est-ce que vous voulez ?

— Comme je vous l'ai dit, il est temps pour nous de discuter, reprit le gars d'un ton calme et posé.

— J'ai rien à vous dire ! fulmina Clayton en secouant la tête. Je vais entrer chez moi. Si vous êtes encore là quand j'arriverai sur ma véranda, je vous fais arrêter pour avoir menacé l'adjoint du shérif avec une arme mortelle.

À ces paroles, il tourna les talons et se dirigea vers son perron.

— Vous n'avez pas retrouvé la carte-mémoire ! lui lança Thaï-Bolt.

Clayton fit volte-face :

— Quoi ?

— La carte-mémoire, répéta Thaï-Bolt. Celle que vous recherchiez quand vous vous êtes introduit chez moi. En fouillant dans les tiroirs, les placards, sous le matelas.

— Je n'ai jamais pénétré chez vous, se défendit Clayton, qui le regarda en plissant les yeux.

— Si, persista Thaï-Bolt. Lundi dernier, quand j'étais au travail.

— Prouvez-le !

— J'ai déjà toutes les preuves dont j'ai besoin. Le détecteur de mouvement que j'avais installé dans la cheminée a déclenché la caméra vidéo, cachée au même endroit. Je m'étais dit que vous alliez essayer de retrouver la carte-mémoire un jour et que vous ne penseriez pas à regarder là.

Clayton sentit son estomac se soulever, tandis qu'il cherchait à savoir si Thaï-Bolt bluffait ou non. Impossible de le deviner.

— Vous mentez.

— Eh bien, partez. Je vais me faire un plaisir d'aller porter sur-le-champ la bande vidéo au journal et au bureau du shérif.

— Qu'est-ce que vous me voulez à la fin ?

— Je vous le répète : je pense qu'il est temps qu'on discute.

— De quoi ?

— Des ordures dans votre genre, répliqua Thaï-Bolt en détachant chaque mot. Ça vous excite de photographier des étudiantes à poil ? Il en penserait quoi, votre grand-père ? Je me demande ce qui se passerait s'il venait à l'apprendre... ou bien ce qu'on pourrait lire dans le journal à ce sujet. Ou encore ce que votre père — qui, je crois, est le shérif du comté — penserait du fait que son fils s'est introduit chez moi en mon absence.

L'estomac de Clayton se noua de plus belle. Impossible que ce gars puisse savoir tout ça... et pourtant si.

— Qu'est-ce que vous voulez ? répéta-t-il d'une voix qui, malgré ses efforts, montait dans les aigus.

Thaï-Bolt se tenait toujours là devant lui et le regardait fixement. Clayton aurait juré ne pas l'avoir vu ciller une seule fois.

— Je veux que vous deveniez quelqu'un de bien.

— J'ignore de quoi vous parlez.

— On va procéder en trois points. En commençant par celui-ci : ne vous mêlez plus des affaires d'Elizabeth.

Clayton battit des paupières.

— Qui est Elizabeth ?

— Votre ex-femme.

— Vous voulez dire Beth ?

— Vous faites fuir tous ses prétendants depuis votre divorce. Vous le savez aussi bien que moi. Et à présent elle le sait aussi. Il n'est plus question que ça se reproduise. Plus jamais. C'est clair ?

Clayton ne répondit pas.

— Deuxième point : ne vous mêlez pas de mes affaires. J'entends par là : ma maison, mon boulot, ma vie. Pigé ?

Clayton resta muet.

— Et troisième point... très important, dit Thaï-Bolt en levant la main tel un prédicateur : si d'aventure Ben venait à faire les frais de votre colère envers moi, c'est *à moi* que vous auriez affaire.

Clayton sentit les poils de sa nuque se hérisser.

— C'est une menace ? dit-il.

— Non, c'est la vérité. Remplissez ces trois conditions et vous n'aurez aucun problème avec moi. Personne ne saura ce que vous avez fait.

Clayton serrait les dents.

Dans le silence qui suivit, Thaï-Bolt s'avança vers lui. Zeus ne bougea pas, visiblement déçu de devoir se tenir en retrait. Thaï-Bolt s'approcha encore jusqu'à ce que les deux hommes se retrouvent face à face.

Son ton calme et détendu n'avait pas changé d'un iota :

— Sachez que vous n'avez jamais croisé quelqu'un comme moi. Et il ne fait pas bon m'avoir pour ennemi...

Sur ces mots, Thaï-Bolt tourna les talons et s'en alla. Zeus continua à lorgner Clayton jusqu'à ce que son maître lui ordonne de le suivre. Le chien le rejoignit en trottinant et Clayton se retrouva seul sous la pluie, en se demandant comment une soirée qui avait si bien commencé pouvait se terminer aussi mal.

22

Thibault

— Je crois que j'ai envie de devenir astronaute, déclara Ben.

Thibault jouait aux échecs avec lui sur la véranda de derrière et tentait de deviner son prochain coup. Il n'avait toujours pas gagné une seule partie et, curieusement, le fait que Ben se soit mis à parler ne lui disait rien qui vaille. Ils jouaient beaucoup aux échecs ces temps-ci. Depuis le début du mois d'octobre, neuf jours plus tôt, la pluie tombait dru et sans discontinuer. La région orientale de l'État était déjà inondée et de nouvelles crues s'ajoutaient quotidiennement aux précédentes.

— Ça me paraît chouette.

— Ou alors pompier.

Thibault acquiesça en silence.

— J'en ai connu quelques-uns.

— Ou bien médecin.

— Hmm… marmonna Thibault, qui s'apprêtait à déplacer son fou.

— J'éviterais de faire ça, dit Ben.

Thibault redressa la tête.

— Je sais ce que tu comptes faire, précisa Ben. Ça marchera pas.

— Qu'est-ce que je devrais faire alors ?

— Pas ça en tout cas.

Thibault retira sa main. Perdre une fois ou deux, ça pouvait aller. Mais perdre systématiquement, c'était dur à avaler. Et le pire, c'était qu'il ne semblait jamais pouvoir le rattraper. Ben, quant à lui, progressait d'une partie à l'autre. La dernière s'était jouée en vingt et un coups.

— T'aimerais voir ma cabane ? suggéra Ben. Elle est trop cool. Avec la grande plate-forme suspendue au-dessus du cours d'eau et une passerelle toute branlante.

— J'aimerais bien, oui.

— Pas maintenant. À un autre moment, je voulais dire.

— Ce serait super, dit Thibault, qui tendait la main vers sa tour.

— Je ne bougerais pas celle-là non plus.

Thibault haussa un sourcil comme Ben s'adossait à son siège.

— Je te préviens, c'est tout.

— Qu'est-ce que je devrais faire, alors ?

Le gamin haussa les épaules.

— Ce que tu veux, répondit-il, espiègle, comme un enfant de dix ans qui se payait la tête d'un adulte.

— Sauf déplacer le fou et la tour ?

Ben désigna une pièce en ajoutant :

— Et aussi ton autre fou. Comme je te connais, c'est le coup que tu vas tenter ensuite, puisque t'essayes de placer ton roi. Mais ça marchera pas non plus, car je vais sacrifier le fou pour sauver le mien, et déplacer ma reine pour te piquer ton pion là-bas. Ce qui bloquera ta reine et, une fois que j'aurai roquer pour protéger mon roi, je déplacerai mon cavalier là. Deux coups plus tard, tu seras échec et mat.

Thibault porta la main à son menton.

— Est-ce que j'ai une chance de m'en tirer dans cette partie ?

— Non.

— Il me reste combien de coups ?

— Entre trois et sept.

— Alors autant en attaquer une autre.

Ben rajusta ses lunettes.

— Peut-être…

— T'aurais pu me le dire plus tôt.

— T'avais l'air tellement pris par le jeu. Je voulais pas te déranger.

La partie suivante ne fut guère meilleure pour Thibault. Et même pire… dans la mesure où Elizabeth avait décidé de se joindre à eux, et la conversation entre les joueurs se déroula de la même manière. Thibault voyait bien qu'elle réprimait son envie de rire.

Depuis une dizaine de jours, ils s'étaient installés dans une sorte de routine. Après le travail, sous les incessantes trombes d'eau, il venait à la maison disputer quelques parties d'échecs avec Ben et restait dîner, et tous les quatre passaient un repas agréable à bavarder. Ensuite, Ben montait à l'étage se doucher et Nana les envoyait s'asseoir sur la véranda, tandis qu'elle restait dans la cuisine pour débarrasser, en disant des phrases du genre : « Pour moi, nettoyer, c'est naturel et j'aime ça… comme les singes aiment bien être tout nus. »

Thibault avait bien compris qu'elle souhaitait leur laisser une peu d'intimité avant qu'il s'en aille. Il était tout de même épaté de la voir cesser d'être la patronne, sitôt la journée de travail finie, pour redevenir la grand-mère de sa petite amie. Peu de gens, selon lui, pouvaient passer d'un rôle à l'autre avec une telle facilité.

Il se faisait tard, et Thibault savait qu'il était temps pour lui de partir. Nana parlait au téléphone, Elizabeth était montée border Ben, et Thibault, assis sur la balancelle, sentait la fatigue lui peser sur les épaules. Il n'avait pas beaucoup dormi depuis sa confrontation avec Clayton. Juste après, ne sachant pas comment ce dernier réagirait, il était rentré chez lui comme s'il avait décidé de passer une soirée paisible à la maison. Mais une fois la lumière éteinte, il était ressorti par la fenêtre de sa chambre, à l'arrière, pour se glisser dans le bois, avec Zeus à ses côtés. Malgré la pluie, il était resté une grande partie de la nuit à l'extérieur pour guetter Clayton. Le lendemain soir, il avait monté la garde près du domicile d'Elizabeth. Le surlendemain, il avait alterné entre sa maison et la sienne. La pluie ininterrompue ne les dérangeait pas, Zeus et lui ; il avait installé deux petits abris en grosse toile de camouflage qui les gardaient au sec. Pour lui, le plus dur consistait à travailler après avoir à peine somnolé quelques heures avant l'aurore. Depuis lors, il dormait pleinement une nuit sur deux, mais ça ne suffisait pas pour rattraper son manque de sommeil.

Toutefois il n'allait pas s'arrêter. Clayton était imprévisible et Thibault cherchait la moindre trace de sa présence lorsqu'il travaillait ou faisait des courses en ville. Le soir, il changeait souvent d'itinéraire pour rentrer chez lui, coupait à travers bois au pas de course, puis surveillait le chemin pour s'assurer que Clayton ne le suivait pas. L'individu ne lui faisait pas peur, mais Thibault n'était pas idiot non plus. Non seulement Clayton appartenait à la famille la plus puissante du comté de Hampton, mais il travaillait aussi au bureau du shérif... ce qui le préoccupait avant tout. Qu'est-ce qui empêcherait Clayton d'aller placer quelque chose – de la drogue, des objets volés, voire l'arme d'un meurtre – chez Thibault, afin de l'incriminer ? Ou de prétendre que Thibault les avait en sa possession et s'arranger pour que les preuves soient découvertes ? Clayton n'aurait aucun mal à agir ainsi. Thibault était certain que n'importe quel jury populaire se rallierait au témoignage fourni par le représentant des forces de l'ordre, aussi infimes que soient ses preuves et aussi solide que soit l'alibi de Thibault. Ajoutez à cela la fortune et l'influence des Clayton, et les témoins se bousculeraient pour le désigner comme coupable.

Le plus effrayant, c'était qu'il imaginait Clayton capable de se livrer à ce genre de magouilles... D'où la confrontation qu'il avait provoquée pour lui parler d'emblée de la carte-mémoire et de la vidéo. Même s'il avait détruit la microdisquette avant de la jeter et si l'enregistrement vidéo n'était que pure invention, le bluff lui paraissait la seule possibilité pour gagner du temps avant de passer à l'étape suivante. L'animosité de Clayton à son encontre se révélait dangereuse. Si ce type s'était permis de s'introduire chez lui, s'il avait manœuvré dans l'ombre pour saboter la vie privée d'Elizabeth, nul doute qu'il ferait tout ce qu'il jugerait nécessaire pour se débarrasser de Thibault.

Les autres menaces – le journal et le bureau du shérif, l'allusion au grand-père – ne faisaient qu'étoffer sa tentative d'intimidation. Il savait que Clayton cherchait la carte-mémoire parce qu'il croyait que Thibault pouvait l'utiliser contre lui. Autrement dit, il visait sa fonction ou sa famille, mais quelques heures de recherches sur les Clayton à la bibliothèque suffirent à convaincre Thibault que les deux entraient en ligne de compte.

Un seul problème avec le bluff : ça ne pouvait pas marcher éternellement. Combien de temps s'écoulerait avant que Clayton ne le découvre ? Une semaine ou deux ? Un mois ? Un peu plus ? Et que ferait-il alors ? Qui pouvait le savoir ?... Pour l'heure, Clayton se disait que Thibault avait l'avantage, et ça devait d'autant plus l'enrager. Avec le temps, sa colère reprendrait le dessus et Clayton finirait par se venger sur lui, Elizabeth, ou Ben. Comme Thibault n'aurait aucune microdisquette à présenter pour calmer le jeu, Clayton serait libre d'agir comme bon lui semblait.

Thibault hésitait encore quant à la marche à suivre. Il n'imaginait pas quitter Elizabeth... ni Ben ou Nana, d'ailleurs. Plus il restait à Hampton, plus il avait la sensation d'y être chez lui... Ce qui signifiait qu'il devait se méfier de Clayton et l'éviter autant que possible. En un sens, il jouait la montre en supposant qu'à la longue Clayton finirait par accepter la situation... Peu probable, certes, mais pour l'instant Thibault ne pouvait que s'accrocher à ce vague espoir.

— Tu es encore perdu dans tes pensées, observa Elizabeth en ouvrant la porte grillagée derrière lui.

Thibault secoua la tête.

— Juste la fatigue de la semaine, dit-il. Je trouvais la chaleur pénible, mais je pouvais au moins me rafraîchir de temps en temps. La pluie, en revanche, pas moyen d'y échapper.

Elle s'installa à côté de lui sur la balancelle.

— Tu en as marre d'être sans arrêt trempé.

— Disons que c'est moins agréable que de se baigner à la plage ou à la piscine.

— Je suis désolée.

— Oh, pas de quoi en faire un drame. La plupart du temps, je m'en accommode, et il vaut mieux que ce soit moi que Nana. Et puis demain, c'est vendredi, pas vrai ?

Elle sourit.

— Ce soir, je te raccompagne en voiture. Pas de discussion, cette fois-ci.

– OK.

Elle jeta un œil par la fenêtre, puis se retourna vers lui.

– Tu ne mentais pas quand tu disais savoir jouer du piano, hein ?

– Je sais en jouer, oui.

– Ça remonte à quand, la dernière fois ?

Il haussa les épaules, tout en réfléchissant.

– Deux ou trois ans.

– En Irak ?

Il acquiesça.

– Un de mes commandants fêtait son anniversaire. Il adorait Willie Smith, un grand pianiste de jazz des années 1940 et 1950. Quand le bruit s'est répandu que je savais jouer, je me suis fait embarquer dans un petit récital.

– En Irak, répéta-t-elle, incrédule.

– Même les marines ont besoin de se détendre.

– J'imagine que tu sais lire une partition.

– Bien sûr. Pourquoi ? Tu veux que je donne des cours à Ben ?

Elle parut ne pas l'avoir entendu.

– Et l'église ? Ça t'arrive d'y aller ?

Thibault la dévisagea, intrigué.

– J'ai comme l'impression que le but de cette conversation n'est pas uniquement de mieux se connaître mutuellement.

– J'ai surpris Nana au téléphone. Tu sais combien elle adore la chorale ? Et aussi qu'elle s'est remise à chanter les solos dans les cantiques ?

– Oui, répondit-il, de plus en plus suspect quant à la tournure de la discussion.

– Son solo de dimanche est encore plus long que d'habitude. Elle s'en fait toute une joie.

– Pas toi ?

— En un sens, oui… soupira-t-elle d'un air affligé. Il s'avère qu'Abigail a fait une chute hier et s'est brisé le poignet. C'est de ça dont Nana parlait au téléphone.

— Qui est Abigail ?

— La pianiste de l'église. Elle accompagne la chorale tous les dimanches, expliqua Elizabeth en se mettant à se balancer, tout en scrutant la tempête qui continuait à faire rage. Bref… Nana a dit qu'elle dénicherait quelqu'un pour remplacer Abigail. Elle l'a même promis, en fait.

— Oh ?

— Elle a aussi ajouté qu'elle avait un nom en tête.

— Je vois.

Elizabeth haussa les épaules en précisant :

— Je tenais juste à te mettre au courant. Je suis sûre que ma grand-mère ne va pas tarder à vouloir te parler… Donc, c'était pour t'éviter d'être pris au dépourvu.

— J'apprécie.

Pendant un petit moment, Thibault se tut. Elizabeth posa la main sur son genou.

— Qu'est-ce que t'en penses ?

— J'ai bien peur de ne pas avoir trop le choix.

— Bien sûr que si. Nana ne va pas te mettre le couteau sous la gorge.

— Même si elle a fait une promesse à la chorale ?

— Elle comprendra sans doute. Au bout d'un certain temps… (Elizabeth porta une main à son cœur et ajouta :) Une fois remise de sa déception, je suis certaine qu'elle pourra même te pardonner.

— Ah…

— Bien sûr, ça n'arrangera pas son état de santé. Entre son attaque et toute cette contrariété… Elle finira sans doute alitée ou je ne sais quoi.

Thibault esquissa un sourire.

— Tu ne crois pas que t'en fais un peu trop ?

— Peut-être, admit-elle, les yeux pétillant d'espièglerie. Mais la question est : tu veux bien jouer ou non ?

— Oui, je suppose.

— Bien. Sache que tu vas devoir répéter demain.

— OK.

— Ça risque d'être long. Les répètes du vendredi n'en finissent jamais. Elles adorent leurs cantiques, tu sais.

— Super… soupira-t-il.

— Vois le bon côté des choses : tu ne seras pas obligé de bosser toute la journée sous la pluie.

— Génial…

Elizabeth l'embrassa sur la joue.

— T'es vraiment un type bien. Je t'acclamerai en silence sur mon banc d'église.

— Merci.

— Oh… quand Nana va sortir, évite de lui dire que je t'ai mis au courant.

— Entendu.

— Et tâche d'être un peu plus enthousiaste. Comme si tu ne t'attendais pas à une occasion aussi formidable.

— Je ne peux pas simplement dire oui ?

— Non. Nana aura envie de te voir enchanté. Comme je te l'ai dit, ça compte beaucoup pour elle.

— Ah… dit-il en lui prenant la main. Tu te rends compte que tu aurais pu tout bêtement me poser la question ? J'avais pas besoin de tout ce cinéma pour me faire culpabiliser.

— Je sais. Mais c'était plus drôle de t'en parler comme ça.

Comme par hasard, Nana sortit au même moment sur la véranda. Elle les gratifia d'un sourire, avant de s'approcher de la balustrade en se tournant vers lui.

– Ça vous arrive encore de jouer du piano ?

Thibault eut bien du mal à ne pas éclater de rire.

Le lendemain après-midi, il rencontra le chef de chœur et, malgré son air consterné en découvrant son jean, son tee-shirt et ses cheveux longs, elle ne tarda pas à réaliser que Thibault non seulement pouvait jouer mais se révélait un musicien accompli. Dès qu'il se fut échauffé sur le clavier, il commit très peu d'erreurs, encore que les morceaux ne présentaient pas de grosses difficultés. Après la répétition, quand le pasteur fit son apparition, on expliqua à Thibault le déroulement de l'office par le menu.

Pendant ce temps, Nana le couva de sourires radieux et papota avec ses amies, en leur expliquant que Thibault travaillait au chenil et passait du temps avec Beth. Il sentit les regards appuyés de ces dames qui trahissaient un intérêt certain et, pour la plupart, de l'approbation.

Tandis qu'ils se dirigeaient vers la sortie, Nana le prit par le bras en lui disant :

– Vous vous êtes mieux débrouillé qu'un canard avec un bout de bois.

– Merci, dit-il sans comprendre l'allusion.

– Vous êtes partant pour une petite séance de shopping ?

– Où ça ?

– Wilmington. Si on y va tout de suite, je pense que vous serez de retour assez tôt pour emmener Beth dîner. Je garderai Ben.

– Qu'est-ce que je vais y acheter ?

– Une veste sport et un pantalon en toile. Une chemise plus habillée. Le jean ne me dérange pas, mais si vous devez jouer du piano pendant la messe dominicale, il vous faut une tenue plus classique.

— Ah… fit-il, comprenant aussitôt qu'il n'avait guère le choix.

Ce soir-là, tandis qu'ils dînaient à la Cantina, le seul restaurant mexicain de la ville, margarita en main, Elizabeth dévisagea Thibault.

— Tu sais que tu as une cote d'enfer, maintenant ? dit-elle.

— Avec Nana ?

— Elle ne tarissait pas d'éloges à ton sujet, s'extasiant sur ta courtoisie envers ses copines et ton respect vis-à-vis du pasteur.

— À t'écouter, on dirait qu'elle s'attendait à ce que je me comporte comme un homme des cavernes.

Elizabeth éclata de rire.

— Peut-être bien… J'ai entendu dire que t'étais couvert de boue avant d'y aller.

— Je me suis douché et changé.

— Je sais. Ça aussi elle me l'a dit.

— Et qu'est-ce qu'elle ne t'a pas dit, alors ?

— Que les autres femmes de la chorale s'extasiaient.

— Elle a dit ça ?

— Non, justement. C'était inutile… ça se lisait sur son visage. Imagine-toi que c'est pas si souvent qu'un jeune et bel étranger débarque dans leur église et les charme par sa dextérité au piano. Comment ne pas tomber en pâmoison ?

— Je crois que t'en rajoutes un peu.

— Et moi, dit-elle en tapotant le bord de son verre pour goûter le sel, je crois qu'il te reste beaucoup de choses à apprendre sur la vie d'une petite ville du Sud. C'est la grande nouvelle de l'année. Abigail a joué pendant quinze ans.

— Je ne vais pas prendre sa place. C'est temporaire.

— Encore mieux. Ça donnera l'occasion aux gens de

prendre parti pour l'un ou l'autre. Ils vont en parler pendant des lustres.

— Ah bon ?

— Absolument. Et, soit dit en passant, il n'existe pas de meilleur moyen pour se faire accepter dans la communauté.

— J'ai uniquement besoin d'être accepté par toi.

— Toujours aussi beau parleur, observa-t-elle en souriant à nouveau. OK, et si je te disais que ça va rendre Keith fou de rage ?

— Pourquoi ?

— Parce qu'il fréquente la même paroisse. En fait, Ben sera avec lui quand tu joueras du piano. Il ne va pas s'en remettre de voir que tout le monde apprécie que tu aies proposé tes services.

— Je ne suis pas sûr d'avoir envie de le savoir encore plus énervé. Je m'inquiète déjà de sa réaction.

— Il ne peut rien faire. Je sais ce qu'il a manigancé dans le passé.

— Je ne serais pas aussi optimiste, prévint Thibault.

— Pourquoi tu dis ça ?

Thibault regarda les tables bondées autour d'eux. Elle parut deviner ses pensées et se déplaça pour se glisser à côté de lui sur la banquette qu'il occupait dans leur box.

— Tu sais quelque chose et tu ne me le dis pas, murmura-t-elle. De quoi s'agit-il ?

Thibault but une gorgée de sa bière. Il reposa la bouteille sur la table, puis lui raconta ses rencontres avec son ex-mari. À mesure qu'il avançait dans son récit, l'expression de la jeune femme passa du dégoût à l'amusement, pour finir par un sentiment voisin de l'inquiétude.

— Tu aurais dû m'en parler plus tôt, lui reprocha-t-elle en fronçant les sourcils.

– Je ne me faisais pas de souci jusqu'à ce qu'il vienne fouiller chez moi en mon absence.

– Et tu crois vraiment qu'il est capable de monter un coup contre toi ?

– Tu le connais mieux que moi.

Elizabeth se rendit subitement compte qu'elle n'avait plus faim.

– Je *croyais* le connaître…

Comme Ben se trouvait chez son père – une situation qui leur paraissait à tous les deux un peu surréaliste compte tenu des circonstances –, Thibault et Elizabeth se rendirent à Raleigh le samedi, ce qui leur évita de spéculer sur ce que Keith Clayton risquait de faire ou pas. Dans l'après-midi, ils déjeunèrent en terrasse dans un café du centre et visitèrent le musée d'Histoire naturelle ; le soir, ils allèrent à Chapel Hill. L'université de Caroline du Nord jouait contre celle de Clemson, et le match était retransmis sur ESPN. Même si celui-ci se déroulait en Caroline du Sud, les bars de la ville étaient pleins à craquer, avec des tas d'étudiants qui suivaient le jeu sur des écrans géants. En les regardant applaudir et huer les joueurs comme si l'avenir du monde dépendait de l'issue du match, Thibault se surprit à songer aux soldats de leur âge qui servaient en Irak, et se demanda ce qu'ils penseraient de ces jeunes-là.

Ils ne restèrent pas longtemps. Au bout d'une heure, Elizabeth était prête à s'en aller. Tandis qu'ils regagnaient la voiture, bras dessus, bras dessous, elle posa la tête contre l'épaule de Thibault.

– C'était sympa, dit-elle, mais ça braillait un peu trop dans ce bar.

– Tu dis ça parce que tu vieillis.

Elle lui pinça la taille, dont elle apprécia encore la musculature.

— Fais gaffe, bébé, sinon tu risques de finir la nuit tout seul.

— Bébé ? répliqua-t-il.

— C'est un petit mot doux. Je l'emploie avec tous les mecs qui sortent avec moi.

— Tous ?

— Ouais. Les étrangers aussi. Comme ceux qui me laissent leur place dans le bus. Ça peut m'arriver de leur dire : « Merci, bébé. »

— J'imagine que ça fait de moi quelqu'un de privilégié.

— Et comment !

Ils croisèrent des hordes d'étudiants dans Franklin Street, jetèrent au passage un coup d'œil aux vitrines et profitèrent de l'ambiance festive. Thibault trouvait logique qu'elle ait eu envie de venir là. Ce genre d'expérience lui manquait à cause de Ben. Toutefois, même si l'atmosphère lui plaisait, elle ne semblait pas nostalgique ou amère de n'avoir pas connu ça quand elle était plus jeune. À tel point qu'on aurait cru une anthropologue observant les us et coutumes de tribus urbaines. Lorsqu'il le lui fit remarquer, elle roula des yeux atterrés.

— Ne me gâche pas la soirée. Crois-moi, je ne me prends pas autant la tête. Je voulais juste sortir de mon cadre habituel et m'amuser un peu.

Ils rentrèrent chez Thibault, où ils bavardèrent encore et firent l'amour jusque tard dans la nuit. À son réveil, il la découvrit allongée à ses côtés en train de l'observer attentivement.

— Qu'est-ce que tu fais ? marmonna-t-il, la voix encore somnolente.

— Je t'observe.

– Pourquoi ?

– J'en avais envie.

Il sourit et promena un doigt sur son bras, plus heureux que jamais qu'elle soit entrée dans sa vie.

– T'es une fille géniale, Elizabeth.

– Je sais.

– C'est tout ce que ça t'inspire ? rétorqua-t-il d'un air faussement outré.

– Dis donc ! Évite d'aller à la pêche aux compliments avec moi. Je déteste ça chez les mecs.

– Et moi je suis pas sûr d'apprécier les filles qui dissimulent leurs sentiments.

Elle sourit et se pencha pour l'embrasser.

– J'ai passé une super soirée hier.

– Moi aussi.

– Je ne plaisante pas. Ces dernières semaines avec toi ont été les meilleures de mon existence. Et hier, le simple fait de me retrouver seule avec toi… t'as pas idée du bonheur que j'ai éprouvé. Je me sentais… femme tout simplement. Ni mère, ni instit, ni petite-fille de Nana. J'étais moi-même. Ça faisait longtemps que ça ne m'était pas arrivé.

– C'était pourtant pas notre première sortie en tête à tête…

– Je sais. Mais c'est différent maintenant.

Elle faisait allusion à l'avenir, il le savait… Un avenir qui n'avait jamais été aussi évident et plein de projets. Tout en la dévisageant, il devina exactement le fond de sa pensée.

– Et l'étape suivante, c'est quoi ? demanda-t-il d'un ton grave.

Elle l'embrassa encore, son souffle tiède se mêlant aux lèvres chaudes et humides de Thibault.

– L'étape suivante ? Faut se lever. Tu dois être à l'église

d'ici deux ou trois heures, déclara-t-elle en lui claquant la cuisse.

— Ça nous laisse pas mal de temps.

— Peut-être pour toi. Mais en ce qui me concerne, mes fringues sont chez moi. Tu dois te lever et te préparer, pour que je puisse ensuite me changer.

— Pff… C'est pénible…

— Je sais. Mais t'as pas vraiment le choix. Et puis je voulais te dire, ajouta-t-elle en lui prenant la main, moi aussi je te trouve génial, Logan !

– 23 –

Beth

— Il me plaît vraiment, Nana, déclara Beth.

Debout dans la salle de bains, elle se battait avec le fer à friser, même si elle se doutait qu'avec la pluie tous ses efforts risquaient d'être réduits à néant. Après un bref répit la veille, la première des deux tempêtes tropicales annoncées avait déferlé sur la région.

— Il serait temps d'être honnête avec moi, je crois. Tu n'es pas seulement attirée par lui. Tu penses que c'est le bon.

— Ça se voit tant que ça ? se défendit Beth, qui refusait d'y croire.

— Oh que oui ! Tu pourrais aussi bien être assise sur la véranda en train d'effeuiller une marguerite.

Beth sourit à belles dents.

— Crois-le ou non, mais j'ai vraiment compris l'image.

Nana fit un geste désinvolte de la main.

— Une fois n'est pas coutume… Sinon, je sais bien qu'il te plaît. La question, c'est de savoir si *toi* tu lui plais.

— Oui, Nana.

— Tu t'es demandé ce que ça voulait dire ?

— Je le sais pertinemment.

– C'était juste pour savoir… dit sa grand-mère qui se regarda dans le miroir et arrangea sa coiffure. Parce que moi aussi je l'aime bien.

Elle roulait avec Nana en direction de la maison de Logan, inquiète de la lenteur des essuie-glaces sous la pluie battante. Le lit de la rivière avait grossi sous les averses quasi ininterrompues et, même si l'eau n'atteignait pas encore la chaussée, elle débordait presque sur les bas-côtés. Encore quelques jours à ce rythme-là, songea-t-elle, et les routes seraient condamnées. Les commerces les plus proches du fleuve ne tarderaient pas à entasser des sacs de sable pour éviter que l'eau ne détruise les marchandises stockées près du sol.

– Je me demande si les gens vont pouvoir accéder à l'église aujourd'hui, remarqua Beth. J'y vois à peine au travers du pare-brise.

– C'est pas trois gouttes de pluie qui éloigneront les gens du Seigneur, décréta Nana.

– Tu plaisantes. T'as vu le niveau de la rivière ?

– J'ai vu. Elle est en colère, c'est sûr.

– Si elle monte encore, on risque de ne plus pouvoir accéder à la ville.

– Ça va finir par s'arranger, déclara sa grand-mère.
Beth lui lança un regard amusé.

– Dis donc, t'es de bonne humeur aujourd'hui.

– Pas toi ? Vu que tu as découché ?

– Nana… protesta Beth.

– Je ne porte pas de jugement. Je constate, c'est tout. Tu es adulte et c'est ta vie.

Beth était habituée de longue date aux déclarations sans appel de sa grand-mère.

— J'apprécie que tu le prennes comme ça.

— Alors ça se passe bien ? Même avec ton ex-mari qui essaye de te mettre des bâtons dans les roues ?

— Ça m'en a tout l'air.

— Tu penses qu'il mérite que tu le gardes ?

— Je pense qu'il est un peu tôt pour se prononcer. On apprend encore à se connaître.

Nana se pencha pour essuyer la condensation sur la vitre. Même si l'humidité ne disparut que momentanément, l'empreinte de ses doigts demeura.

— J'ai su tout de suite que ton grand-père était le bon.

— Il m'a dit que vous vous étiez fréquentés pendant six mois avant qu'il ne fasse sa demande en mariage.

— Exact. Mais ça ne veut pas dire que je n'aurais pas dit oui plus tôt. Il m'a suffi de quelques jours pour savoir que c'était lui qui me convenait. Je sais que ça paraît fou. Mais avec lui, ça a marché dès le début, à croire que le pot avait trouvé son couvercle.

Elle esquissa un doux sourire, les yeux mi-clos, tandis qu'elle évoquait ses souvenirs.

— J'étais assise avec lui dans le parc. Ça devait être la deuxième ou troisième fois qu'on se retrouvait en tête à tête et on discutait des oiseaux quand un jeune garçon, qui ne devait pas être du coin, s'est approché de nous pour écouter. Il avait le visage sale, marchait pieds nus, et ses pauvres guenilles ne lui allaient même pas. Ton grand-père lui a fait un clin d'œil avant de continuer à parler, comme pour dire au gamin qu'il était le bienvenu, et le gosse a eu un petit sourire timide. Ça m'a touchée qu'il ne porte pas de jugement sur l'allure dépenaillée du petit.

Elle marqua une pause, puis :

— Ton grand-père s'est remis à parler… Il devait connaître le nom de tous les oiseaux de la région. Il nous a expliqué si celui-ci ou celui-là migrait, où il faisait son nid, et le genre de cri qu'il poussait. Au bout d'un moment, le gosse s'est carrément assis et n'a plus quitté ton grand-père des yeux, buvant ses paroles… C'était un vrai *bonheur*. Et pas seulement pour le gosse. Pour moi aussi. Ton grand-père avait cette voix douce et apaisante qui te berçait littéralement, et tout en l'écoutant parler, j'ai su qu'il ne pouvait pas se mettre en colère très longtemps, car c'était tout bonnement pas dans sa nature. Il n'était pas du genre à éprouver de la rancœur ou de l'amertume, et j'ai compris alors que cet homme-là resterait marié toute sa vie. Alors j'ai décidé que je serais celle qui l'épouserait.

Bien qu'elle ait l'habitude des anecdotes de Nana, Beth n'en était pas moins émue.

— C'est une histoire merveilleuse.

— C'était un homme merveilleux. Et quand un homme l'est à ce point-là, tu le sais bien plus tôt que tu ne le crois. Tu le reconnais d'instinct et tu es certaine que, quoi qu'il arrive, tu n'en trouveras plus jamais un comme lui.

Beth avait atteint l'allée en gravier de Logan et, tandis qu'elle s'approchait de la maison, la voiture cahotant dans la gadoue, elle l'aperçut debout sur la véranda, vêtu d'une veste sport à l'évidence flambant neuve et d'un pantalon en toile qu'il venait de repasser.

Lorsqu'il lui fit signe, elle ne put s'empêcher de sourire jusqu'aux oreilles.

L'office débuta et s'acheva en musique. Le solo de Nana fut accueilli par des applaudissements nourris et chaleureux. Le pasteur salua les prestations respectives de Logan et de

Nana, remerciant Logan d'avoir remplacé la pianiste au pied levé et Nana d'être la preuve vivante du miracle de la grâce de Dieu triomphant de l'adversité.

Le sermon se révéla instructif, intéressant, et montrait qu'on devait accepter avec humilité l'œuvre du Seigneur dont le mystère pouvait parfois nous échapper. Beth comprit alors que si la paroisse attirait toujours de nouveaux fidèles, c'était sans doute en grande partie grâce à ce talentueux pasteur.

Depuis sa place au balcon, elle apercevait distinctement Nana et Logan. Chaque fois que Ben était en week-end chez son père, Elizabeth aimait être assise au même endroit, afin que son fils sache où la retrouver. D'ordinaire, elle croisait son regard deux ou trois fois pendant l'office ; aujourd'hui il ne cessait de se retourner vers elle comme pour lui montrer à quel point il était fier de connaître un homme aussi accompli que Logan.

Beth conserva néanmoins ses distances avec son ex. Non pas à cause de ce qu'elle avait récemment appris à son sujet – même si cette raison aurait suffi –, mais pour faciliter la vie de Ben. Malgré son attitude lascive envers les femmes, une fois à l'église, Keith se comportait comme si la présence d'Elizabeth représentait une sorte de puissance perturbatrice qui risquait de déstabiliser le clan Clayton. Papy Clayton trônait au centre du premier rang, la tribu se répartissant de part et d'autre du patriarche et dans la rangée de derrière. Depuis son poste d'observation, Elizabeth le voyait lire les passages de la Bible en même temps que l'officiant, prendre des notes, et écouter attentivement les paroles du pasteur. Il chantait aussi chaque cantique. Parmi tous les Clayton, c'était celui qu'elle préférait... Il s'était toujours montré juste envers elle et d'une courtoisie sans faille, contrairement aux autres membres de la famille. Après la messe, s'il leur arrivait de se croiser, il la complimentait toujours sur son allure et la manière admirable dont elle éduquait Ben.

On percevait la sincérité dans ses propos, mais il existait certaines limites à ne pas dépasser : pas question pour elle de semer la pagaille. Il savait qu'elle était un meilleur parent que Keith, que Ben deviendrait quelqu'un de bien grâce à elle, mais ça n'occultait absolument pas le fait que son fils était et demeurerait toujours un Clayton.

Malgré tout, elle appréciait le grand-père… malgré Keith, malgré cette ligne jaune à ne pas franchir. Ben l'aimait bien aussi et elle avait l'impression que Papy Clayton demandait à Keith de venir avec Ben afin d'éviter au petit de se retrouver seul avec son père pendant tout le week-end.

Mais elle se sentait loin de ces réalités en regardant Logan jouer du piano. Au début, elle ne savait pas trop à quoi s'attendre. Après tout, combien de gens affirmaient avoir pris des leçons et être capables de jouer ? Cependant, elle ne mit pas longtemps à comprendre que Logan se révélait exceptionnellement doué et se situait largement au-dessus de la moyenne. Ses doigts paraissaient glisser sans effort et avec fluidité sur le clavier, de même qu'il ne semblait même pas lire la partition devant lui. Mieux encore, tandis que Nana chantait, il concentrait toute son attention sur elle, soucieux de garder le tempo et plus intéressé par la prestation du chœur que par la sienne.

Alors qu'il continuait de jouer, Elizabeth ne put s'empêcher de repenser à l'anecdote racontée par Nana dans la voiture. Son esprit vagabonda et elle suivit l'office d'une oreille distraite, tandis qu'elle se remémorait ses conversations avec Logan, la sensation d'une étreinte solide et sincère quand il la serrait dans ses bras, sans oublier son comportement naturel et simple avec Ben. Certes, elle ignorait encore beaucoup de choses à son sujet, mais il y en avait une dont elle était sûre : tous deux se complétaient d'une manière qu'elle n'aurait jamais cru possible. « Comme le pot et son couvercle », selon l'expression de Nana.

Après l'office, Beth resta à l'écart au fond de l'église, amusée de voir Logan vénéré comme une rock star... par des fans pour la plupart retraités, certes... Mais, à ce qu'elle pouvait en juger, il semblait à la fois flatté et troublé de faire l'objet d'autant d'honneurs.

Elle croisa son regard, qui la suppliait en silence de venir le sauver. Mais elle se contenta de sourire en haussant les épaules. Elle ne voulait pas jouer les intruses. Lorsque le pasteur revint le féliciter, il suggéra que Logan aurait peut-être envie de continuer à jouer même après la guérison du poignet d'Abigail.

— Je suis sûr qu'on pourrait trouver une solution, insista l'homme d'Église.

Elle fut pour le moins surprise de voir ensuite Papy Clayton, accompagné de Ben, s'avancer vers Logan. Tel Moïse séparant les eaux de la mer Rouge, le patriarche n'eut aucune peine à se frayer un chemin parmi la foule pour venir présenter ses compliments au héros du jour. Au loin, Beth aperçut Keith, dont le visage affichait un mélange de colère et d'écœurement.

— Bravo, jeune homme ! déclara Papy Clayton en lui tendant la main. Vous jouez comme si vous aviez reçu un don du ciel.

En voyant l'expression de Logan, elle comprit qu'il avait reconnu l'individu, même si elle ignorait comment. Il serra la main du patriarche.

— Merci, monsieur.

— Il travaille au chenil avec Nana, intervint Ben. Et je pense que m'man et lui sortent ensemble.

À ces mots, un silence envahit le groupe d'admirateurs, ponctué par quelques toussotements gênés.

Papy Clayton considéra Logan, mais Beth ne put voir sa réaction.

— C'est vrai ? demanda-t-il.

— Oui, monsieur, répondit Logan.

Papy Clayton s'abstint de tout commentaire.

— Il était aussi marine, reprit Ben, sans se douter de l'émoi provoqué dans l'attroupement.

Comme le patriarche paraissait étonné, Logan confirma les propos d'un hochement de tête.

— J'ai servi dans le 1er bataillon du 5e régiment basé au camp Pendleton, monsieur.

Après un silence éloquent, Papy Clayton opina du chef.

— Eh bien, merci également pour le service rendu à notre pays. Vous avez accompli un excellent travail aujourd'hui.

— Merci, monsieur, répéta Logan.

— Tu étais d'une politesse extrême, observa Beth quand ils furent rentrés à la maison.

Elle avait attendu que Nana soit hors de portée de voix pour faire cette remarque. Au-dehors, la pelouse commençait à ressembler à un lac, et la pluie continuait de tomber. Ils avaient pris Zeus sur le trajet du retour et le chien se tenait allongé à leurs pieds.

— Qu'est-ce qui m'en aurait empêché ?

— Tu sais bien, grimaça-t-elle.

— C'est pas lui, ton ex-mari, dit-il dans un haussement d'épaules. Je doute qu'il ait la moindre idée des agissements de son petit-fils. J'aurais dû lui coller un coup de poing, d'après toi ?

— Absolument pas !

— C'est bien ce que je pensais. Par ailleurs, j'ai aperçu ton ex pendant que je parlais au grand-père. On aurait dit qu'il avait avalé un ver de terre.

— T'as remarqué, toi aussi ? J'ai trouvé ça plutôt marrant.

— Ça ne doit pas l'enchanter, tout ça.

— Juste retour des choses, dit-elle. Après ce qu'il a fait, il mérite d'avaler un bocal entier de vers de terre !

Logan hocha la tête tandis qu'elle se rapprochait. Il écarta le bras et elle se pelotonna contre lui.

— Tu étais hyper séduisant au piano.

— Ah ouais ?

— Je sais que je n'aurais pas dû avoir ce genre de pensées à l'église, mais c'était plus fort que moi. Tu devrais plus souvent porter une veste.

— C'est pas vraiment indispensable dans mon boulot.

— Peut-être que ça peut faire plaisir à ta petite amie.

Il prit un air faussement ahuri.

— J'ai une petite amie ?

Elle le poussa du coude avec espièglerie.

— Merci d'être venu à Hampton. Et d'avoir décidé d'y rester.

— Je n'avais pas le choix, répliqua-t-il en souriant.

Deux heures plus tard, juste avant le dîner, Beth vit la voiture de Keith s'engager dans l'allée parmi les flaques d'eau. Ben descendit du véhicule. Il n'avait pas sitôt atteint les marches de la véranda que son père passait déjà la marche arrière et s'en allait.

— Salut, m'man ! Salut, Thibault !

Logan lui fit signe, tandis que Beth se levait.

— Salut, mon cœur, dit-elle avant de le serrer dans ses bras. Tu t'es bien amusé ?

— J'ai pas été obligé de nettoyer la cuisine… ni de sortir les poubelles.

— Bien.

— Et tu sais quoi ?

— Je t'écoute…

Ben secoua son imperméable trempé.

— Je crois que j'ai envie d'apprendre le piano.

Bizarrement, ça ne m'étonne pas, songea Beth en souriant.

— Hé, Thibault ?

Logan redressa la tête.

— Ouais ?

— Tu veux aller voir ma cabane ?

Beth intervint :

— Mon cœur… avec la tempête et tout ça, je ne suis pas sûre que ce soit une bonne idée.

— Elle est super. C'est papy qui l'a construite. Et puis j'y suis allé il y a deux ou trois jours.

— L'eau a dû monter.

— S'il te plaît ! On n'y restera pas des heures. Et Thibault sera avec moi tout le temps.

Malgré ses réticences, Beth accepta.

Clayton

Clayton n'en croyait pas ses yeux, mais son grand-père était bel et bien en train de féliciter Thaï-Bolt après l'office. Il lui serrait la main et le traitait en héros, sous le regard admiratif de Ben.

Il eut toutes les peines du monde à ne pas s'ouvrir une bière pendant le brunch, mais depuis qu'il avait déposé le petit chez sa mère, il s'en était déjà enfilé quatre. Clayton était sûr qu'il aurait fini le pack de douze avant de se mettre au lit. Voilà deux semaines qu'il buvait pas mal. Certes, il forçait la dose, mais c'était le seul remède pour éviter de ressasser son dernier accrochage avec Thaï-Bolt.

Derrière lui le téléphone sonna. Encore. Ça faisait quatre fois en deux heures, mais il n'était pas d'humeur à répondre.

OK, il avait sous-estimé le bonhomme… et l'admettait sans problème. Depuis le début, Thaï-Bolt avait un coup d'avance sur lui. Et si Ben savait appuyer là où ça faisait mal, ce gars-là lui jetait carrément des bombes en pleine figure. Non, corrigea soudain Clayton, il lui balançait des missiles de croisière avec une précision chirurgicale… dans l'unique but de foutre en l'air son existence. Et le pire, c'était que Clayton n'avait rien vu venir. Pas une seule fois.

Ça le mettait dans une colère noire, surtout depuis que la situation semblait encore empirer. Désormais, Thaï-Bolt lui *disait* comment agir. Il lui donnait des ordres comme à un larbin ! Et Clayton avait beau se creuser la cervelle, impossible de trouver une issue. Il aurait bien voulu croire que Thaï-Bolt avait bluffé au sujet de la caméra vidéo. Ce type lui montait forcément un bateau… Personne n'était malin à ce point. Mais s'il disait vrai ?…

Clayton sortit une autre bière du réfrigérateur, sachant qu'il ne pouvait risquer de se tromper. Qui sait ce que ce gars prévoyait de faire ensuite ? Il but une longue gorgée en priant pour que l'effet anesthésiant agisse bientôt.

Pourtant, cette affaire aurait dû se gérer sans problème. Il était shérif adjoint et ce type-là, un nouveau venu en ville. Clayton aurait dû avoir le dessus depuis le début. Mais au lieu de ça, il se retrouvait assis au milieu d'une cuisine bordélique parce qu'il n'avait pas voulu demander à Ben de la ranger… de crainte que le gamin n'aille le répéter à Thaï-Bolt, ce qui risquait de sonner la fin de l'existence de Clayton telle qu'il la connaissait.

Qu'est-ce que ce gars avait contre lui ? Voilà ce que Clayton aurait bien aimé savoir. C'était pas lui qui créait des problèmes, mais Thaï-Bolt. En prime, histoire de remuer le couteau dans la plaie, ce type couchait avec Beth !

Il but une nouvelle gorgée en se demandant comment sa vie avait pu devenir aussi merdique d'un seul coup. La mort dans l'âme, il entendit à peine les coups frappés à la porte. Il s'éloigna de la table et traversa le salon en titubant. Lorsqu'il ouvrit, il découvrit Tony debout sur le perron. On aurait dit un rat noyé. Comme si tout le reste n'était pas assez pénible, il fallait que cette larve se pointe chez lui.

Tony fit un léger pas en arrière.

— Waouh, mon pote. Tu vas bien ? T'empestes comme si t'avais bu comme un trou.

— Qu'est-ce que tu veux, Tony ?

C'était pas le moment de venir le faire chier.

— J'ai essayé de t'appeler, mais tu décrochais pas.

— Viens-en au fait.

— Ben… je t'ai pas vu beaucoup ces derniers temps.

— J'étais occupé. Et je le suis toujours, alors fous le camp.

Il allait refermer la porte, mais Tony leva la main.

— Attends ! J'ai un truc à te dire, insista-t-il d'une voix geignarde. C'est important.

— Quoi donc ?

— Tu te souviens quand je t'ai appelé ? Je sais plus… ça doit bien faire deux ou trois mois ?

— Non.

— Mais si. Rappelle-toi. Je t'ai appelé de chez Decker pour te parler de ce gars qui montrait à tout le monde la photo de Beth.

— Et alors ?

— C'est ça que je voulais te dire. (Il ramena en arrière une mèche de cheveux gras qui lui tombait sur les yeux.) Je l'ai revu aujourd'hui. Et il discutait avec Beth.

— Mais qu'est-ce que tu me racontes ?

— Après la messe. Il discutait avec Beth et ton grand-père. C'était le mec qui jouait du piano pendant l'office.

Malgré l'alcool, Clayton sentit peu à peu ses idées s'éclaircir. Le souvenir du coup de fil lui revint… vague au début, puis plus distinct. C'était le week-end où Thaï-Bolt lui avait piqué l'appareil photo et la carte-mémoire.

— T'en es sûr ?

— Et comment ! Je reconnaîtrais ce gars n'importe où.

— C'est lui qui avait la photo de Beth ?

— Je te l'ai déjà dit. Je l'ai vue de mes yeux, cette photo. Je trouvais ça bizarre, tu sais ? Et puis voilà que je les aperçois ensemble aujourd'hui. Je me suis dit que tu voudrais être au courant.

Clayton digéra la nouvelle de Tony.

— Je veux que tu me décrives tout ce que tu te rappelles à propos de cette photo.

Cet abruti de Tony avait une mémoire d'éléphant, si bien que Clayton ne tarda pas à connaître toute l'histoire. À savoir que le cliché datait de quelques années et avait été pris à la fête foraine. Que Thaï-Bolt ne connaissait pas le nom de Beth. Et qu'il la cherchait.

Après le départ de Tony, Clayton méditait encore sur ce qu'il venait d'apprendre.

Impossible que Thaï-Bolt se soit trouvé là cinq ans plus tôt et qu'il ait oublié le nom de Beth. Alors où avait-il déniché la photo ? Avait-il traversé le pays à pied pour retrouver Beth ? Auquel cas, ça signifiait quoi ?

Qu'il l'avait traquée ?

Clayton ne pouvait pas encore l'affirmer… mais quelque chose ne tournait pas rond dans tout ça. Et Beth, toujours aussi naïve, avait accueilli le gars non seulement dans son lit, mais aussi dans l'existence de Ben.

Clayton fronça les sourcils. Ça ne lui plaisait pas. Mais alors pas du tout, et il aurait mis sa main à couper que Beth n'apprécierait pas non plus.

– 25 –

Thibault

– Alors c'est ça, hein ?

Malgré la voûte de feuillage offerte par les arbres, Thibault était trempé comme une soupe quand Ben et lui parvinrent à proximité de la cabane. L'eau dégoulinait de son imperméable et son nouveau pantalon était mouillé jusqu'aux genoux. Il pataugeait dans ses bottes et c'était fort désagréable. Ben, en revanche, était enveloppé de la tête aux pieds dans une combinaison de pluie dotée d'une capuche, et il avait chaussé les bottes de Nana. Hormis sur le visage, Thibault doutait même que le petit ait senti la pluie.

– Voilà comment on y arrive. C'est génial, non ? dit Ben en désignant un chêne au bord de l'eau. (On avait cloué une série de tasseaux sur le tronc.) Il suffit qu'on grimpe sur l'échelle de l'arbre pour traverser la passerelle.

Thibault remarqua que le ruisseau avait doublé de volume et que le courant était fort.

Son regard se porta ensuite sur la petite passerelle composée de trois sections. Un pont de corde partait du chêne pour atteindre un plateau central, juste au-dessus du cours d'eau, soutenu par quatre piliers et relié à l'autre partie du

336

pont de corde qui menait à la plate-forme de la cabane. Thibault constata que les débris charriés par les eaux s'étaient accumulés autour des piliers. Il n'avait pas inspecté la passerelle au préalable, mais soupçonnait que les tempêtes continuelles et le courant rapide avaient affaibli le soutènement du plateau. Avant qu'il puisse dire quoi que ce soit, Ben avait déjà gravi l'échelle menant au pont.

— Viens ! lui cria le petit au-dessus de lui. Qu'est-ce que t'attends ?

Thibault levait le bras pour se protéger le visage de la pluie, tandis qu'une soudaine appréhension le saisit.

— C'est peut-être pas une si bonne idée…

— T'as la trouille ! T'as la trouille ! se moqua Ben.

Il entama la traversée, le pont oscillant de part et d'autre tandis qu'il courait dessus.

— Attends ! lança Thibault.

Mais ça ne servit à rien. Sur ces entrefaites, le gamin avait déjà atteint le plateau central.

Thibault grimpa sur l'échelle, puis s'aventura prudemment sur le pont de corde. Les planches gorgées d'eau s'affaissaient sous son poids. Sitôt que Ben le vit s'approcher, il traversa la dernière partie en direction de la cabane. Thibault sentit sa gorge se nouer en voyant le gosse sauter sur la plate-forme. Elle ploya un peu sous le poids de Ben mais resta stable. Le gamin se retourna vers lui, toutes dents dehors.

— Reviens ! brailla Thibault. Je ne pense pas que la passerelle va tenir.

— Bien sûr que si ! C'est papy qui l'a construite !

— Ben, s'il te plaît !

— T'es qu'un trouillard ! lui cria encore le gosse.

À l'évidence, tout cela n'était qu'un jeu à ses yeux. Thibault considéra une nouvelle fois la passerelle et en conclut qu'en avançant lentement elle pourrait éventuellement tenir. Ben avait couru… et les cordes s'étaient fortement distendues et tordues sous le choc. Le pont supporterait-il le poids de Thibault ?

Les planches anciennes et trempées continuaient à s'affaisser sous ses pas. Le bois était pourri, sans aucun doute. Thibault songea subitement à la photo dans sa poche. Le cours d'eau formait des remous… Il marchait au-dessus d'un torrent.

Pas de temps à perdre. Thibault avança prudemment et atteignit le plateau central, puis il attaqua la dernière section suspendue du pont de corde. En voyant la plate-forme, il douta qu'elle puisse supporter le poids du petit et le sien. Dans sa poche, la photo le brûlait.

— Je te retrouve à l'intérieur ! lui cria Thibault en essayant de prendre un air détaché. Inutile d'attendre sous la pluie un vieux bonhomme comme moi !

Heureusement, Ben éclata de rire et se glissa dans la cabane. Thibault poussa un soupir de soulagement en posant un pied chancelant sur la plate-forme. Il fit ensuite un grand pas en avant et trébucha dans la cabane.

— C'est là où je garde mes Pokémon, dit Ben en ignorant l'entrée fracassante de Thibault, tandis qu'il lui montrait les boîtes en fer-blanc posées dans un coin. J'ai une carte de Dracaufeu et une de Mewtwo.

Thibault essuya son visage trempé, tandis qu'il se remettait de ses émotions et s'asseyait par terre.

— C'est super, dit-il, l'eau de son imperméable dégoulinant et formant des flaques autour de lui.

Il scruta la pièce minuscule. Des jouets s'entassaient dans les angles et une ouverture découpée dans une paroi exposait une grande partie de la cabane aux intempéries, trempant le sol formé de planches en bois brut. Un sac-poire constituait l'unique mobilier.

— C'est mon repaire, reprit Ben en s'affalant dans le fauteuil.

— Ah ouais ?

— Je viens ici quand je suis en colère. Quand les autres à l'école sont méchants.

Thibault s'adossa au mur en secouant la pluie sur ses manches.

— Qu'est-ce qu'ils te font ?

— Des trucs, tu sais… répondit le gamin dans un haussement d'épaules. Ils se moquent de moi quand je rate un panier au basket ou quand je shoote de travers dans le ballon… ou parce que je porte des lunettes.

— Ça doit être pénible.

— Oh, ça me dérange pas.

Ben ne semblait pas se rendre compte de la contradiction, et Thibault poursuivit.

— Qu'est-ce qui te plaît le plus dans ta cabane ?

— Le calme. Quand je viens là, personne me pose des questions ou me demande de faire des trucs. Je peux m'asseoir tranquillement et réfléchir.

Thibault acquiesça.

— Je comprends…

Par la fenêtre sans vitre, il constata que le vent se levait et que la pluie commençait à tomber en biais.

— À quoi tu penses, alors, quand tu viens là ? demanda-t-il.

— Je m'imagine quand je serai plus âgé, tout ça… J'aimerais bien être plus grand.

— Pourquoi ?

— Dans ma classe, il y en a un qui m'embête tout le temps. Il est méchant. Hier, il m'a fait tomber au réfectoire.

Une rafale de vent secoua la cabane. De nouveau, Thibault eut l'impression que la photo lui brûlait la poche... et, malgré lui, il y glissa la main. Sans comprendre ce qui l'avait poussé à faire ce geste, il sortit le cliché avant même de s'en rendre compte.

Au-dehors, le vent continuait à gémir et les branches cognaient la cabane. De minute en minute, la pluie engorgeait le ruisseau. Tout à coup, l'image de la cabane qui s'effondrait lui vint à l'esprit, avec Ben pris au piège dans les remous.

— Il y a quelque chose que j'ai envie de te donner, annonça Thibault. Je pense que ça va régler ton problème.

— C'est quoi ?

— Une photo de ta maman, prononça Thibault, la gorge serrée.

Il la tendit à Ben, qui s'empara du cliché et le contempla d'un air curieux.

— Qu'est-ce que je dois en faire ?

Thibault se pencha vers lui et tapota le coin de la photo en disant :

— Garde-la toujours sur toi. Mon ami Victor m'a dit que c'était un porte-bonheur. D'après lui, c'est grâce à elle si j'ai pu échapper aux bombes en Irak.

— Pour de vrai ?

Telle était la question, n'est-ce pas ? Au bout d'un petit moment, Thibault hocha la tête.

— Je te le promets.

— Cool...

— Tu veux bien me promettre un truc, toi aussi ? demanda Thibault.

— Quoi ?

— Que ça reste un secret entre nous. Et de garder la photo sur toi.

– Je peux la plier ?

– Je pense que ça n'a pas d'importance.

Ben réfléchit.

– OK, dit-il en pliant la photo avant de la glisser dans sa poche. Merci.

C'était la première fois en plus de cinq ans que Thibault s'en séparait, hormis lorsqu'il se déshabillait pour prendre sa douche, et ce sentiment de perte le décontenançait. À vrai dire, il ne s'attendait pas à ressentir autant l'absence de cette photo. En observant Ben qui empruntait la passerelle au-dessus des remous du cours d'eau, le sentiment ne fit que s'intensifier. Lorsque le petit lui fit signe, une fois sur l'autre berge, tandis qu'il descendait de l'échelle, Thibault s'engagea à contrecœur sur la plate-forme, puis sur le pont de corde le plus vite possible.

En traversant, il se sentit vulnérable à chaque pas qu'il faisait, mais tâcha d'ignorer qu'il n'avait plus la photo sur lui et que la passerelle risquait de céder et de plonger dans le torrent. Lorsqu'il parvint au chêne sur l'autre rive, il poussa un soupir de soulagement. Malgré tout, en descendant de l'arbre, une sorte de pressentiment commença à le tarauder… Il n'en avait pas fini avec la raison de sa venue ici. En fait, il n'en était qu'au début.

Beth

Le mercredi, pendant la pause-déjeuner, Beth observa la cour par la fenêtre de sa classe. Elle n'avait jamais rien vu de semblable… Les ouragans et les vents violents du nord-est n'étaient rien, comparés à la série de tempêtes qui balayaient le comté de Hampton, de même que toute la région de Raleigh au littoral. À l'inverse de la plupart des tempêtes tropicales, celles-ci ne se déplaçaient pas rapidement vers la mer. Au lieu de ça, elles se prolongeaient jour après jour dans les terres, si bien que la majorité des cours d'eau de la région orientale de l'État atteignait la cote d'alerte. Les petites villes au bord des rivières Pamlico, Neuse, et Cape Fear étaient déjà inondées, et l'on pataugeait dans l'eau jusqu'aux genoux. Encore un jour ou deux de pluie incessante, et quasiment tous les commerces et entreprises du centre-ville ne seraient plus accessibles qu'en canoë.

Le comté avait d'ores et déjà décrété la fermeture des écoles pour le reste de la semaine, puisque les bus scolaires ne parvenaient plus à effectuer leur tournée et qu'à peine plus de la moitié des enseignants pouvait se rendre au travail. Ben, évidemment, se réjouissait à l'idée de rester à la maison et de s'amuser avec Zeus dans les flaques d'eau. Beth, quant à elle, affichait davantage de méfiance. Le journal et les infos locales annonçaient que si la South River avait déjà atteint un niveau d'alerte, la situation deviendrait encore plus alarmante d'ici peu, puisque les ruisseaux et les affluents venaient grossir son lit. Les deux cours d'eau entourant d'ordinaire le chenil à quatre cents mètres s'apercevaient désormais par les fenêtres de la maison, et Logan tenait même Zeus à l'écart, en raison des débris charriés par les fortes pluies.

On avait du mal à garder les gamins enfermés… et c'était l'une des raisons pour lesquelles Beth était restée dans sa classe. Après le repas, ils devaient regagner leurs salles respectives, où ils étaient censés se divertir avec du coloriage, du dessin ou de la lecture, au lieu de jouer dans la cour. Mais les gosses avaient besoin de se dépenser, et Beth le savait. Depuis des années, elle demandait qu'en cas de tempête on puisse replier les tables et les chaises du réfectoire et permettre aux enfants d'y courir et d'y jouer pendant une vingtaine de minutes, afin qu'ils puissent se concentrer quand ils retrouveraient leur classe après le déjeuner. Ça ne risquait pas d'arriver, lui répondait-on, en raison de problèmes liés au règlement, à la responsabilité, au syndicat du personnel de service, ainsi qu'à l'hygiène et à la sécurité. Lorsqu'elle insista pour avoir certaines précisions, elle eut droit à une longue explication… Mais à ses yeux tout cela se résumait en définitive à un problème de frites. À savoir que « si un élève glissait sur des frites, l'administration scolaire du comté serait attaquée en justice », ou bien « les agents de service allaient devoir renégocier leur contrat s'ils ne débarrassaient pas les frites du réfectoire au moment où ils étaient censés nettoyer l'endroit » et enfin « si quelqu'un glissait sur une frite tombée à terre, il risquait d'être exposé à de graves bactéries pathogènes ».

Bienvenue dans le monde merveilleux des avocats ! songea-t-elle. Après tout, ce n'étaient certes pas eux qui devaient faire cours à des gamins après les avoir gardés cloîtrés en classe toute la journée, sans la moindre récréation.

D'ordinaire, elle se rendait dans la salle des profs pendant la pause-déjeuner, mais comme ça lui laissait peu de temps pour préparer différentes activités dans la classe, elle avait décidé de rester sur place. Elle installait donc un jeu de *beanbag-tossing*[1] – gardé en réserve dans le placard pour les jours de tempête –, lorsqu'elle entendit du bruit dans l'entrée. Elle se tourna vers la porte restée ouverte et mit quelques instants avant de reconnaître son visiteur. Les épaules de son uniforme étaient trempées et l'eau gouttait de sa ceinture, où était fixé l'étui contenant son arme. Il tenait un dossier à la main.

– Salut Beth, dit-il d'une voix calme. T'as une minute ?

Elle se redressa.

– Qu'est-ce qui se passe, Keith ?

– Je suis venu te présenter mes excuses, dit-il, l'air contrit. Je sais que t'as pas beaucoup de temps, mais je voulais profiter que tu sois seule pour te parler. Je suis passé au hasard, en me disant que tu serais dans ta classe, mais si c'est pas le bon moment, on peut remettre ça à plus tard…

Elle jeta un œil sur la pendule.

– J'ai cinq minutes, prévint-elle.

Keith s'avança dans la salle et s'apprêtait à fermer la porte, mais il s'interrompit et regarda Beth… en quête

---

1. Jeu de lancer qui se pratique avec des petits sacs remplis de haricots secs (*bean bags*) ou de riz.

d'assentiment. Elle acquiesça, souhaitant se débarrasser de lui au plus vite. Il s'approcha d'elle, mais s'arrêta à une distance respectueuse.

— Comme je te disais, je suis venu te présenter mes excuses.

— À quel propos ?

— Au sujet des rumeurs que t'as entendues… J'ai pas été tout à fait sincère avec toi.

Elle croisa les bras.

— En d'autres termes, tu m'as menti.

— Oui.

— Ouvertement.

— Oui.

— Tu peux préciser ?

— Voilà… tu m'as demandé si j'avais fait fuir les gars avec qui t'étais sortie dans le passé. Je ne pense pas l'avoir fait réellement… mais c'est vrai que j'ai parlé à certains.

— Tu leur as *parlé* ?

— Oui.

Beth fit de son mieux pour contenir sa colère.

— Et… alors, quoi ? T'es désolé de l'avoir fait, ou de m'avoir menti ?

— Les deux. Je n'aurais jamais dû agir comme ça… Je sais qu'on n'a pas toujours eu d'excellents rapports depuis le divorce, et aussi que tu penses avoir commis une erreur en m'épousant. T'as raison sur ce point. On n'était pas faits pour être mariés, et je le reconnais. Mais, entre nous – et j'admets que c'est surtout grâce à toi –, on a un fils génial. Tu dois sans doute penser que je ne suis pas le meilleur père au monde, mais je n'ai jamais regretté d'avoir eu Ben, ou même qu'il vive la plupart du temps avec toi. C'est un brave gamin, et tu l'as drôlement bien éduqué.

Elle ne savait trop quoi répliquer. Dans le silence ambiant, il poursuivit :

— Malgré tout, je me fais du souci… et je m'en suis toujours fait. Comme je te l'ai dit, je m'inquiète au sujet des personnes qui peuvent entrer dans la vie de Ben, qu'il s'agisse d'amis ou de connaissances, ou même de gens que tu pourrais lui présenter. Je sais que c'est injuste et que tu considères probablement ça comme une intrusion dans ta vie privée, mais je suis comme ça… c'est plus fort que moi. Et, pour ne rien te cacher, je ne crois pas que je vais changer un jour.

— Bref, t'es en train de me dire que tu vas continuer à me suivre partout, tout le temps.

— Non, s'empressa-t-il de rectifier. Je ne ferai plus ça. J'expliquais juste pourquoi je l'ai fait auparavant. Et, crois-moi, je n'ai pas menacé ces gars, ni essayé de les intimider. Je leur ai *parlé*. En leur expliquant que Ben comptait beaucoup pour moi et qu'être père était la chose la plus importante de ma vie. T'es sans doute pas toujours d'accord sur ma façon de l'élever, mais si tu te replaces dans le contexte d'il y a deux ou trois ans, c'était pas toujours comme ça. Il se régalait de venir chez moi. Maintenant c'est plus le cas. Mais j'ai pas changé. C'est lui qui est différent. Pas dans le mauvais sens… Il grandit, c'est normal… Et peut-être que je dois tout bonnement accepter qu'il devienne un ado.

Beth ne dit rien. Tout en la dévisageant, Keith prit une longue inspiration avant d'enchaîner.

— J'ai aussi dit à ces types que je ne voulais pas que tu souffres. Je sais que ça peut paraître possessif, mais je ne l'étais pas. Je me suis comporté comme un frère… Drake aurait dit la même chose. Du genre : si tu l'aimes, si tu la respectes, tâche de la traiter en conséquence. C'est tout ce que je leur ai dit. (Il haussa les épaules.) J'en sais rien…

Peut-être que certains d'entre eux l'ont mal pris, parce que je suis l'adjoint du shérif, ou à cause du nom que je porte… Mais tout ça, j'y peux rien. Crois-moi, la dernière des choses que je souhaite, c'est de te savoir malheureuse. Ça n'a sans doute pas marché entre nous, mais tu restes la mère de mon fils et le resteras toujours.

Keith baissa les yeux tout en se dandinant d'un pied sur l'autre.

— T'as toutes les raisons de m'en vouloir. J'ai eu tort.

— Je te le fais pas dire, approuva Beth, toujours les bras croisés.

— Je me répète mais… je suis désolé… et ça ne se reproduira plus.

Elle ne répondit pas tout de suite.

— OK, dit-elle enfin. Je te prends au mot.

Il grimaça un bref sourire, comme s'il admettait sa défaite.

— C'est de bonne guerre.

— Sinon… t'as fini ? demanda-t-elle en se penchant pour récupérer trois beanbags au fond du placard.

— En fait, je voulais aussi te parler de Logan Thibault. Il y a un truc que tu dois savoir à son sujet.

Elle leva aussitôt les bras pour l'arrêter.

— Ne t'aventure même pas sur ce terrain.

Ce qui ne le dissuada pas pour autant. Il fit un pas en avant et, tout en tripotant le bord de son chapeau, reprit :

— Je ne vais pas aller lui parler, sauf si tu me le demandes. Que les choses soient bien claires… Crois-moi, Beth. C'est sérieux. Autrement je ne serais pas là. Si je suis venu, c'est parce que je tiens à toi.

Son culot lui coupa le souffle.

— Tu penses sérieusement que je vais croire que tu agis dans mon intérêt, après avoir admis que tu m'as espionnée pendant des années ? Et que c'est toi qui as gâché toutes les occasions que j'ai pu avoir de construire une relation ?

— Ça n'a aucun rapport avec tout ça.

— Laisse-moi deviner… Tu penses qu'il se drogue, c'est ça ?

— J'en ai aucune idée. Mais autant que tu saches qu'il n'a pas été honnête avec toi.

— T'en sais strictement rien. Maintenant, va-t'en. J'ai pas envie de discuter avec toi… ni d'entendre ce que t'as à me dire.

— Eh bien pose-lui toi-même la question, l'interrompit Clayton. Demande-lui s'il est venu à Hampton pour te retrouver.

— J'en ai assez entendu, déclara-t-elle en gagnant la porte. Et si t'as le malheur de m'effleurer en sortant, j'appelle au secours !

Elle passa devant lui et, tandis qu'elle allait franchir le seuil, Keith poussa un bruyant soupir.

— Demande-lui ce qu'il a fait de la photo, suggéra-t-il.

— Quoi ? rétorqua-t-elle en s'arrêtant net.

Beth ne l'avait jamais vu afficher une expression aussi grave.

— Celle qu'il s'est procurée auprès de Drake…

– 27 –

Clayton

À en croire le regard qu'elle lui lança, Clayton comprit qu'il captait toute son attention, mais il n'était pas certain qu'elle mesure toutes les implications de ce qu'il venait de lui annoncer.

– Il possède une photo de toi, continua-t-il, et la première fois qu'il a débarqué en ville, il l'a montrée partout chez Decker, le club de billard. Tony s'y trouvait ce soir-là et l'a vu faire. D'ailleurs, il m'a tout de suite appelé parce qu'il trouvait que l'histoire de ce gars ne tenait pas debout… Sur le moment, je n'en ai pas pensé grand-chose. Mais le week-end dernier, Tony est passé me voir pour me dire qu'il avait reconnu Thibault quand il jouait du piano à l'église.

Beth ne le quittait plus des yeux.

– J'ignore si c'est Drake qui la lui a donnée ou si Thibault la lui a piquée. Mais c'est ce qui semble le plus logique, à mon avis. Drake et Thibault étaient tous les deux marines et, d'après Tony, la photo serait ancienne… Elle daterait de quelques années. (Il hésita, puis ajouta :) Ce que je t'ai dit au sujet de mon comportement d'avant peut te donner l'impression que j'essaye de l'évincer, mais je ne vais pas aller lui parler. Je pense toutefois que je devrais le faire… et je ne dis pas ça parce que je suis ton ex-mari. Mais en tant que shérif adjoint.

Beth voulait s'en aller, mais paraissait ne pas trouver en elle la volonté de bouger.

— Réfléchis bien. Il avait une photo de toi et uniquement avec ça en main, il a traversé le pays à pied pour te retrouver. Je ne sais pas pourquoi, mais je peux le deviner facilement. Il était obsédé par toi, alors que vous ne vous étiez jamais rencontrés, comme quelqu'un d'obsédé par une star de ciné. Et qu'est-ce qu'il a fait ? Il t'a traquée. Mais t'observer de loin — ou simplement faire ta connaissance –, ça ne lui a pas suffi… Alors il s'est débrouillé pour entrer dans ta vie. C'est ce que font les types qui harcèlent les célébrités, Beth.

Keith s'exprimait d'un ton calme et professionnel, ce qui ne fit qu'intensifier la crainte qu'elle commençait à éprouver.

— Vu la tête que tu fais, je devine que tout ça est nouveau pour toi. T'es en train de te demander si je dis la vérité ou si je raconte des bobards… et mon passé ne plaide pas en ma faveur. Mais, je t'en prie, Beth, ne serait-ce que pour le bien de notre fils — pour ta propre sécurité –, pose-lui la question. Si tu le souhaites, je peux être présent lors de la confrontation, ou je peux même t'envoyer un autre adjoint, si tu préfères. Ou encore tu peux appeler quelqu'un… ton amie Melody, par exemple. Je veux juste que tu comprennes à quel point c'est sérieux. Pour ne pas dire affreux et tordu. Ça fout la trouille, ce genre de truc…

Il plissa les lèvres en déposant le dossier sur l'un des bureaux des enfants à proximité.

— Tu trouveras là-dedans des infos générales sur Logan Thibault. J'ai pas eu le temps de creuser trop loin, et je peux même encourir de gros ennuis pour t'avoir laissée consulter ça, mais comme j'ignore toutes les autres confidences qu'il ne t'a pas faites...

Il laissa la phrase en suspens avant de la regarder une dernière fois dans les yeux.

— Réfléchis à ce que je t'ai dit. Et sois prudente, OK ?

Beth

Elle distinguait à peine la route à travers le pare-brise, mais c'était à cause moins de la pluie, cette fois, que de son incapacité à se concentrer. Après le départ de Keith, Beth avait longuement fixé le dossier sous ses yeux en battant des paupières d'un air confus, essayant de trouver un sens aux propos de son ex-mari.

Logan possédait la photo de Drake… Logan était obsédé par elle… Logan avait décidé de se lancer à sa recherche… Logan l'avait traquée.

Une boule dans la gorge, elle était allée voir le directeur dans son bureau et lui avait annoncé qu'elle devait rentrer chez elle. Celui-ci n'eut guère besoin de la regarder long-temps pour lui donner son accord, proposant de prendre en charge sa classe pour le reste de l'après-midi. Nana passerait chercher Ben après les cours, avait précisé Beth en le quittant.

Sur le trajet du retour, une multitude d'images se succé-daient dans sa tête, un kaléidoscope de visions, de bruits et de parfums. Elle tenta de se convaincre que Keith men-tait, tout en cherchant un moyen quelconque de rationaliser ce qu'il lui avait confié. C'était possible… surtout si elle se fiait à la manière éhontée dont il lui avait menti dans le passé, et pourtant…

Keith s'était exprimé d'un ton grave. Plus professionnel que confidentiel, en lui disant quelque chose qu'elle pouvait facilement vérifier. Il savait qu'elle allait poser la question… Il *souhaitait* qu'elle l'interroge… Ce qui signifiait…

Elle se cramponnait au volant, éprise du besoin frénétique de parler à Logan. Il éclaircirait tout ça. Il devait le faire…

La rivière débordait à présent sur la route, mais Beth était si préoccupée qu'elle ne s'en rendit compte qu'en se mettant à rouler dans l'eau. Elle sentit une secousse et la voiture faillit s'arrêter. La rivière l'envahissait de tous côtés, et Beth se dit que l'eau allait faire caler le moteur, mais le véhicule continua à avancer avant de rouler sur des tronçons moins inondés.

En arrivant à la maison, Beth ne savait plus ce qu'elle éprouvait, hormis de la confusion. D'abord elle se sentait furieuse, trahie et manipulée… puis l'instant d'après elle parvenait à se persuader que tout ça ne pouvait être vrai, que Keith lui avait encore menti.

Comme elle s'engageait dans l'allée, elle se surprit à scruter la propriété battue par la pluie à la recherche de Logan.

Droit devant elle, au travers des nappes d'humidité flottant au-dessus du sol, elle discernait de la lumière dans la maison. Elle envisagea d'aller parler à Nana, impatiente que sa grand-mère pétrie de bon sens clarifie toute cette histoire. Mais lorsqu'elle vit le bureau allumé et la porte de celui-ci ouverte, elle sentit de nouveau sa boule dans la gorge. Elle tourna le volant dans cette direction en se disant que Logan n'avait pas cette photo, que tout cela n'était qu'une horrible erreur. Elle cahota de plus belle dans les flaques d'eau boueuse, la pluie pilonnant si fort le pare-brise que les essuie-glaces se révélaient quasiment inutiles. Sur la véranda du bureau, elle aperçut Zeus allongé près de la porte, la tête dressée.

Elle s'arrêta devant, puis descendit du véhicule et se rua sur le perron, la pluie crépitant sur son visage. Le chien s'approcha d'elle, frotta son museau sur sa main. Elle l'ignora et entra dans le bureau, croyant y trouver Logan.

Il n'y était pas. La porte reliant le bureau au chenil était ouverte. Elle s'arma de courage, plantée au milieu de la pièce, tandis que des ombres ondoyaient dans le couloir mal éclairé. Elle attendit que Logan apparaisse à la lumière.

— Salut, Elizabeth, dit-il. Je ne m'attendais pas à te voir… Qu'est-ce qui se passe ?

Tout en le dévisageant, elle sentit son trop-plein d'émotions sur le point de la submerger. Mais sa bouche devint soudain toute sèche, tandis qu'elle ne savait pas quoi dire, ni par où commencer. Logan se taisait, devinant qu'elle était à deux doigts d'exploser.

Elle ferma les yeux, au bord des larmes, puis prit une lente inspiration.

— Pourquoi tu es venu à Hampton ? finit-elle par lui demander. Je veux la vérité, cette fois.

Il ne bougea pas.

— Je t'ai déjà répondu.

— Tu m'as tout dit ?

Il hésita une fraction de seconde.

— Je ne t'ai jamais menti, déclara-t-il calmement.

— C'est pas ce que je t'ai demandé ! riposta-t-elle. Je t'ai demandé si tu m'avais caché quelque chose !

Il la sonda prudemment.

— D'où te vient cette idée ?

— Peu importe ! lâcha-t-elle en donnant libre cours à sa colère. Je veux juste savoir pourquoi t'es venu à Hampton !

– Je te l'ai dit…

– Est-ce que tu as une photo de moi ?

Logan resta muet.

– Réponds à ma question ! hurla-t-elle en s'avançant vers lui. T'as une photo de moi ?

Elle ne savait pas trop à quelle réaction s'attendre, mais hormis un léger soupir, il ne broncha pas.

– Oui, avoua-t-il.

– Celle que j'ai donnée à Drake ?

– Oui.

Elle sentit alors son univers s'effondrer comme une rangée de dominos. Subitement, tout devenait logique… La manière dont il l'avait regardée la première fois, la raison pour laquelle il tenait à travailler pour un si maigre salaire, pourquoi il s'était lié d'amitié avec Nana et Ben, et tout son beau discours sur la destinée…

Il possédait la photo. Il était venu à Hampton pour la retrouver. Il l'avait traquée comme une proie.

L'air lui manquait, elle respirait avec peine.

– J'hallucine… murmura-t-elle.

– C'est pas ce que tu crois…

Il tendit la main vers Beth, tandis qu'elle le regardait s'approcher d'un air absent avant de comprendre enfin ce qui se passait. Dans un sursaut, elle recula, voulant à tout prix mettre davantage de distance entre eux. Tout cela n'était qu'un mensonge…

– Ne me touche pas !

– Elizabeth…

– Je m'appelle Beth !

Elle le toisait comme un étranger, jusqu'à ce qu'il baisse le bras.

Sa voix n'était plus qu'un souffle lorsqu'il tenta de nouveau de prendre la parole.

— Je peux expliquer…

— Expliquer quoi ? Que t'as volé la photo à mon frère ? Avant de traverser le pays à pied pour me retrouver ? Que t'es tombé amoureux d'une photo…

— Ça ne s'est pas passé comme ça, protesta-t-il en secouant la tête.

Elle ne l'entendait plus et pouvait uniquement le regarder fixement, en se demandant s'il y avait la moindre vérité dans tout ce qu'il lui avait confié.

— Tu m'as traquée, reprit-elle, presque comme si elle pensait à voix haute. Tu m'as *menti*. Tu t'es *servi* de moi.

— Tu ne comprends pas…

— Parce qu'en plus il faut que je te *comprenne* ?

— Je n'ai pas volé la photo, expliqua-t-il d'une voix toujours posée. Je l'ai trouvée au Koweït et punaisée ensuite sur un panneau d'affichage, où j'ai pensé que quelqu'un la reconnaîtrait. Mais personne ne s'est présenté pour la récupérer.

— Et alors… tu l'as reprise ? dit-elle en secouant la tête, l'air incrédule. Pourquoi ? Parce que tu t'étais mis à fantasmer comme un malade sur moi ?

— Non ! se défendit-il en haussant le ton pour la première fois. (Ce qui la surprit et ralentit le flot des pensées qui l'assaillaient, ne serait-ce qu'un instant.) Je suis venu ici parce que j'avais une dette envers toi.

— Une dette envers moi ? répéta-t-elle en battant des paupières. Qu'est-ce que je suis censée comprendre ?

— La photo… elle m'a sauvé.

Bien qu'elle l'ait entendu clairement et distinctement, le sens de ses paroles lui échappait. Elle attendit encore et, dans le silence pesant qui suivit, elle se mit à trouver ses propos… assez *effrayants*. Ils lui donnaient la chair de poule et elle fit un autre pas en arrière.

– Qui es-tu au juste ? lui lança-t-elle. Qu'est-ce que tu veux de moi ?

– Je ne veux rien. Et tu sais qui je suis.

– Non, justement ! J'ignore tout de toi !

– Laisse-moi t'expliquer...

– Eh bien explique-moi pourquoi, si tes intentions étaient si nobles et si pures, tu ne m'as pas parlé de la photo en débarquant ici ! s'écria-t-elle, sa voix vibrant dans la pièce. (Elle se remémorait Drake et la soirée où le cliché avait été pris.) Pourquoi ne pas m'avoir dit : « J'ai trouvé cette photo en Irak et j'ai pensé que vous aimeriez la récupérer ? » Pourquoi tu ne m'as rien dit quand on discutait de mon frère ?

– J'en sais rien...

– Tu piges pas qu'elle ne t'était pas destinée ? Elle était pour mon frère, pas pour toi ! Elle lui appartenait et tu n'avais aucun droit de te l'approprier à mon insu !

– Je ne voulais pas te faire de peine...

Les yeux de Beth le sondaient, le transperçaient avec toute la puissance de sa rage.

– Tout ça n'est qu'une histoire totalement bidon, pas vrai ? T'as découvert cette photo et t'as inventé... je ne sais quel fantasme complètement tordu où tu t'es donné le beau rôle. Tu m'as raconté des bobards dès l'instant où on s'est rencontrés ! T'as pris le temps de m'étudier afin de te faire passer pour le type idéal à mes yeux. Et tu croyais qu'en étant obnubilé à ce point, tu pourrais me piéger pour que je finisse par être séduite.

Elle vit Logan tressaillir en entendant ses paroles et poursuivit.

– T'as programmé tout ça depuis le début ! C'est tordu, pervers, et j'en reviens pas d'être tombée dans le panneau.

Il se balança légèrement sur les talons, abasourdi par ses propos.

— J'admets que j'avais envie de te rencontrer… Mais tu te trompes à propos de la raison qui m'y a poussé. Je ne suis pas venu ici pour te piéger. Je sais que ça paraît dingue, mais j'en étais arrivé à croire que la photo m'avait protégé des bombes ennemies et que… d'une certaine manière, j'avais une dette envers toi, même si j'ignorais ce que ça signifiait ou ce qu'il ressortirait de toute cette histoire. Cependant, je n'ai rien programmé en m'installant ici. J'ai pris ce boulot et… je suis tombé amoureux de toi.

L'expression de Beth ne s'adoucit pas à mesure qu'il parlait. Au contraire, elle se remit lentement à secouer la tête.

— Est-ce qu'au moins tu entends ce que t'es en train de dire ?

— Je savais que tu ne me croirais pas. C'est pour cette raison que je ne t'en ai pas parlé…

— N'essaye pas de justifier tes mensonges ! Tu t'es retrouvé pris dans un fantasme débile et tu veux même pas l'admettre !

— Arrête d'appeler ça un fantasme ! C'est toi qui refuses de m'écouter. Tu ne cherches même pas à comprendre !

— Pourquoi je devrais essayer de comprendre ? Tu me mens depuis le début. Tu m'utilises depuis le début.

— Je ne t'ai pas utilisée, corrigea-t-il en s'efforçant de recouvrer son calme. Et je ne t'ai pas menti au sujet de la photo. Je n'y ai pas fait allusion, parce que j'ignorais comment t'en parler sans que tu me prennes pour un fou.

Elle leva les mains en répliquant :

— Ne t'imagine même pas me faire porter le chapeau. C'est toi qui as menti ! C'est toi qui as gardé tes secrets ! Moi je t'ai tout raconté ! Je t'ai ouvert mon cœur ! J'ai laissé mon fils s'attacher à toi ! vociféra-t-elle. (Comme elle enchaînait de plus belle, sa voix se brisa et elle sentit les larmes venir.) J'ai couché avec toi parce que je pensais pouvoir te faire confiance. Mais maintenant je sais que ça m'est impossible. T'imagines ce que je peux ressentir à l'idée que toute cette histoire n'est qu'une espèce de comédie ?

— Je t'en prie, Elizabeth… Beth… écoute-moi, prononça-t-il avec douceur.

— J'ai plus envie de t'écouter ! Tu m'as suffisamment menti.

— Ne réagis pas comme ça…

— Tu veux que j'écoute ? hurla-t-elle. Que j'écoute quoi ? T'étais obsédé par une photo de moi et t'es venu me retrouver parce que tu pensais qu'elle t'avait gardé en vie ? C'est dément, et le plus dérangeant, c'est que t'es même pas foutu d'admettre que ton explication te fait passer pour un malade mental !

Il la regarda droit dans les yeux et sa mâchoire se crispa.

Beth sentit un frisson la parcourir. Elle en avait marre. De lui et de ses explications abracadabrantes.

— Je veux la récupérer, reprit-elle d'une voix rauque. Je veux la photo que j'ai donnée à Drake.

Comme il ne réagissait pas, elle attrapa un petit pot de fleurs posé sur le rebord de la fenêtre et le lui lança en beuglant :

— Où est-elle ? Je veux cette photo !

Logan se baissa comme le projectile volait au-dessus de sa tête avant de s'écraser contre le mur derrière lui. Pour la première fois, Zeus se mit à aboyer et entra dans la pièce, sans comprendre ce qui se passait.

— Elle ne t'appartient pas ! cria Beth.

Logan se redressa en disant :

— Je ne l'ai pas.

– Où est-elle ?

Il marqua un temps d'arrêt.

– Je l'ai donnée à Ben…

Elle plissa les yeux.

– Va-t'en.

Logan hésita encore avant de finir par gagner la porte. Beth recula pour éviter tout contact. Zeus les regarda à tour de rôle, avant de marcher lentement dans le sillage de son maître.

Une fois dehors, Logan s'arrêta et se retourna vers Beth.

– Je jure sur ma vie que je ne suis pas venu ici pour te séduire, ni te manipuler afin que tu tombes amoureuse de moi. Mais je suis tombé amoureux de toi.

Sans le quitter des yeux, elle lui répéta :

– Je t'ai demandé de t'en aller et je ne plaisantais pas.

À ces paroles, il tourna les talons et partit à grandes enjambées dans la tourmente.

– 29 –

Thibault

Malgré la pluie, Thibault n'imaginait pas rentrer chez lui. Il souhaitait rester dehors ; ça lui semblait déplacé d'être au chaud et au sec. Il voulait en quelque sorte se laver du mal qu'il avait fait, de tous les mensonges qu'il avait dits.

Beth avait raison. Il ne s'était pas montré honnête envers elle. Même s'il souffrait à cause des paroles blessantes qu'elle avait prononcées et de son refus de l'écouter, il comprenait qu'elle puisse se sentir trahie. Mais comment lui expliquer ? Lui-même ne saisissait pas vraiment pourquoi il était venu là, même s'il tentait d'y mettre des mots. Il comprenait en revanche pourquoi elle interprétait ses actes comme étant ceux d'un obsédé frisant la démence. Certes, il était obsédé, mais pas de la manière dont elle l'imaginait.

Thibault aurait dû lui parler de la photo dès le premier jour, et il chercha en vain pourquoi il ne l'avait pas fait. Beth aurait sans doute été surprise et aurait posé des questions, mais ils en seraient restés là. Il pensait que Nana l'aurait de toute façon engagé, et rien de tout ça ne serait arrivé.

À vrai dire, il avait surtout envie de faire demi-tour pour rejoindre Beth. Il souhaitait lui expliquer, lui raconter l'histoire depuis le début.

Mais il n'en ferait rien. Elle avait besoin de se retrouver seule… ou du moins de s'éloigner de lui un certain temps. Afin de se remettre de cette histoire et peut-être, peut-être seulement, comprendre que le Thibault auquel elle avait fini par s'attacher était le seul Thibault qui existait. Il se demanda si la solitude finirait par amener le pardon.

Thibault s'enfonçait dans la boue ; il vit passer une voiture qui roulait lentement et constata que l'eau atteignait les essieux. Devant lui, la rivière inondait la route. Il décida de couper à travers bois. Peut-être était-ce la dernière fois qu'il effectuait ce trajet. Peut-être était-ce le moment de rentrer dans le Colorado.

Thibault continua à avancer. Le feuillage automnal encore fourni l'abritait partiellement de la pluie et, à mesure qu'il s'enfonçait dans la forêt, il sentit la distance entre Beth et lui s'accroître à chacun de ses pas.

30

Beth

Fraîchement douchée, Beth se tenait dans sa chambre, vêtue d'un grand tee-shirt, quand Nana passa la tête par la porte.

– Tu veux qu'on en discute ? demanda sa grand-mère. (Elle désigna la fenêtre en pointant le pouce.) L'école a appelé pour me dire que t'étais rentrée. Le directeur avait l'air de s'inquiéter à ton sujet, et plus tard je t'ai vue te garer devant le bureau. Je me suis dit que Thibault et toi aviez dû avoir une prise de bec.

– C'est plus que ça, Nana, dit Beth d'un ton las.

– C'est ce que j'en ai déduit en le voyant partir. Et parce que ensuite t'es restée longtemps sur la véranda.

Beth hocha la tête.

– C'est à propos de Ben ? Il ne lui a pas fait de mal, au moins ? Ou à toi ?

– Non, ça n'a rien à voir.

– Bien. Parce que c'est le seul truc qui ne puisse pas s'arranger.

– Je ne suis pas certaine que mon problème le puisse non plus.

Nana regarda par la fenêtre et poussa un gros soupir.

— J'imagine que je vais devoir nourrir les chiens ce soir, hein ?

Beth lui décocha un regard agacé.

— Merci pour ta compréhension.

— Des minets sur un érable, déclara-t-elle en esquissant un geste vague.

Beth réfléchit à cette phrase sibylline avant de grogner, contrariée :

— Ça veut dire quoi ?

— Rien du tout… Mais l'espace d'une seconde, t'étais trop exaspérée pour te lamenter sur ton sort.

— Tu ne peux pas comprendre…

— Essaye toujours de m'expliquer.

Beth leva les yeux.

— Il m'a traquée, Nana. Pendant cinq ans, et ensuite il a traversé le pays à pied pour me rechercher. Il était obnubilé par moi.

Nana observait un silence inhabituel.

— Pourquoi ne pas commencer par le début ? suggéra-t-elle en s'asseyant sur le lit de sa petite-fille.

Beth n'était pas sûre d'avoir envie d'en parler, mais elle se dit qu'il valait mieux en finir. Elle s'assit à son tour et commença par la visite de Keith dans sa classe et, dans les vingt minutes qui suivirent, relata à Nana son départ pré-cipité de l'école, les doutes atroces qui l'avaient taraudée durant le trajet, et enfin sa confrontation avec Logan. Lorsqu'elle eut terminé, Nana croisa les mains sur ses genoux.

— Thibault a donc admis être en possession de la photo ? Et… si je reprends ton expression… il a *bafouillé une excuse* comme quoi ce serait un porte-bonheur et prétendu qu'il était venu ici parce qu'il se sentait redevable envers toi ?

— Tout à fait, acquiesça Beth.

— Qu'est-ce qu'il entendait par « porte-bonheur » ?

— J'en sais rien.

— Tu ne lui as pas demandé ?

— Je m'en fichais, Nana. Toute cette histoire est… bizarre et me donne la chair de poule. Qui s'amuserait à faire une chose pareille ?

Nana tricotait des sourcils.

— J'admets que ça paraît étrange, mais je pense que j'aurais voulu savoir pourquoi il pensait que la photo portait bonheur.

— En quoi c'est important ?

— Parce que tu n'étais pas là-bas, précisa Nana. Tu n'as pas traversé les épreuves qui ont été les siennes. Peut-être qu'il disait la vérité.

Beth tressaillit.

— La photo n'a rien de magique. C'est dément.

— Peut-être, mais j'ai suffisamment roulé ma bosse pour savoir que des événements bizarres peuvent survenir pendant la guerre. Les soldats en viennent à croire à toutes sortes de choses, et s'ils pensent qu'un objet quelconque les met à l'abri du danger, où est le mal ?

Beth soupira.

— Entre croire à quelque chose et devenir obsédé par une photo au point de traquer la personne qui se trouve dessus, il y a un monde.

Nana lui posa la main sur le genou.

— Ça arrive à n'importe qui de se comporter bizarrement.

— Pas à ce point-là, insista Beth. Il y a quelque chose de flippant dans tout ça.

Nana resta muette un moment, puis :

— T'as peut-être raison, admit-elle dans un haussement d'épaules.

Beth la dévisagea, soudain anéantie par la fatigue.

– Tu veux bien me rendre un service ?

– Lequel ?

– Appelle le directeur, et demande-lui de ramener Ben après les cours, tu veux ? J'ai pas envie de te voir conduire par ce temps, mais je ne suis pas vraiment de taille à m'en charger moi-même.

31

Clayton

Clayton tenta en vain de contourner le bassin qui s'était formé devant la maison de Beth, ses bottes s'enfonçant dans la gadoue. Il réprima l'envie de lâcher un chapelet de jurons. Il apercevait les fenêtres ouvertes près de la porte d'entrée et savait que Nana l'entendrait. Malgré son âge, cette femme avait l'ouïe fine comme un hibou, et la dernière chose qu'il souhaitait, c'était de faire mauvaise impression. Elle le détestait déjà suffisamment.

Il gravit les marches et frappa à la porte. Il crut entendre quelqu'un à l'intérieur, vit le visage de Beth par la fenêtre, et la porte finit par s'ouvrir.

— Keith ? Qu'est-ce que tu fais là ?

— Je m'inquiétais. Je voulais m'assurer que tout allait bien.

— Tout va bien.

— Il est encore là ? Tu veux que j'aille lui parler ?

— Non. Il est parti. J'ignore où il est.

Clayton se dandina d'un pied sur l'autre, essayant de prendre un air affligé.

— Désolé pour tout ça, et je déteste l'idée que ce soit moi qui ai dû t'apprendre la nouvelle. Je sais qu'il te plaisait beaucoup.

Beth hocha la tête, les lèvres pincées.

– Je voulais aussi que tu saches que tu devrais éviter de t'en vouloir. Comme je te l'ai dit l'autre jour, les gens comme ça ont appris à camoufler leur perversité. C'est des sociopathes… et t'avais aucun moyen de t'en douter.

Beth croisa les bras.

– J'ai pas envie d'en discuter.

Clayton leva les mains, sachant qu'il poussait le bouchon trop loin et devait faire machine arrière.

– Je m'en doute… Et t'as raison. Je suis mal placé… vu la manière merdique dont je t'ai traitée dans le passé. (Il glissa les pouces dans sa ceinture et s'efforça de sourire.) Bref, je venais juste voir si t'allais bien.

– Ça va. Merci.

Clayton tourna les talons, puis s'arrêta.

– Je veux que tu saches aussi que, d'après Ben, Thibault avait l'air d'un gars sympa.

Elle le considéra d'un air surpris.

– Je voulais juste te dire ça, parce que si ça n'avait pas été le cas – s'il était arrivé quoi que ce soit au petit – Thibault aurait regretté le jour où il est venu au monde. Je donnerais ma vie pour éviter qu'on fasse du mal à notre fils. Et je sais que tu éprouves la même chose. C'est pourquoi t'es une maman géniale. Si j'ai fait une tonne d'erreurs dans ma vie, l'une de mes meilleures décisions c'est de t'avoir laissée l'élever.

Elle hocha la tête, tout en essayant de retenir ses larmes, puis se détourna. Comme elle s'essuyait le visage du dos de la main, Clayton fit un pas vers elle.

– Hé… reprit-il d'un voix douce. Je sais que t'as pas envie d'entendre ça maintenant, mais crois-moi, t'as fait le bon choix. Avec le temps, tu vas retrouver quelqu'un, et je suis sûr que ce sera le meilleur des gars qui puisse exister. Tu le mérites.

Elle sanglotait et Clayton lui tendit la main. D'instinct, elle se pencha vers lui.

— Ça va aller, murmura-t-il.

Pendant un long moment, ils restèrent là sur le perron, dans les bras l'un de l'autre.

Clayton ne s'attarda pas. C'était inutile selon lui. Il avait agi comme prévu. Beth le voyait à présent sous les traits d'un bon ami, prévenant et compatissant... quelqu'un qui avait expié ses fautes. L'étreinte, c'était juste la cerise sur le gâteau... Il ne l'avait pas vue venir, mais ça concluait agréablement leur petite entrevue.

Il n'allait pas la bousculer. Ce serait une erreur. Elle avait besoin de temps pour se remettre de Thaï-Bolt. Même si c'était un sociopathe, même si ce type quittait la ville, on ne pouvait pas raviver ou éteindre la flamme de l'amour comme on actionnait un interrupteur. Toutefois, celle-ci disparaîtrait aussi sûrement que la pluie continuerait de tomber. Prochaine étape : s'assurer que Thaï-Bolt avait repris le chemin du Colorado.

Ensuite ? Se comporter comme un gars sympa. Peut-être inviter Beth quand Ben et lui auraient prévu un truc, lui demander de rester pour un barbecue. Faire comme si c'était naturel, au début, afin qu'elle ne se doute de rien... Puis suggérer une sortie avec Ben un autre soir de la semaine. Le tout, c'était d'agir loin du regard perçant de Nana, ce qui signifiait se tenir à l'écart de cette maison. Même s'il savait que Beth ne serait pas dans son assiette pendant un petit moment, Nana aurait toute sa tête, et pas question que la vieille lui glisse à l'oreille ce qu'il manigançait.

Plus tard, à mesure qu'ils réapprendraient à se fréquenter, peut-être qu'ils pourraient sortir boire quelques bières ensemble pendant que le petit serait couché, le genre de soirée improvisée. Peut-être qu'il pourrait même corser la bière de Beth avec un doigt de vodka, pour qu'elle ne puisse pas rentrer chez elle en voiture. Ensuite, il lui proposerait de rester chez lui, mais lui dormirait sur le canapé. Il devait agir en parfait gentleman, tout en veillant que la bière coule à flots. Alors tous deux évoqueraient le passé… les bons moments… et il la laisserait s'épancher au sujet de Thaï-Bolt. Il suffisait de laisser parler les émotions et de glisser un bras réconfortant autour d'elle.

Certain de savoir ce qui se passerait ensuite, il sourit en démarrant sa voiture.

– 32 –

Beth

Beth eut un sommeil agité et se réveilla épuisée.

La tempête s'était déchaînée pendant la nuit, s'accompagnant de vents violents et de pluies torrentielles qui éclipsèrent le précédent déluge. La veille, Beth ne pouvait s'imaginer que les eaux monteraient encore, mais en regardant par la fenêtre, elle constata que le bureau évoquait une sorte d'îlot perdu au milieu de l'océan. Hier soir, elle avait garé sa voiture sur une bande de terre un peu en hauteur, près du magnolia, et s'en félicitait à présent. Cette petite butte faisait elle aussi penser à un îlot, alors que les eaux frôlaient presque le bas de caisse pourtant surélevé de la camionnette de Nana. Ce véhicule roulait toujours bien en période de crues, et heureusement que les freins étaient réparés, sinon Beth, Nana et Ben se seraient retrouvés bloqués à la maison.

La veille au soir, Beth avait pris le pick-up pour aller en ville s'approvisionner en bouteilles de lait et autres aliments de base, mais elle s'était déplacée pour rien. Tous les commerces étaient fermés et les seuls véhicules qu'elle avait croisés en chemin étaient des utilitaires et des 4 x 4 conduits par des agents du bureau du shérif. La moitié de la ville était privée de courant, mais jusqu'ici la panne n'affectait pas leur maison. Un point positif néanmoins : à en croire la météo à la télé et à la radio, la région subirait sa dernière tempête aujourd'hui ; d'ici demain, la décrue s'amorcerait.

Elle était assise sur la balancelle de la véranda, tandis que Ben et Nana jouaient au gin-rummy dans la cuisine. Le seul jeu où tous deux se révélaient aussi doués l'un que l'autre, et puis ça évitait à Ben de s'ennuyer. Plus tard, elle se dit qu'elle le laisserait patauger en maillot de bain dans la cour pendant qu'elle irait voir les chiens. Lorsqu'elle était allée nourrir les animaux dans la matinée, son imperméable ne lui avait servi à rien.

Bercée par le rythme régulier de la pluie qui tambourinait sur le toit, Beth se surprit à penser à Drake. Pour la millième fois au moins elle regrettait de ne pouvoir lui parler et se demandait ce qu'il aurait dit au sujet de la photo. Avait-il, lui aussi, cru en son pouvoir ? Drake n'avait jamais été particulièrement superstitieux, mais elle éprouvait un pincement au cœur chaque fois qu'elle songeait à la panique incroyable de son frère lorsqu'il avait perdu la photo.

Nana avait raison. Beth ignorait ce que Drake ou Logan avaient pu traverser là-bas. Aussi informée qu'elle puisse l'être grâce aux journaux et à la télé, rien de tout ce qui se passait là-bas ne lui paraissait réel. Elle s'interrogeait sur le stress qu'ils devaient éprouver, à des milliers de kilomètres de chez eux, vêtus de leur gilet pare-balles, vivant parmi des gens qui parlaient une langue étrangère, s'escrimant à rester en vie. Était-ce si invraisemblable de vouloir s'accrocher à un objet fétiche, censé vous éloigner du danger ?

Non, décida-t-elle. Lorsqu'on gardait sur soi une médaille de saint Christophe ou une patte de lapin, ce n'était pas si différent. La logique n'entrait pas en ligne de compte... pas plus que la croyance en la magie. Ledit objet vous aidait à vous sentir en sécurité, voilà tout.

Mais de là à pister Beth ? À la traquer… ?

Sa compréhension s'arrêtait là. Aussi sceptique qu'elle soit au sujet des intentions de Keith — ou du fait qu'il prétende s'inquiéter de son bien-être —, Beth devait bien admettre que la situation l'avait rendue extrêmement vulnérable.

Qu'avait dit Logan, déjà… ? Qu'il avait une dette envers elle. Parce que la photo lui avait sauvé la vie, supposait Beth, mais de quelle manière ?

Elle secoua la tête, épuisée par toutes ces pensées qui lui traversaient l'esprit. Elle la releva quand elle entendit la porte s'ouvrir en grinçant.

— Hé, m'man ?

— Oui, mon cœur.

Ben vint s'asseoir à ses côtés.

— Il est où, Thibault ? Je l'ai pas encore vu.

— Il ne vient pas.

— À cause de la tempête ?

Elle ne l'avait pas mis au courant, et n'était pas vraiment prête.

— Il… avait des trucs à faire, improvisa-t-elle.

— OK, dit le petit en regardant la cour. On voit même plus l'herbe…

— Je sais. Mais la pluie est censée s'arrêter bientôt.

— T'as déjà connu ça dans le temps ? Quand t'étais petite ?

— Deux ou trois fois. Mais il y avait toujours un ouragan.

Il acquiesça, puis remonta ses lunettes. Elle lui passa la main dans les cheveux.

— J'ai entendu dire que Logan t'avait donné quelque chose.

— Normalement, j'ai pas le droit d'en parler, répondit-il d'un ton grave. C'est un secret.

— Tu peux le confier à ta mère. J'ai un don pour garder les secrets.

— Bien vu, répliqua-t-il, taquin. Mais je vais pas tomber dans le panneau.

Elle sourit et s'adossa à la balancelle en la faisant osciller d'un coup de pied.

— T'en fais pas. Je suis déjà au courant pour la photo.

Ben lui lança un regard, se demandant ce qu'elle savait au juste.

— Oui… tu sais, elle est censée protéger celui qui l'a sur lui.

Les épaules du gamin s'affaissèrent, tandis qu'il prenait un air dépité.

— Il t'a tout raconté, alors ?

— Bien sûr.

— Oh… fit-il, visiblement déçu. Il m'a dit que ça devait rester entre nous.

— Tu l'as sur toi ? J'aimerais y jeter un œil.

Ben hésita avant de fouiller dans sa poche. Il sortit un instantané plié en deux et le lui tendit. Beth le déplia et les souvenirs la submergèrent : son dernier week-end avec Drake et la conversation qu'ils avaient eue, la grande roue, l'étoile filante…

— Il t'a dit autre chose en te la donnant ? demanda-t-elle en rendant la photo au petit. Hormis le fait que c'était un secret, je veux dire ?

— Euh… que son copain Victor disait que c'était un porte-bonheur, et qu'elle l'a protégé en Irak.

Beth sentit son pouls s'accélérer, tandis qu'elle se penchait sur son fils.

— C'est Victor qui disait que c'était un porte-bonheur ?

374

— Oui-oui, acquiesça Ben. C'est ce que Thibault m'a dit.

— T'en est sûr ?

— Évidemment que j'en suis sûr !

Beth considéra son fils, tiraillée par des sentiments contradictoires.

– 33 –

Thibault

Thibault remplit son sac à dos avec les quelques provisions qui restaient dans la maison. Le vent rugissait et la pluie tombait encore dru, mais il avait déjà connu pire sur la route. Pourtant, il ne trouvait pas l'énergie de franchir la porte.

Avoir effectué tout ce chemin pour arriver jusqu'ici, c'était déjà un exploit. Mais en repartir relevait du défi. Il avait quitté le Colorado en se sentant plus seul que jamais, alors qu'ici sa vie lui semblait parfaite et rien ne lui manquait. Du moins jusqu'à hier.

Zeus finit par s'installer dans un coin. Le chien avait passé le plus clair de la journée à aller et venir, sans doute agité parce que Thibault ne l'avait pas emmené faire sa promenade habituelle. Chaque fois qu'il se levait pour prendre un verre d'eau, Zeus se redressait, guettant le moment où ils sortiraient.

C'était le milieu de l'après-midi, mais le ciel nuageux et pluvieux assombrissait tout. La tempête se déchaînait toujours, mais Thibault sentait qu'elle touchait à sa fin… Un peu comme un poisson qu'on vient de pêcher et qui s'agite encore au bout de l'hameçon, le vent et la pluie livreraient bataille jusqu'au bout.

Thibault passa une grande partie de son temps à éviter de penser aux événements de la veille ou à la manière dont il aurait pu les éviter : autant se livrer à un jeu de dupes. Il avait tout fait capoter, ce n'était pas plus compliqué que ça, et l'on ne pouvait revenir sur le passé. Thibault avait toujours essayé de mener sa vie sans s'appesantir sur ses erreurs irréversibles, mais c'était différent, cette fois. Il n'était pas certain de s'en remettre un jour.

Toutefois, il ne pouvait chasser le sentiment persistant que toute cette histoire n'était pas encore terminée... Attendait-il simplement un véritable dénouement avant de pouvoir tourner définitivement la page ? Non... son expérience de la guerre lui avait appris à se fier à son instinct, même s'il ignorait parfois son origine. Dans la mesure où il savait qu'il devait quitter Hampton, ne serait-ce que pour s'éloigner au maximum de Keith Clayton — car nul doute que celui-ci n'était pas du genre à pardonner et à oublier —, il ne pouvait se résoudre à franchir la porte.

Clayton se trouvait au centre du problème. Clayton — à l'instar de Ben et d'Elizabeth — symbolisait la raison même de sa venue à Hampton. Sauf que Thibault ne parvenait pas à deviner pourquoi, ni ce qu'il était censé y faire.

Dans le coin de la pièce, Zeus se redressa et s'approcha de la fenêtre. Thibault se tourna vers lui juste au moment où il entendait frapper à la porte. D'instinct, il se crispa, mais quand le chien regarda par la vitre, celui-ci se mit à frétiller de la queue.

Thibault alla ouvrit et découvrit Elizabeth sur le perron. Il s'immobilisa. L'espace d'un court instant, ils se dévisagèrent.

— Salut, Logan... dit-elle enfin.

— Bonjour, Elizabeth...

Un sourire se dessina sur les lèvres de la jeune femme, si fugace que Thibault se demanda même s'il ne l'avait pas imaginé.

– Je peux entrer ?

Thibault s'écarta pour la laisser passer et l'observa, tandis qu'elle ôtait son ciré, ses cheveux blonds tombant en cascade sur ses épaules lorsqu'elle rabattit sa capuche.

Elle tint le vêtement d'un air hésitant, jusqu'à ce qu'il le lui prenne des mains pour l'accrocher à la poignée de la porte, avant de se tourner vers elle.

– Je suis content que tu sois venue.

Elle hocha la tête. Zeus frotta son museau contre sa main, et elle le caressa derrière les oreilles, avant de revenir vers Thibault.

– On peut discuter ? demanda-t-elle.

– Si tu veux, répondit-il en l'invitant à s'asseoir sur le canapé.

Elizabeth s'installa à un bout et Thibault à l'autre.

– Pourquoi as-tu donné la photo à Ben ? enchaîna-t-elle sans préambule.

Thibault contemplait le mur du fond, tentant de trouver une explication plausible qui n'envenimerait pas la situation. Par où commencer ?

– Explique-le-moi en quelques mots, suggéra-t-elle en sentant sa réticence. Ensuite, on reprendra tout à partir de là.

Thibault se massa les tempes et poussa un soupir, comme son regard se portait sur elle.

– Parce que j'ai pensé que ça le garderait à l'abri du danger.

– Du danger ?

– Là-bas, dans la cabane. La tempête a affaibli toute la construction, y compris la passerelle. Il ne devrait plus y retourner. C'est à deux doigts de s'écrouler.

Elle l'observait intensément sans cligner des yeux.

— Pourquoi tu n'as pas conservé la photo ?

— Parce que je sentais que Ben en aurait plus besoin que moi.

— Parce qu'elle le tiendrait à l'abri du danger.

Thibault acquiesça.

Elle baissa les yeux en tripotant la housse du canapé avant de se tourner à nouveau vers lui.

— Tu crois donc sincèrement à ce que tu m'as dit ? À savoir que la photo est un porte-bonheur ?

Zeus s'approcha et s'étendit aux pieds de son maître.

— Peut-être…

Elle se pencha en avant.

— Pourquoi ne pas me raconter toute l'histoire ?

Thibault fixa le parquet et, posant les coudes sur ses genoux, entreprit, d'abord hésitant, de lui relater toute la saga de la photo. Il commença par les parties de poker au Koweït, puis passa à la grenade autopropulsée qui l'avait laissé inconscient et à la fusillade de Fallujah. Il décrivit les voitures piégées et les engins explosifs improvisés auxquels il avait survécu à Ramadi, y compris l'épisode où Victor prétendit que la photo leur avait sauvé la vie à tous les deux. Il parla aussi de la réaction de ses camarades et des séquelles de leur méfiance.

Il marqua une pause avant de croiser son regard.

— Même après tous ces événements, je n'y croyais toujours pas. Alors que Victor si. Il y a toujours cru. C'était son dada, et je ne cherchais pas à le contredire, car c'était important pour lui. (Il joignit les mains, tandis que sa voix s'adoucissait.) Lors du dernier week-end qu'on a passé ensemble, Victor m'a dit que j'avais une dette envers la femme qui était sur la photo, parce que celle-ci m'avait sauvé la vie… Sinon, il y avait comme un déséquilibre.

C'était ma destinée de la retrouver, d'après lui. Quelques minutes plus tard, Victor est mort, alors que moi j'ai survécu à cet accident de bateau… Mais même à cette époque, je n'y croyais pas. C'est pourtant à ce moment-là que j'ai commencé à voir son fantôme.

D'une voix haletante, Thibault lui raconta alors ces sortes d'apparitions, en évitant de croiser son regard, par crainte d'y voir de l'incrédulité. À la fin de son récit, il secoua la tête en soupirant.

— Quant au reste, je te l'ai déjà raconté. J'étais en vrac, alors j'ai pris la route. Oui, je suis parti à ta recherche, mais pas parce que tu m'obsédais. Je l'ai fait parce que, selon Victor, c'était mon destin, et je continuais à voir son fantôme. Je ne savais pas à quoi m'attendre en débarquant ici. Et puis, en cours de route, c'est devenu comme un défi… Si d'aventure je te retrouvais, combien de temps ça me prendrait ? Quand j'ai fini par arriver au chenil et que j'ai vu le panneau avec l'annonce, je me suis dit que ce serait un bon moyen de rembourser ma dette. Postuler pour le job m'a paru ce qu'il y avait de mieux à faire. Comme lorsque Ben et moi étions dans la cabane et que je lui ai donné la photo. Mais j'aurai beau essayer, je ne suis pas sûr de pouvoir expliquer ce genre de choses…

— Tu as donné à Ben la photo afin qu'il soit à l'abri du danger ?

— Aussi dingue que ça puisse paraître… oui.

Elizabeth digéra l'info en silence, puis :

— Pourquoi ne pas m'avoir tout raconté dès le départ ?

— J'aurais dû, c'est vrai. Le seul truc qui me vienne à l'esprit, c'est que j'ai gardé cette photo avec moi pendant cinq ans, et je ne voulais pas m'en débarrasser avant de comprendre son utilité.

— Tu penses avoir compris à présent ?

Il se pencha pour caresser Zeus avant de répondre, en la regardant droit dans les yeux.

— J'en suis pas sûr. En revanche, je peux affirmer que tout ce qui s'est passé entre nous n'a pas démarré quand j'ai trouvé la photo. Mais lorsque je suis entré dans le chenil. Au moment où tu es devenue pour ainsi dire bien réelle sous mes yeux, et plus j'apprenais à te connaître, plus je reprenais goût à la vie. Ça faisait longtemps que je ne m'étais pas senti aussi vivant et aussi heureux. Comme si toi et moi étions faits pour nous rencontrer.

— Ta destinée ? dit-elle en arquant un sourcil dubitatif.

— Non… Ça n'a rien à voir avec la photo, ma longue traversée, ou ce que Victor a pu déclarer. Il se trouve juste que je n'avais jamais rencontré quelqu'un comme toi auparavant, et je suis certain que ça ne se reproduira plus. Je t'aime, Elizabeth, et j'apprécie ta compagnie. J'adore passer du temps avec toi.

Elle scrutait son visage, mais impossible de deviner ce qu'elle pensait. Lorsqu'elle reprit la parole, ce fut d'un ton neutre, détaché.

— Tu réalises que ça reste malgré tout une histoire insensée qui te fait passer pour un fou doublé d'un obsédé ?

— Je sais, admit Thibault. Moi-même, je me trouve complètement cinglé.

— Et si je te demandais de quitter Hampton et de ne plus jamais chercher à me contacter ? suggéra-t-elle comme pour le tester.

— Eh bien, je m'en irais et tu n'entendrais plus jamais parler de moi.

La phrase resta en suspens, lourde de signification. Elizabeth se détourna, mal à l'aise, apparemment écœurée, avant de lui faire face à nouveau.

— Tu ne m'appellerais même pas ? Après tout ce qu'on a vécu ensemble ? pleurnicha-t-elle. J'arrive pas à y croire.

Le soulagement envahit Thibault comme il se rendait compte qu'elle le taquinait. Il soupira, sans se douter qu'il retenait son souffle jusqu'ici, et sourit à belles dents.

— Si ça suffisait à te prouver que je ne suis pas fou à lier...

— Je trouve ça minable comme attitude. Un gars devrait au moins passer un coup de fil !

Il se rapprocha d'elle discrètement sur le canapé.

— Je tâcherai de m'en souvenir.

— Tu te rends compte que tu ne vas pas pouvoir raconter cette histoire si t'as l'intention de t'installer dans le coin ?

Il se glissa encore plus près, de manière ostensible, cette fois.

— Ça ne m'empêchera pas de vivre.

— Et si tu crois obtenir une augmentation, sous prétexte que tu sors avec la petite-fille de la patronne... autant faire une croix dessus tout de suite.

— Sans problème.

À cet instant, il se retrouvait tout près d'elle et, lorsque Elizabeth se tourna, ses cheveux effleurèrent les épaules de Thibault. Il se pencha et déposa un baiser dans son cou.

— Je trouverai bien un moyen, murmura-t-il avant de sceller ses lèvres aux siennes.

Ils s'embrassèrent longtemps sur le canapé. Lorsqu'il l'entraîna enfin dans la chambre, ils firent l'amour, leurs deux corps ne formant plus qu'un, dans un échange fougueux, rageur et rédempteur, aussi enflammé et tendre que leurs émotions. Plus tard, étendu sur le côté, Thibault contemplait Elizabeth. Il frôla sa joue avec le doigt et elle embrassa celui-ci.

— Je crois que tu peux rester... murmura-t-elle.

– 34 –

Clayton

Clayton considéra la maison d'un air incrédule. Il serrait si fort le volant que ses phalanges en blêmissaient. Il battit plusieurs fois des paupières… Mais la même scène se déroulait toujours sous ses yeux : la voiture de Beth était garée dans l'allée, le couple s'embrassait sur le canapé, Thaï-Bolt emmenait Beth dans la chambre.

Beth et Thaï-Bolt ensemble. À mesure que les minutes s'écoulaient, la colère le gagnait peu à peu. Tous ses projets si parfaits… tous, sans exception, s'envolaient en fumée. Et Thaï-Bolt le tiendrait à jamais à sa merci.

Clayton serra les dents. Il était tenté de faire irruption dans la baraque comme un fou furieux, mais il y avait ce satané cabot. Encore et toujours. C'était déjà assez pénible de les suivre avec ses jumelles depuis sa voiture, sans se faire remarquer.

Thaï-Bolt. Le chien. *Beth*…

Il frappa le volant d'un poing rageur. Comment cela avait-il pu arriver ? Beth n'avait donc pas entendu ce qu'il lui avait dit ? Elle ne comprenait pas qu'elle se jetait dans la gueule du loup ? Elle ne tenait pas à Ben ?

Pas question que ce cinglé fasse partie de la vie de son fils !

Impossible.

Jamais.

Pourtant, il aurait dû s'y attendre. Et se douter de la manière dont cette idiote de Beth allait réagir. Elle avait beau friser la trentaine, c'était encore une gamine niveau jugeote. Il aurait dû deviner qu'elle ne verrait en Thaï-Bolt que ce qu'elle voulait bien voir, et nierait carrément l'évidence.

Mais tout cela allait se terminer… Et le plus tôt possible.

Clayton tâcherait de lui faire comprendre, coûte que coûte, à quel danger elle s'exposait.

– 35 –

Thibault

Après avoir embrassé Elizabeth en lui disant au revoir à la porte, Thibault s'affala sur le canapé, à la fois épuisé et soulagé. Il se réjouissait à l'idée qu'elle lui ait pardonné. Et le fait même qu'elle ait essayé de comprendre, de trouver une certaine logique au chemin tortueux qu'il avait emprunté pour arriver jusqu'ici relevait du miracle. Elle l'acceptait sans réserve, alors qu'il n'aurait jamais cru cela possible.

Avant de partir, elle l'avait invité à dîner, et même s'il avait dit oui de bon cœur, il prévoyait de se reposer avant de la rejoindre. Sinon il doutait d'avoir l'énergie nécessaire pour soutenir une conversation.

Toutefois, il devait absolument aller promener Zeus, ne serait-ce qu'un moment, avant de faire son petit somme. Il gagna la véranda de derrière et récupéra sa tenue imperméable. Le chien le suivit à l'extérieur avec intérêt.

– Ouais, on va sortir, dit Thibault. Laisse-moi d'abord m'habiller.

Zeus aboya et sautilla d'excitation. Il ne cessa d'aller et venir de la porte à Thibault.

– Je me dépêche. Du calme !

Zeus continua à lui tourner autour et à gambader.

– Du calme ! répéta-t-il.

Zeus le regarda d'un air implorant avant de s'asseoir de mauvaise grâce.

Une fois qu'il eut enfilé sa tenue et chaussé ses bottes, Thibault poussa la porte grillagée. Zeus bondit alors sous la pluie et pataugea aussitôt dans la terre boueuse. Contrairement à la propriété de Nana, sa maison se dressait sur une légère butte ; l'eau s'accumulait quatre cents mètres plus loin. Devant lui, Zeus bifurqua vers le bois, puis revint dans le champ à ciel ouvert, avant de faire le tour de la maison par l'allée de gravier, en galopant et en cabriolant, fou de joie. Thibault sourit en songeant : *Je sais exactement ce que tu ressens.*

Ils passèrent un petit moment à l'extérieur. Le ciel prenait une nuance noir charbon et se chargeait de gros nuages, lourds de pluie. Le vent redoublait de violence, et Thibault sentait les gouttes d'eau lui fouetter le visage en tombant de biais. Peu importe… pour la première fois depuis des années, il se sentait vraiment libre.

Au bout de l'allée, il remarqua que les traces de pneus d'Elizabeth avaient presque disparu. D'ici quelques minutes, la pluie les aurait totalement effacées. Cependant, un détail attira son attention… et il tenta de comprendre ce qu'il voyait. D'emblée, il se dit que les traces de pneus paraissaient trop larges.

Il s'avança pour les examiner de plus près, et en déduisit que les traces de pneus lorsqu'elle était partie devaient se chevaucher avec celles laissées à son arrivée. Ce ne fut qu'une fois au bord de l'allée qu'il comprit son erreur. Il y avait deux séries de marques, à l'arrivée et au départ. Deux véhicules. Sur le coup, ça ne lui parut pas très logique.

Mais son esprit ne tarda pas à comprendre… Quelqu'un d'autre était venu là. Encore que ça n'avait toujours pas plus de sens, à moins que…

Il lança un regard en direction du chemin qui rejoignait le chenil à travers bois. Au même instant, une rafale de vent et de pluie déploya toute sa fureur et il plissa les yeux, puis sentit sa gorge se serrer. Sans plus réfléchir, il partit au pas de course, tout en veillant à doser ses efforts. L'esprit en ébullition, il calcula le temps qu'il mettrait pour rejoindre le chenil. Espérant arriver à temps…

– 36 –

Beth

Le hasard voulut que Nana se trouve au bureau du chenil quand Keith déboula dans la maison. Il ferma la porte derrière lui et agit comme s'il était le maître des lieux. Depuis la cuisine, Beth voyait déjà les veines de son cou palpiter. Il serrait les poings quand leurs regards se croisèrent.

Tandis qu'il traversait le salon, Beth sentit la panique et la peur l'envahir. Jamais elle n'avait vu son ex-mari dans cet état... Aussi recula-t-elle en longeant les placards. Keith la surprit en s'arrêtant net à l'entrée de la cuisine. Il sourit, mais ses lèvres ébauchaient une sorte de grimace grotesque et démente.

— Désolé de débarquer à l'improviste, déclara-t-il avec une courtoisie excessive, mais faut qu'on parle.

— Qu'est-ce que tu fais là ? Tu ne peux pas entrer comme ça...

— Tu prépares à dîner, hein ? répliqua-t-il. Je me souviens quand tu me faisais de bons petits plats...

— Va-t'en, Keith, dit-elle d'une voix rauque.

— Je n'irai nulle part, riposta-t-il, la regardant comme si elle ne savait pas ce qu'elle disait. (Il désigna une chaise.) Pourquoi ne pas t'asseoir ?

— Je n'en ai pas envie, murmura-t-elle, se reprochant aussitôt le ton effrayé de sa voix. Je veux que tu t'en ailles.

— Ça ne risque pas d'arriver, dit-il dans un nouvelle parodie de sourire, plus grimaçante encore.

Il la contemplait avec ce regard absent qu'elle ne lui connaissait pas. Son cœur se mit à battre la chamade.

— Tu veux bien me servir une bière, s'il te plaît ? J'ai eu une dure journée au bureau, si tu vois ce que je veux dire.

Elle déglutit avec peine, craignant de détourner les yeux.

— Je n'en ai plus.

Il hocha la tête, balaya la cuisine du regard avant de le poser de nouveau sur elle. Il montra une bouteille.

— J'en vois une ici, près de la cuisinière. Il y en a forcément une autre quelque part. Ça t'ennuie que je jette un œil dans le frigo ? (Il n'attendit pas sa réponse, s'avança et ouvrit le réfrigérateur, avant de tendre la main vers l'étagère du bas et d'en ressortir avec une bouteille.) J'en ai trouvé une ! claironna-t-il. (Il la décapsula en regardant Beth.) T'as dû te tromper, pas vrai ?

Il but une longue gorgée et lui fit un clin d'œil.

Elle s'efforça de garder son calme.

— Qu'est-ce que tu veux, Keith ?

— Oh, tu sais... Je passais juste prendre des nouvelles. Histoire de voir si je devais être au courant de certains trucs.

— À quel sujet ? demanda-t-elle, un nœud à l'estomac.

— À propos de Thaï-Bolt.

Il écorchait volontairement son nom, mais elle ne releva pas.

— Je ne sais pas de quoi tu parles.

Il prit une nouvelle gorgée, garda la bière un peu en bouche, tandis qu'il hochait la tête. Puis il l'avala bruyamment.

— En roulant jusqu'ici, je me disais que c'était ce que tu me répondrais, reprit-il comme s'ils bavardaient tranquillement. Mais je te connais mieux que tu ne le penses, précisa-t-il en la désignant avec sa bouteille. À une époque, j'étais pas du tout certain de te connaître, mais tout ça a changé au fil du temps. Le fait d'élever un fils, ça rapproche un couple, tu crois pas ?

Elle ne réagit pas.

— C'est la raison de ma visite, tu vois. Je suis là à cause de Ben. Parce que je veux ce qu'il y a de mieux pour lui, et là, en ce moment… je ne suis pas sûr que t'aies franchement les idées claires.

Il s'approcha d'elle et reprit une longue gorgée. La bouteille était déjà presque vide. Il s'essuya la bouche du dos de la main avant de poursuivre.

— Tu vois, je me disais aussi que toi et moi, on n'avait pas toujours eu d'excellentes relations. C'est pas bon pour Ben. Il a besoin de savoir qu'on s'entend toujours bien. Qu'on est encore des amis proches. Tu ne penses pas que c'est important de lui inculquer ça ? Que même des parents divorcés peuvent toujours rester copains ?

Ce monologue décousu la mettait de plus en plus mal à l'aise, mais elle avait peur de l'interrompre. C'était un Keith Clayton différent… dangereux, qui s'adressait à elle.

— Je pense que c'est important, continua-t-il en faisant encore un pas vers elle. En fait, je ne vois même rien qui soit plus important que ça.

— N'avance pas davantage, prévint-elle.

— N'y compte pas trop, grommela-t-il. Ces temps-ci, t'avais pas les idées bien nettes, à mon avis.

Tandis qu'il s'approchait encore, elle glissa le long du plan de travail, tout en évitant de lui tourner le dos.

— Ne viens pas plus près… Je te préviens…

Il continua pourtant à s'avancer, sans la quitter des yeux.

— Tu vois ? Tu te comportes comme si t'avais peur que je te fasse du mal. Je ne t'ai jamais, jamais fait de mal. Tu devrais le savoir, pourtant.

— Tu délires complètement.

— Non, pas du tout. Je suis un peu en colère, c'est vrai, mais je sais très bien ce que je dis.

Comme il lui souriait à nouveau, le regard flou disparut et elle sentit son estomac se retourner. Keith enchaîna :

— Malgré tout ce que tu m'as fait endurer, tu sais que je te trouve toujours aussi belle ?

Elle n'aimait pas la tournure de ses propos. Pas du tout. Soudain, elle se trouva acculée dans l'angle… Impossible d'aller plus loin.

— Va-t'en, OK ? Ben est là-haut et Nana sera là d'une minute à l'autre…

— Tout ce que je veux, c'est un baiser. C'est pas la mer à boire, quand même ?

Elle n'était pas certaine d'avoir bien entendu.

— Un baiser ?

— Pour le moment, dit-il. Rien qu'un seul. En souvenir du bon vieux temps. Ensuite, je m'en vais. Je quitte cette pièce sur-le-champ. Promis.

— Pas question que je t'embrasse, répliqua-t-elle, abasourdie.

Il se tenait carrément devant elle.

— Oh que si ! Et tu feras même davantage… plus tard. Mais pour le moment, un baiser, ça me va.

Elle se cambra en s'écartant au maximum de lui.

— S'il te plaît, Keith. Je n'ai pas envie. Je n'ai pas envie de t'embrasser.

— Tu t'en remettras, insista-t-il.

Comme il se penchait, elle détourna la tête. Il lui agrippa les avant-bras. Tandis qu'il avançait ses lèvres vers les siennes, le cœur de Beth martelait sa poitrine.

— Tu me fais mal ! s'écria-t-elle.

— Voilà ce qui va se passer, Beth, lui murmura-t-il. (Elle sentait la chaleur de son souffle sur son cou.) Si tu veux pas m'embrasser, pas de problème. J'accepte ton choix. Mais j'ai décidé qu'on allait redevenir un peu plus que des copains.

— Fous le camp !

Il la lâcha dans un éclat de rire.

— OK, dit-il en reculant. Pas de souci. Je m'en vais. Mais sache qu'il va t'arriver des bricoles si on n'arrive pas à trouver un terrain d'entente.

— Dégage ! hurla-t-elle.

— Je pense qu'on devrait sortir… en tête à tête de temps en temps. Et pas question que tu refuses.

La manière dont il prononça « tête à tête » lui flanqua la chair de poule. Beth n'en croyait pas ses oreilles.

— Après tout, je t'avais prévenue au sujet de Thaï-Bolt, ajouta-t-il, mais t'étais où cet après-midi ? Chez lui. (Il secoua la tête.) Grave erreur… Tu vois, c'est facile pour moi de monter un dossier contre lui en disant que c'est un obsédé et qu'il t'a traquée. Deux choses qui font de lui quelqu'un de dangereux, mais à l'évidence tu ne veux pas en tenir compte. Et ça devient dangereux pour Ben d'être forcé de vivre avec toi…

Le visage de Keith n'affichait aucune expression. Beth était paralysée par ses paroles.

— Ça m'embête de devoir saisir le juge pour le prévenir de tes agissements, mais je vais le faire. Et je suis sûr qu'on m'accordera la garde exclusive, cette fois.

— Tu ne ferais pas une chose pareille… murmura-t-elle.

– Bien sûr que si. *À moins que...*

La jubilation qui transparaissait dans ses propos le rendait d'autant plus effrayant. Il marqua une pause, lui laissant le temps de digérer cette phrase, avant de reprendre d'un ton professoral :

– Voyons si tu as bien compris. Primo, tu annonces à Thaï-Bolt que tu ne veux plus le revoir. Deuzio, tu lui demandes de quitter la ville. Et ensuite, on ressort ensemble. En souvenir du bon vieux temps. Soit tu obtempères, soit Ben vient vivre avec moi.

– Je veux pas venir vivre avec toi ! s'écria une voix d'enfant à l'entrée de la cuisine.

Beth aperçut Ben par-dessus l'épaule de Keith. Le gamin affichait une expression horrifiée. Il se mit à reculer.

– Je veux pas ! Je veux pas !

Il tourna les talons et partit en courant... La porte claqua derrière lui, tandis qu'il s'enfuyait dans la tempête.

– 37 –

Clayton

Beth voulut contourner Clayton, mais il la saisit de nouveau par le bras.

— On n'en a pas fini, tous les deux, grogna-t-il, ne voulant pas la lâcher tant qu'il ne serait pas sûr qu'elle avait compris.

— Il s'est enfui !

— Il n'a rien à craindre. Je veux m'assurer que t'as bien pigé comment ça va se passer entre nous.

Beth n'hésita pas un instant. Elle le gifla de sa main libre et il recula. Comme il lui lâchait le bras, elle en profita pour le pousser de toutes ses forces et le sentit vaciller.

— Fous le camp d'ici !

Dès qu'il recouvra l'équilibre, elle le frappa à la poitrine.

— J'en ai marre que toi et ta famille me disiez ce que je peux faire ou ne pas faire… Plus question de vous supporter !

— Dommage, rétorqua-t-il du tac au tac. Mais t'as pas le choix. Je ne vais pas laisser Ben s'approcher de ton *petit copain*.

Plutôt que de répondre, comme si elle n'en pouvait vraiment plus de l'écouter, elle passa devant lui en le bousculant.

– Où tu vas ? On n'a pas terminé.

– Récupérer Ben ! répondit-elle en traversant le salon.

– C'est juste de la pluie !

– Tout est inondé, au cas où ça t'aurait échappé !

Il la regarda filer sur la véranda et s'attendit à ce qu'elle y retrouve le petit... Mais, bizarrement, elle tourna la tête ici et là, puis disparut. Un éclair zébra le ciel, suivi de près par un grondement de tonnerre. Proche. Trop proche. Clayton sortit à son tour sur la véranda et vit Beth à l'autre bout. Elle scrutait la cour. Au même moment, il aperçut Nana qui s'approchait sous un parapluie.

– Tu as vu Ben ? lui cria sa petite-fille.

– Non ! répondit Nana, confuse, la pluie dégoulinant sur elle. J'arrive à l'instant. Qu'y a-t-il ? (Elle s'interrompit à la vue de Clayton.) Qu'est-ce qu'il fabrique là ?

– Tu n'as pas vu passer le petit ? insista Beth, en se mettant soudain à courir vers les marches.

– Pas de quoi s'affoler, intervint Clayton, sachant qu'il devait conclure sa discussion avec Beth. Il va revenir...

Beth s'arrêta net en se tournant vers lui. Clayton remarqua que sa colère cédait la place à un sentiment proche de la terreur.

– Qu'est-ce qui se passe ? demanda-t-il.

– La cabane...

En un éclair, Clayton comprit à quoi elle faisait allusion... puis il sentit comme un étau lui comprimer la poitrine.

L'instant d'après, ils filaient tous les deux en direction de la forêt.

– 38 –

Thibault, Beth et Clayton

Thibault finit par arriver dans l'allée menant au chenil, les bottes lourdes et gorgées de pluie, tandis que Zeus gardait l'allure à ses côtés, à peine ralenti par l'eau qui arrivait aux genoux de son maître. Devant lui, Thibault aperçut la voiture et la camionnette, ainsi qu'un 4 x 4. En s'approchant, il repéra les gyrophares sur le toit du véhicule et comprit que Clayton se trouvait là.

Malgré son épuisement, il fonça de plus belle en pataugeant. Zeus bondissait dans l'eau comme un dauphin sautant par-dessus les vagues. Plus Thibault courait, plus la distance semblait s'accroître, mais il dépassa enfin le bureau et bifurqua vers la maison. Il remarqua seulement Nana sur la véranda, une lampe à la main, braquée sur la forêt.

Même de loin, il voyait qu'elle paniquait.

— Nana ! hurla-t-il.

Mais sa voix se perdit dans la bourrasque. Elle devait cependant l'avoir entendu, car, quelques instants plus tard, elle se tourna dans sa direction et reconnut sa silhouette dans le faisceau de sa torche.

— Thibault ?

Il s'approcha péniblement. La pluie le cinglait de toutes parts et la lumière déclinante affaiblissait la visibilité.

— Qu'est-ce qui s'est passé ? cria-t-il.

— Ben a disparu !

— Comment ça, disparu ?

— Je n'en sais pas plus ! Clayton était là et Beth est sortie sur la véranda, à la recherche de Ben… Et puis tous les deux ont filé vers le cours d'eau. J'ai vaguement entendu parler de la cabane.

Thibault détala aussitôt en direction du bois, Zeus galopant à ses côtés.

Le vent et la pluie fouettaient les branches, et ils se griffaient le visage et les mains au passage. Des dizaines de ramures arrachées obstruaient le sentier, ce qui contraignait Beth et Keith à les contourner en passant par des buissons d'épineux. Beth trébucha et dégringola à deux reprises ; dans son sillage, elle entendit Keith chuter lui aussi. La boue était épaisse et visqueuse. À mi-chemin de la cabane, Beth perdit une chaussure, mais elle ne s'arrêta pas.

La cabane. La passerelle. Le ruisseau en crue. Seule l'adrénaline l'empêchait d'avoir la nausée. Dans sa tête, elle voyait déjà son fils sur le pont de corde qui s'effondrait.

Dans la pénombre, elle chancela de nouveau en butant contre un tronc d'arbre à moitié pourri et sentit une douleur fulgurante dans le pied. Elle se redressa au plus vite et tenta de l'ignorer, mais sitôt qu'elle remit le pied par terre, elle s'écroula.

Sur ces entrefaites, Keith l'avait rejointe et l'aida à se relever sans un mot. Tout en la tenant par la taille, il la fit avancer.

Elle et lui savaient Ben en péril.

Clayton dut se faire violence pour ne pas céder à la panique. Il se dit que Ben ne manquait pas de jugeote, qu'il avait conscience du danger, qu'il ne forcerait pas sa chance. Ben n'était pas le plus brave des gamins... Pour la première fois de sa vie, Clayton s'en félicitait.

Tandis qu'il avançait avec peine dans le sous-bois, Beth claudiquant à ses côtés, Clayton ne put ignorer ce qu'il voyait. Bien au-delà de ses berges, presque à leurs pieds, il aperçut le ruisseau, plus large, plus puissant, et plus rapide que le souvenir qu'il en gardait.

Thibault courait comme un fou dans l'eau et la boue, évitant de ralentir, même s'il peinait de plus en plus pour conserver l'allure. Les branches et les plantes grimpantes s'acharnaient sur son visage et ses bras, entaillant sa peau à mesure qu'il se frayait un chemin parmi elles, sans éprouver la moindre douleur.

Tout en avançant, il se débarrassa du haut de sa tenue imperméable, puis de sa chemise.

J'y suis presque, ne cessait-il de se répéter. *Encore quelques pas.*

Et, tout au fond de lui, il entendit la voix de Victor résonner comme un écho.

Il y a autre chose...

Beth sentait les os de son pied craquer à chaque pas, tandis que la douleur l'élançait dans toute la jambe, mais elle refusait de gémir ou de hurler.

Alors qu'ils s'approchaient de la cabane, le torrent s'élargissait encore davantage, le courant engendrant toutes sortes de remous. L'eau saumâtre formait de petites vagues autour des branchages arrachés le long des berges disparaissant à vue d'œil. Les eaux tumultueuses charriaient suffisamment de débris pour assommer n'importe qui.

La pluie tombait à seaux. Le vent fit basculer une nouvelle branche, qui s'écrasa à terre quelques mètres plus loin. La boue les ralentissait et semblait absorber toute leur énergie.

Mais elle savait qu'ils avaient atteint le chêne. À travers le rideau de pluie, Elizabeth discerna le pont de corde, tel le mât en lambeaux d'un navire qu'on apercevait enfin dans un port brumeux. Ses yeux allèrent de l'échelle à la passerelle de corde, avant de se poser sur le plateau central… Les eaux coulaient par-dessus, les débris s'accumulant contre les piliers. Son regard se déplaça de l'autre section du pont de corde jusqu'à la plate-forme de la cabane, tout en remarquant la forme bizarre de la passerelle suspendue dans le vide. Elle se balançait à trente centimètres à peine au-dessus du torrent, car la plate-forme était quasiment arrachée à l'ancienne structure de soutien de la cabane, de toute évidence sur le point de céder.

Beth crut vivre un cauchemar en repérant soudain Ben dans les remous, cramponné au pont de corde sous la plate-forme de la cabane. À cet instant seulement, elle s'autorisa à pousser un cri.

Clayton sentit la peur affluer dans ses veines dès qu'il vit Ben agrippé au bord effiloché de la passerelle de corde. Son cerveau entra en ébullition.

Trop loin pour rejoindre l'autre rive à la nage… Et il n'aurait pas le temps.

— Reste là ! cria-t-il à Beth, comme il fonçait vers l'échelle clouée à l'arbre.

Il la gravit à toute vitesse et s'engagea dans la foulée sur le pont de corde, pressé d'aller sauver Ben. Il voyait la plate-forme de la cabane glisser dans l'eau. Sitôt que la force du courant l'atteindrait, elle l'arracherait.

Au troisième pas, les planches pourries cédèrent sous son poids, et Clayton passa au travers du plateau central, se brisant les côtes au passage, tandis qu'il chutait tout droit dans le cours d'eau. Il eut juste le temps de saisir la corde. Il lutta pour avoir une meilleure prise alors qu'il s'enfonçait sous la surface, ses vêtements le tirant vers le fond. Il sentit le courant l'entraîner et la corde se tendre. Il tint bon, essayant d'émerger tout en battant violemment des pieds.

Il remonta à la surface en suffoquant. Ses côtes brisées le faisaient atrocement souffrir et un voile noir occulta sa vision l'espace d'un instant. Dans l'affolement, il tendit l'autre main pour attraper la corde, tout en luttant contre le courant.

Tandis qu'il se cramponnait en ignorant la douleur, des branches venaient se fracasser contre lui avant de s'en aller en tournoyant. À cause du courant, il voyait mal, respirait avec peine, et ne pensait à rien d'autre qu'à sa survie. Dans sa lutte, il ne remarqua pas les piliers du plateau central qui tanguaient sous la traction de son poids et commençaient à pencher dans le sens du courant violent.

Beth se redressa et tenta d'avancer à cloche-pied. Elle fit trois pas avant de retomber. Elle mit ensuite ses mains en porte-voix et hurla en direction de l'autre rive :

– Avance le long de la corde, Ben ! Éloigne-toi de la plate-forme ! Tu peux y arriver !

Beth n'était pas sûre qu'il l'ait entendue, mais quelques instants plus tard, elle le vit progresser peu à peu par-dessous la plate-forme pour gagner le courant plus fort au centre du torrent. Vers son père...

Keith se débattait et parvenait à peine à s'accrocher…

Tout parut s'accélérer et ralentir en même temps, quand elle perçut du mouvement à distance, un peu plus en amont. Du coin de l'œil, elle repéra Logan qui retirait ses bottes et son pantalon imperméable. L'instant d'après, il plongeait dans l'eau, Zeus le talonnant de près.

Clayton savait qu'il ne pourrait plus tenir longtemps ; la douleur dans la cage thoracique devenait insoutenable, et le courant continuait de le malmener. Il reprenait son souffle par intermittence et se débattait contre la mort, qu'il sentait venir.

Le courant tenace déplaçait Thibault d'une cinquantaine de centimètres chaque fois qu'il avançait d'un pas. Il savait qu'il pourrait remonter le cours d'eau à pied, une fois qu'il aurait atteint l'autre berge, mais le temps pressait. Concentré sur Ben, il nageait comme il pouvait.

Une grosse branche le percuta et l'envoya un bref instant sous l'eau. Lorsqu'il émergea, désorienté, il aperçut Zeus dans son sillage, qui barbotait ferme. Il se repéra, puis se remit à nager avec l'énergie du désespoir. Il constata, effaré, qu'il n'avait pas encore atteint le centre du torrent.

Beth voyait Ben avancer peu à peu le long du pont de corde dépenaillé, et elle s'approcha tant bien que mal du bord de l'eau.

— Viens ! cria-t-elle entre deux sanglots. Tu peux y arriver ! Accroche-toi, mon cœur !

Thibault entra soudain en collision avec le plateau central immergé du pont. Il roula et tournoya sur lui-même... avant de heurter Clayton, qui paniqua et, de sa main libre, attrapa le bras de Thibault en l'entraînant sous l'eau. Thibault se débattit et chercha la corde à tâtons ; sa main l'agrippa juste au moment où Clayton lâchait prise. Mais celui-ci s'accrocha alors à Thibault, grimpant au-dessus de lui, dans un effort frénétique pour respirer à la surface.

Thibault luttait sous l'eau, saisissant la corde d'une main, sans pouvoir se détacher de Clayton. Il crut que ses poumons allaient exploser et sentit la panique le gagner.

À ce moment précis, les piliers tanguèrent à nouveau sous la traction vers l'aval du poids de Clayton et de Thibault réunis... et dans un grand fracas, le plateau central céda complètement.

Beth regarda Keith et Logan en train de lutter juste avant que ne se détachent les dernières cordes reliées au plateau central. Sur l'autre rive, la plate-forme bascula dans le torrent, provoquant une formidable gerbe d'eau, et Ben se retrouva projeté en aval. Sous les yeux horrifiés de Beth, le petit se cramponnait toujours à la corde rattachée au plateau central, qui tournoyait dans les remous.

Zeus s'était rapproché de Logan et de Keith, quand le plateau se souleva soudain comme un coquillage roulé par les vagues, avant de s'écraser. Puis le chien disparut.

Tout se déroula si vite... Beth ne discernait plus Logan ni Keith, et ce ne fut qu'après avoir scruté le cours d'eau avec frénésie qu'elle repéra enfin la tête de Ben, parmi les débris.

Elle perçut ses cris stridents et le vit lutter pour conserver la tête hors de l'eau. Beth se leva une nouvelle fois et s'avança à cloche-pied, ne sentant plus la douleur, tandis qu'elle tentait à tout prix de ne pas perdre Ben de vue.

Et soudain, comme si le rêve devenait réalité, elle aperçut une tête sombre et lisse se déplaçant résolument vers son fils.

Zeus.

Elle entendit Ben appeler le chien, et reprit soudain espoir.

Toujours à cloche-pied, elle avançait, puis dégringolait, se relevait, puis retombait. À la fin, elle se mit à ramper et se servit des branches pour avancer. Zeus et Ben s'éloignaient vers l'aval, emportés par le courant, mais Zeus se rapprochait du petit.

Et puis, tout à coup, leurs deux silhouettes se confondirent, et Zeus nagea vers la rive où se tenait Beth, avec le gamin dans son sillage, cramponné à sa queue.

— Bats des pieds, mon cœur ! Bats des pieds ! hurla-t-elle.

Clopin-clopant, Beth avança comme elle put, essayant en vain de suivre le courant. Ben et Zeus s'éloignaient de seconde en seconde. Elle bataillait pour ne pas les perdre de vue… Ils avaient atteint le centre du cours d'eau… Non, ils l'avaient dépassé !

Elle continua, luttant avec le peu de force qui lui restait, son instinct reprenant le dessus. Elle ne sentait plus la douleur, mais son cœur battre au rythme de ses pas.

Ils n'étaient plus qu'à un tiers du chemin pour rejoindre la rive… Le courant ralentissait… Plus qu'à un quart…

Elle rampait toujours, s'agrippant aux branches pour se redresser. Leurs silhouettes disparaissaient dans les feuillages, et plusieurs minutes atroces s'écoulèrent avant que Beth ne puisse de nouveau les repérer.

Ils y étaient presque… Le soulagement l'envahissait déjà… Encore quelques battements de pieds…

Ils atteignirent enfin la berge. Ben le premier, et il lâcha prise. Zeus bondit en avant et le suivit de peu. Beth alla à leur rencontre, tandis qu'ils sortaient de l'eau en titubant.

Zeus s'écroula sitôt sur la terre ferme. Ben s'effondra l'instant d'après. Le temps que Beth les rejoigne, le chien s'était redressé ; les pattes tremblant d'épuisement, trempé jusqu'à l'os, il toussait.

Une fois auprès de son fils, elle l'aida à s'asseoir, tandis qu'il se mettait lui aussi à tousser.

— Tu vas bien ? lui demanda-t-elle.

— Ça va, répondit-il. (Il toussa encore et s'essuya le visage.) J'ai eu peur, mais j'avais la photo dans ma poche. Thibaut m'avait dit qu'elle me protégerait. (Il s'essuya le nez du dos de la main.) Et p'pa, il est où ? Et Thibault ?

Ils se mirent tous deux à les appeler.

– Épilogue –

Deux mois plus tard

Beth jeta un regard dans le rétroviseur et sourit à la vue de Zeus debout sur le plateau de la camionnette, le nez au vent. Ben se tenait assis à côté d'elle, plus élancé depuis sa récente poussée de croissance, mais pas encore assez grand pour passer le coude par la vitre.

C'était la première période de beau temps après des semaines de froid atroce, et Noël arrivait à grands pas… dans moins d'une quinzaine de jours. La chaleur et les tempêtes d'octobre appartenaient déjà au passé. Les inondations avaient fait la une des journaux nationaux. Le centre-ville, comme d'autres localités de la région, n'y avait pas échappé ; en tous, six personnes y avaient laissé la vie.

En dépit du cauchemar qu'ils avaient traversé, Beth réalisait qu'elle se sentait depuis peu et pour la première fois… en paix avec elle-même. Après les obsèques, il lui avait fallu prendre à bras-le-corps les événements extraordinaires ayant conduit à ce jour fatal. Elle savait que de nombreuses personnes en ville s'interrogeaient sur les choix qu'elle avait faits. À l'occasion, elle entendait des gens murmurer sur son passage, mais la plupart du temps elle les ignorait. Si

Logan lui avait appris quelque chose, c'était de garder confiance en elle et en son instinct.

Heureusement, Nana allait de mieux en mieux ; dans les jours et les semaines qui suivirent « l'accident », comme elle l'appelait, Beth et surtout Ben s'étaient reposés sur elle, profitant de toute sa sagesse et de son soutien infaillible. Ces jours-ci, elle chantait régulièrement à la chorale, trouvait le temps de dresser les chiens, et se servait de ses deux mains, claudiquant uniquement lorsqu'elle était fatiguée. Deux ou trois semaines plus tôt, toutes les deux marchaient exactement de la même façon. On avait retiré le plâtre de Beth deux jours avant – elle s'était fracturé quatre os du pied, lequel resta plâtré sept semaines –, et Nana s'était d'ailleurs moquée d'elle, ravie de ne pas être la seule invalide.

Ben avait nettement changé depuis l'accident ; sur certains plans, cela inquiétait Beth, et sur d'autres, cela la rendait fière. Le fait d'avoir survécu à cette épreuve avait donné à Ben un regain d'assurance, notamment à l'école. Ou du moins se plaisait-elle à le penser. Parfois, elle se demandait si c'était à cause de la photo qu'il avait gardée dans sa poche. La pellicule du plastique de protection était cornée, usée, et commençait à se détacher, mais il ne voulait pas s'en séparer et la conservait sur lui chaque jour. Cela lui passerait en grandissant, supposait-elle… Mais qui sait ? C'était Thibault qui la lui avait léguée, et à ce titre, la photo revêtait une signification bien particulière à ses yeux.

La disparition s'était révélée pénible pour le petit, bien sûr. S'il en parlait rarement, elle savait qu'il s'en voulait encore parfois. Et il faisait de temps à autre ce cauchemar, où il appelait tantôt Keith, tantôt Logan. Quand Beth le réveillait, il lui racontait toujours le même rêve. Il se débattait dans la rivière, allait se noyer, quand il apercevait Zeus qui nageait vers lui. Sauf que dans son rêve, il tâtonnait en vain, sans pouvoir agripper la queue du chien. Il l'attrapait, puis elle lui échappait encore et encore… Et il finissait par se rendre compte que Zeus n'avait plus de queue… Ensuite, il se voyait lui-même de l'extérieur en train de s'agiter, alors qu'il sombrait lentement au fond de l'eau.

Une fois au cimetière, Beth s'arrêta à sa place habituelle. Elle transportait deux vases de fleurs. Comme à chaque visite, elle se rendait d'abord sur la tombe de Drake et prenait le temps d'évoquer son souvenir, avant de retirer les mauvaises herbes autour de la pierre tombale et d'installer les fleurs à côté. Ensuite, elle rejoignait l'autre tombe. Elle avait gardé le plus grand arrangement floral pour celle-ci ; c'était l'anniversaire du défunt, et elle tenait à ce qu'on se souvienne de lui.

Zeus se promenait ici et là, en reniflant et en explorant comme à son habitude. Ben marchait dans son sillage, comme il le faisait depuis le jour de son arrivée. Ben l'avait toujours adoré, mais après que l'animal l'eut sauvé des eaux, il était devenu impossible de les séparer. Zeus semblait se rendre compte de l'acte qu'il avait accompli – ou du moins, c'était la seule explication que Beth avait trouvée – et, dans l'esprit du chien, Ben et lui étaient désormais liés. La nuit, il dormait dans le couloir, devant la chambre du petit. En marchant à tâtons vers la salle de bains, au milieu de la nuit, Beth repérait souvent Zeus près du lit, comme pour s'assurer que son compagnon adoré dormait bien.

Le sentiment de perte se révélait complexe, et Ben et elle luttaient contre les séquelles. Beth avait parfois l'impression que certains souvenirs entravaient leur travail de deuil, car en dépit de l'héroïsme marquant l'épreuve qu'ils avaient traversée, les autres réminiscences n'étaient pas toujours roses. Mais, tout bien considéré, elle conserverait pour Keith Clayton une gratitude sans équivoque. Elle n'oublierait jamais la manière dont il l'avait soutenue après sa chute, ce jour-là... et qu'il avait fini par mourir en voulant à tout prix sauver leur fils.

Ce n'était pas rien. C'était même énorme, et malgré ses autres défauts, c'est sous cet aspect qu'elle évoquerait *toujours* sa mémoire. Elle espérait que Ben parviendrait aussi à s'en souvenir de cette manière, sans culpabilité, et en ayant conscience de l'amour que Keith lui portait, aussi fugace qu'il ait pu lui sembler alors.

Beth savait que Logan l'attendrait à son retour. Il avait proposé de l'accompagner au cimetière, mais elle savait qu'il n'avait pas réellement envie d'y aller. C'était le week-end et il préférait passer une matinée tranquille et solitaire dans la propriété, s'occupant à réparer ceci ou cela, ou à travailler sur la nouvelle cabane de Ben dans l'arrière-cour. Plus tard, ils avaient prévu de décorer le sapin de Noël. Elle commençait à s'habituer à son rythme de vie et à ses humeurs, et savait reconnaître les manifestations discrètes de sa personnalité. Mais bon an, mal an, avec ses forces et ses faiblesses, il lui appartenait à jamais.

Tandis qu'elle s'engageait dans l'allée, elle aperçut Logan qui descendait les marches du perron et lui fit signe.

Elle aussi lui appartenait à jamais... aussi imparfaite qu'elle soit. C'était à prendre ou à laisser, songea-t-elle. *Après tout, je suis comme je suis.*

Alors que Logan s'avançait vers elle, il sourit comme s'il lisait dans ses pensées et l'accueillit à bras ouverts.

– REMERCIEMENTS –

L'écriture n'est jamais un effort solitaire et, comme toujours, je n'aurais pas eu l'énergie et la capacité d'achever ce roman sans l'aide de nombreuses personnes. Certes, il existe mille et une façons de leur rendre hommage, mais cette fois je me suis dit que j'allais innover... du moins selon la liste que j'ai « googlée » juste avant de rédiger ces lignes. (Sans tricher, êtes-vous capable de reconnaître chacune des langues comme ça, au pied levé ?)

En premier lieu, bien sûr, ma femme, Cathy. Avant tout, elle m'aide à rester concentré sur les choses les plus importantes dans la vie. J'ai d'ailleurs dit à mes fils qu'ils feraient bien d'épouser un jour une femme comme elle. *Thank you !*

Viennent ensuite mes enfants : Miles, Ryan, Landon, Lexie et Savannah, tous immortalisés (d'une manière bien modeste) à travers les prénoms de certains personnages de mes précédents romans. Pour toute leur affection et parce qu'ils représentent le plus beau cadeau qui soit au monde, *Muchas gracias !*

Ensuite ? Mon agent littéraire, Theresa Park, qui mérite toujours ma gratitude. Les rapports auteur-agent peuvent se révéler parfois compliqués... à en croire d'autres agents et auteurs. En toute honnêteté, c'est absolument fantastique et merveilleux de travailler avec Theresa depuis notre premier échange téléphonique, qui remonte à 1995. C'est la meilleure, non seulement pour son intelligence et sa patience, mais aussi parce qu'elle possède davantage de bon sens que la plupart des gens de ma connaissance. *Danke schön !*

Denise DiNovi, mon amie et complice de cinéma, constitue l'une des nombreuses bénédictions de mon existence. Elle a produit trois films que j'ai scénarisés : *Le Temps d'un ouragan*, *Une bouteille à la mer*, et *Le Temps d'un automne*, ce qui fait de moi l'un des auteurs les plus heureux du monde. *Merci beaucoup !*

David Young, le fabuleux P-DG de Grand Central Publishing, m'a toujours soutenu, et j'ai beaucoup de chance de travailler avec lui. *Arigatô gozaimasu !*

Jennifer Romanello, mon amie et attachée de presse, grâce à laquelle, depuis treize ans, la promotion est une expérience toujours agréable et enrichissante. *Grazie !*

Edna Farley, mon amie que j'ai souvent au téléphone, programme quasiment tout – et gère le moindre problème – en tournée. C'est une personne non seulement fantastique, mais aussi d'un optimisme inébranlable, une qualité que j'ai appris à respecter. *Tapadh leibh !*

Howie Sanders, mon agent et ami, est un autre membre du club « Je travaille avec cet auteur depuis longtemps ». Et ma vie ne s'en porte que mieux. *Toda raba !*

Keya Khayatian, un autre de mes agents pour le cinéma, est géniale et jamais avare de son temps. *Mamnoun !*

Harvey-Jane Kowal et Sona Vogel, mes correctrices, sont d'une patience d'ange, compte tenu du fait que je rends toujours mes manuscrits avec énormément de retard. Elles doivent débusquer la moindre petite erreur (OK, parfois grosse) dans mes romans, et je leur laisse rarement beaucoup de temps. Elles sont fantastiques dans leur domaine. À vous deux : *Spasiba !*

Scott Schwimer, mon avocat, est l'un de ces gars qui vous fait détester les mauvaises blagues sur les juristes. C'est une personne admirable et un excellent ami. *Liels paldies !*

J'en profite aussi pour remercier Marty Bowen, Courtenay Valenti, Abby Koons, Sharon Krassney, Lynn Harris et Mark Johnson. *Efharisto !*

Alice Arthur, ma photographe, répond toujours à l'appel, même prévenue au dernier moment, et réalise de superbes clichés, ce dont je lui suis toujours reconnaissant. *Toa chie* ou *Xièxie !*

Tony McLaughlin, le directeur de l'Epiphany School – un établissement scolaire que ma femme et moi l'avons aidé à fonder –, a rendu ma vie plus riche et plus épanouissante depuis que nous travaillons ensemble. *Obrigado !*

Enfin, un coup de chapeau à David Simpson, mon co-entraîneur de New Bern High… *Mahalo nui loa !*

P.-S. : Les langues sont les suivantes : anglais, espagnol, allemand, français, japonais, italien, gaélique d'Écosse, hébreu, farsi (persan), russe, letton, grec, chinois, arabe, portugais, et hawaïen. Du moins si j'en crois ce que j'ai trouvé sur Internet. Mais peut-on croire tout ce qu'on y trouve ?

Composition PCA
44400 – Rezé

Impression réalisée par
Imprimerie Lebonfon Inc.
pour le compte des Éditions Michel Lafon